アメリカで
結婚・出産・子育ての
安心ガイド

山本美知子
YAMAMOTO MICHIKO
斉藤由美子
SAITO YUMIKO

グローバルJネットワーク

亜紀書房

はじめに

亜紀書房のアメリカ実用シリーズ『アメリカ渡航応援ＢＯＯＫ』、『充実新版　アメリカで働くためのＱ＆Ａ１００』、『アメリカ暮らし　すぐに使える常識集』に続く第４弾として、本書が発行されることになりました。

本書はアメリカで結婚、出産、子育てをする人にぜひ読んでいただきたい本です。読者の皆さんのなかには、日本で知り合って国際結婚をして渡米をする人、アメリカで知り合って国際結婚をする人がいるでしょう。国際結婚でなくても、アメリカ在住の日本人と結婚したり、就労や留学で渡航を予定している日本人と結婚して一緒に渡航する人もいるでしょう。

本書は留学など、ひとりで渡航する人にも、ぜひ読んでいただきたい本です。思いがけない出会いがあって、現地で結婚することも少なくないからです。

各章で役立つ情報を紹介するとともに、章末ではアメリカへの渡航、結婚、出産、子育を体験した人へのインタビュー、アメリカ人と国際結婚をした著名人の紹介、国際結婚に関する本の紹介、渡米にあたって持っていれば役立つ本、困った時の連絡先、お役立ちウェブサイトなどを紹介して、「アメリカでの結婚、出産、子育て」を多角的に取り上げています。

本書は、アメリカ東海岸（コネチカット）在住の斉藤由美子さんと神奈川県在住の山本美知子が執筆を担当しました。斉藤さんはご主人の１回目の赴任中に、アメリカで長女を出産し、２回目の赴任では長女、長男、次男を地元の公立学校から州立大学へ進学させるという体験をされています。

私、山本はアメリカでの就労経験や各国への渡航経験をいかして、「グローバルＪネットワーク」を設立し、アメリカのビザや永住権などに関する電話相談や機関誌作りをおこなっています。

本書についての助言や内容についての問い合わせは、「グローバルＪネットワーク」【巻末の資料参照】までお願いします。

グローバルＪネットワーク代表
山本美知子

3章 結婚と渡航ビザの関係●57

8章 **新生児**を育てる＊＊**準備**から**幼児期**まで●183

1章

パートナーと出会う

あの人はどうやってアメリカの人と知りあったの？

アメリカとの遠距離恋愛を続けるにはどうしたらいい？

国際結婚の歴史を知ろう

１ データで見る日本人とアメリカ人の国際結婚

厚生労働省の統計をみると、国際結婚が増えていることがわかります。１９８０年には７，２６１人だった国際結婚のカップルが、四半世紀経った２００６年には、４万４，７０１人と大幅な増加をとげています［次ページ表参照］。今や国際結婚は全体の結婚数の６％強を占めています。

国際結婚相手の出身国

国際結婚の全体数のうち、日本人男性・外国人女性のカップルが、８割以上を占めています。日本における国際結婚の特徴として、男女別で相手の出身国に違いがあります。日本人男性の結婚相手として出身国の上位を占めるのは、フィリピン、中国、韓国・朝鮮で、これらの国に集中しています。一方、日本人女性の結婚相手の出身国の上位を占めるのは、韓国・朝鮮、アメリカ、中国です。韓国・朝鮮の場合は「在日」が圧倒的多数を占めるため、言葉が通じない外国人としては、アメリカが実質上第１位となっています［次ページ表参照］。

アメリカ人との国際結婚

２００６年の統計では、アメリカ人女性と結婚した日本人男性が２１５人しかいないのに対して、アメリカ人男性と結婚した日本人女性は１，４７４人と、大きな格差があります。アメリカ人との国際結婚では、９割弱のカップルが、日本人女性とアメリカ人男性の組み合わせとなっています。

これは「（欧米諸国で）モテる日本人女性、モテない日本人男性」の風評を裏付ける統計となっていますが、様々な理由が考えられます。

日本人女性からいえば、女性の扱い方がぎこちなく保守的な考え方が残る自国の男性よりも、レディファーストのマナーを心得ているスマートな物腰のアメリカ人男性に惹かれること、アメリカ人男性からいえば、はっきりと物をいう自国の女性よりも、物腰の柔らかな日本人女性に惹かれることなども、理由のひとつでしょう。

日本における国際結婚の推移

	1970年	1980年	1990年	2000年	2006年
結婚総数	1,209,405	774,702	722,138	798,138	730,971
日本人同士の結婚	1,023,859	767,441	696,512	761,875	686,270
国際結婚	5,546	7,261	25,626	36,263	44,701
夫が日本人	2,108	4,386	20,026	28,326	35,993
妻が日本人	3,438	2,875	5,600	7,937	8,708

出典:『人口動態統計年報』(厚生労働省)　(単位:人)

国際結婚相手の出身国

		1970年	1980年	1990年	2000年	2006年
夫日本・妻外国		2,108	4,386	20,026	28,326	35,993
妻の国籍	韓国・朝鮮	1,536	2,458	8,940	6,214	6,041
	中国	280	912	3,614	9,884	12,131
	フィリピン	…	…	…	7,519	12,150
	タイ	…	…	…	2,137	1,676
	米国	75	178	260	202	215
	英国	…	…	…	76	79
	ブラジル	…	…	…	357	285
	ペルー	…	…	…	145	117
	その他の国	217	838	7,212	1,792	3,299
妻日本・夫外国		3,438	2,875	5,600	7,937	8,708
夫の国籍	韓国・朝鮮	1,386	1,651	2,721	2,509	2,335
	中国	195	194	708	878	1,084
	フィリピン	…	…	…	109	195
	タイ	…	…	…	67	54
	米国	1,571	625	1,091	1,483	1,474
	英国	…	…	…	249	386
	ブラジル	…	…	…	279	292
	ペルー	…	…	…	124	115
	その他の国	286	405	1,080	2,239	2,773

出典:『人口動態統計年報』(厚生労働省)　(単位:人)

2 海外で暮らす日本人数のうつり変わり

ＯＬ留学症候群と海外在住邦人数

１９８０年代後半のバブル期に、「ＯＬ留学症候群」という言葉がメディアを賑わせました。円高になった日本経済を背景に、ＯＬたちが仕事を辞めて語学留学へと旅立っていったのです。

職場であまり重要な仕事をさせてもらえないという不満ゆえに、さらなるキャリアアップを求めた人、転職の合間に違う世界を覗いてみようと思った人、海外暮らしという幼いころからの夢を実現させた人……理由はいろいろです。

すでに海外旅行が普及していたことと相まって語学留学が海外旅行感覚でできたことも、「ＯＬ留学症候群」のＯＬたちを産み出す要因となりました。若い女性が多かったのは、女性が仕事などに関して「失うものが少ない」存在で、「日本社会のプレッシャー」をより多く感じている存在だったからかもしれません。女性の場合は、仕事を辞めたとしても、帰国すれば派遣社員で働くこともできるし、英語が上達すればよりランクが上の仕事に就くことも可能だという張りあいもありました。

ワーキングホリデー［ＷＨ］と抽選永住権制度

バブルが崩壊してからも、語学留学で日本を出国する人たちは絶えることがありません。１９８０年にオーストラリアを皮切りに開始されたワーキングホリデー（ＷＨ）は参加国が増え、海外渡航する日本人は年々増加しています。現在ではカナダ、ニュージーランド、イギリス、フランス、ドイツ、デンマーク、アイルランド、韓国がＷＨに参加しています。

１９９４年からはアメリカで抽選永住権の制度が始まり、毎年世界各国から5万人の当選者を出しています。日本人の当選者は毎回アジア諸国のなかで、上位を占めています。

海外在留邦人数［2007年］

総数:1,063,695人［うち永住者328,317人・全体の30.87%］
(単位:人)

国別上位20

1	アメリカ	370,386［351,168］
2	中国	125,417［114,899］
3	ブラジル	64,802［ 65,942］
4	イギリス	60,751［ 54,982］
5	オーストラリア	59,285［ 52,970］
6	カナダ	44,158［ 45,914］
7	タイ	40,249［ 36,327］
8	ドイツ	33,608［ 32,011］
9	フランス	30,863［ 28,602］
10	シンガポール	26,370［ 24,902］
11	韓国	22,488［ 21,968］
12	台湾	16,402［ 16,553］
13	フィリピン	13,440［ 12,913］
14	ニュージーランド	12,219［ 13,289］
15	アルゼンチン	11,692［ 11,917］
16	インドネシア	11,090［ 11,221］
17	イタリア	10,489［ 9,773］
18	マレーシア	9,928［ 10,347］
19	スイス	7,438［ 6,887］
20	オランダ	7,150［ 7,602］

都市別上位20

1	ニューヨーク	61,364［59,285］
2	ロサンゼルス	59,220［50,503］
3	上海	43,990［40,264］
4	バンコク	29,919［26,991］
5	香港	27,270［25,961］
6	ロンドン	26,597［24,189］
7	シンガポール	26,370［24,902］
8	シドニー	23,573［21,240］
9	バンクーバー	19,753［22,530］
10	ホノルル	15,027［13,441］
11	サンパウロ	14,776［15,454］
12	サンフランシスコ	14,575［12,781］
13	サンノゼ	13,124［12,136］
14	パリ	12,720［10,995］
15	北京	12,260［10,890］
16	サンディエゴ	11,056［ 9,936］
17	メルボルン	9,414［ 8,612］
18	台北	8,649［ 8,825］
19	シカゴ	8,623［ 8,570］
20	ソウル	8,370［ 8,277］

アメリカ内上位15

1	ニューヨーク	61,364［59,285］
2	ロサンゼルス	59,220［50,503］
3	ホノルル	15,027［13,441］
4	サンフランシスコ	14,575［12,781］
5	サンノゼ	13,124［12,136］
6	サンディエゴ	11,056［ 9,936］
7	シカゴ	8,623［ 8,570］
8	デトロイト	7,838［ 8,126］
9	ポートランド	4,066［ 3,834］
10	グアム	3,703［ 3,617］
11	オークランド	3,193［ 3,984］
12	コロンバス	2,279［ 2,778］
13	ヒューストン	2,270［ 2,311］
14	ボストン	1,940［ 5,608］
15	ピッツバーグ	1,856

＊ボストン(昨年9位)、シアトル(昨年14位・2,343人)の人口が激減。ピッツバークが増加。

＊括弧内は前年度数
出典:『海外在留邦人数調査統計』(外務大臣官房領事移住部編)

日本人海外渡航者数と訪日外国人数

	出国日本人数	入国外国人数
1980年	3,909,333	1,295,866
1985年	4,948,366	2,259,894
1990年	10,997,431	3,578,795
1995年	15,298,125	3,839,240
2000年	17,818,590	5,272,095
2005年	17,403,565	7,450,103
2006年	17,534,565	8,107,963

出典:『出入国管理統計年報』(法務大臣官房司法法制調査部)

3 日本で暮らす外国人数は年々増加している

日本の外国人数

日本人の海外渡航と比例して、来日する外国人の数も増えています。２００８年6月29日付けの朝日新聞では、在留外国人の数が２１５万人を突破したと報じていました。これは日本の人口全体の１・69％にあたります。

統計をみると、日本で暮らす外国人の数は、この10年で１・5倍になっています。この年の画期的な出来事といえば、特別永住者［＊1］が多いため、戦後から第１位を保ってきた韓国・朝鮮人を追い抜いて、中国人がトップに立ったことです。

在留外国人の人口を国籍別にみると、前述の両国が圧倒的に多く、ブラジル、フィリピン、ペルーと続き、アメリカは約5万人で6位。欧米諸国のなかでは1位ですが、数としては多くありません。その他の国からやってきた外国人の数は約32万となっています。全体として、日本には１９０ヵ国からやってきた外国人が外国人登録をしています。

統計によれば、「日本人の配偶者」の数はそれほど大きな変化はありませんが、「定住者」［＊2］の数が増えていることがわかります。これは日本人の配偶者と離婚をした後も、引き続き日本に住むことを希望して、在留資格を「日本人の配偶者」から「定住者」へと変更したことを物語っています。

不法残留者

法務省入管局の調べによると、２００８年1月1日現在の不法残留者数は約15万人で、前年度に比べて２万人減少しています。男女別にみると、男性が７万６，３７８人、女性が7万3，４０7人となっています。

不法残留者の数が、２００3年に約22万人だったことを考えると、激減していることがわかります。いずれも統計に記載されている国はアジア諸国で、欧米諸国は記載されていません。

国別外国人登録者の推移

	1995年	2000年	2007年
中国	222,991	335,575	606,889
韓国・朝鮮	666,376	635,269	593,489
ブラジル	176,440	254,394	316,967
フィリピン	74,297	144,871	202,592
ペルー	36,269	46,171	59,696
アメリカ	43,198	44,865	51,851
その他	142,800	225,308	321,489
総数	1,362,371	1,686,444	2,152,973

出典：外国人登録者統計（法務省入国管理局）　（単位：人）

在留資格別外国人登録者数の推移

	1995年	2000年	2007年
一般永住者	—	145 336	439 757
特別永住者	—	512 269	430 229
定住者	151,143	237,607	268,604
日本人の配偶者等	244,381	279,625	256,980
留学	60,685	76,980	132,460
家族滞在	56,692	72,878	98,167
研修	17,713	36,199	88,086
人文知識・国際業務	25,070	34,739	61,763
技術	9,882	16,531	44,684
就学	34,441	37,781	38,130
技能	7,357	11,349	21,261
企業内転勤	5,901	8,657	16,111
興行	15,967	53,847	15,728
永住者の配偶者等	6,778	6,685	15,365
教育	7,155	8,375	9,832
教授	4,149	6,744	8,436
その他	88,451	140,862	207,380
総数	1,362,371	1,686,444	2,152,973

出典：外国人登録者統計（法務省入国管理局）　（単位：人）

不法残留者数

［2008年1月1日現在］

国籍	総数
韓国	31,758
中国	25,057
フィリピン	24,741
タイ	7,314
台湾	6,031
インドネシア	5,096
マレーシア	4,804
ペルー	4,481
スリランカ	3,615
ベトナム	3,362
その他	33,526
総数	149,785

出典：外国人登録者統計　（単位：人）
（法務省入国管理局）

［＊1］**特別永住者**●戦前から引き続き日本に居住している韓国・朝鮮・台湾出身者とその子孫。

［＊2］**定住者**●法務大臣が特別な理由を考慮し、一定の在留期間を指定して居住を認める者。難民、日系人の子孫、日本人と結婚した外国人の連れ子、日本人や永住権保持者との離婚後に引き続き在留を希望する者など。

4 どうやってパートナーと知り合ったの？

国境を越えた恋愛や結婚

日本人が海外に出かけ、また日本にも多くの外国人が来るようになれば、国境を越えた恋愛や結婚が増えるのは、ごく自然なことです。

ここにインターネットの興味深いサイトがあります。「外国人の恋人とはどこで知りあったの」というタイトルのアンケートサイト[http://vote2.ziyu.net/html/kno weach.html]で、50ほどの項目が掲載されています。

このサイトをみれば、外国人の恋人といかにして知りあったかわかるとともに、恋人のいる人は自分にあてはまる項目をクリックして、アンケートに参加することもできます。

このサイトに掲載されている「知りあった項目」を大まかに分けると、次のようになります。

1●学校や職場で 2●留学や海外旅行中に 3●インターネットのサイトや掲示板などを通して 4●国際交流パーティで 5●米軍基地のオープンハウスで 6●友人の紹介で 7●パブ、バー、クラブなどで 8●英会話学校・サークル、英会話喫茶で 9●街角や電車で 10●教会で

それぞれのコメントも載っているので、ぜひサイトを訪れてみてください。

出会いは様々な場で

外国人が増えたため、『ひらがなタイムズ』など日本でも外国人向けの情報誌が発刊され、国際交流パーティやイベントなどが開催されています。近年では日本人も参加して、お互いの出会いの場や情報交換の場となっているようです[コラム参照]。このようなイベントで、パートナーに出会った人も少なくないでしょう。

国際交流のイベントがおこなわれるのは、おもに東京、大阪などの大都市ですが、地方都市でも出会いはあります。

たとえば日本全国の中学校や高校に、英語のネイティブ・スピーカーたちがALT(Assistant Language Teacher）として配属されています。

彼らは日本のＪＥＴプログラム［＊］から派遣された人々で、数年間地域に密着して英語教師として働きます。ＡＬＴは××郡××村といった地域も含めて、全国津々浦々に配属されるため、現在ではこのプログラムを通して知りあった日本人と外国人のカップルがゴールインするというケースも少なくありません［１４７頁参照］。

［＊］ＪＥＴプログラムは「語学指導等をおこなう外国語青年招致事業」（The Japan Exchange and Teaching Programme）の略称。総務省、外務省、文部科学省、財団法人自治体国際化協会（ＣＬＡＩＲ）の協力のもとに、地方公共団体が実施しています。
このプログラムは、外国語教育の充実と地域レベルの国際交流の進展を図ることを通し、日本と諸外国との相互理解と、地域の国際化を目的として、１９８７年に開始されました。20年を経て、招致国は４ヵ国から44ヵ国に、参加者も８４８人から５，５０８人へと増加しています。

コラム

出会いの場はいろいろある

国際版パートナー探し

『デスティナ』は日本と海外にネットワークを持っているため、
日本と海外に住む日本人同士、
外国人との出会いなどを扱っている。
東京、ニューヨーク、ロサンゼルス、
サンフランシスコ、ロンドンにオフィスあり。
『「運命のヒト」は海の向こうにいた』小澤裕子、白河桃子共著
（日系BP社刊）は、この会を通しての出会い体験談。
問い合わせ●☎0120-722-729
http://www.destinajapan.com

国際交流パーティのサイト

Hiragana Times International Party
http://www.hiraganatimes.com/hp/party/index-j.html
東京、京都、大阪でイベントを開催。
サイトにはMarriageのコーナーもある。
主催団体は（株）ヤック企画月刊ひらがなタイムズ編集部。
問い合わせ●☎03-3341-8989
Email●info@hiraganatimes.com

国際フレンズ
http://www.kokusai-friends.com/jp/home_jp.htm
東京、大阪でイベントを開催。ペンパルBBSあり。

Tokyo Friends Party!!
http://www.vibetokyo.com/jp/
東京でイベントを開催。サイトでの使用言語は日本語と英語。
掲示板あり。

JIP Friends Club
http://www.jiparty.com/jp.htm
毎月、東京でイベントを開催。掲示板あり。

Tokyo Friends Club
http://www.tokyofriends.com/
東京でイベントを開催。
サイトでの主要言語は日本語と英語だが、
簡単なものとして8ヵ国語あり。

東京インターナショナルクラブ［TIC］
http://www.kokusaika.org/
東京でイベントを開催。
イベントが多いため、カレンダーを使用してイベントを紹介。

ロイヤルパーティ
http://members.at.infoseek.co.jp/hidie/royalj1.htm
東京でイベントを開催。欧米人男性の参加者が多い。

5 日米間の遠距離恋愛から結婚、ビザ取得まで

遠距離恋愛とビザの問題

アメリカ人との国際結婚では、日本で知りあう場合、アメリカで知りあう場合、そのどちらでもない国で知りあう場合がありますが、知りあってから結婚までは時間がかかるため、遠距離恋愛の期間があります。

日本人同士の結婚と違って、国際結婚のカップルの場合はビザの問題がからむため、頭を悩ませることが多いようです。遠距離恋愛には悩みがつきませんが、国が違う場合は、ビザの問題がからんでいるため、なおさらです。

双方が結婚しようという気持ちになれば、あとはビザの申請をするだけですが、そこにいたるまで双方の気持ちが一致しない場合は、どちらかが相手の国に会いにいくという状態が続きます。

日本とアメリカは国同士が査証免除協定を結んでいて、90日以内の滞在であれば、ノービザ渡航が可能です。しかし、この場合でも、やはり問題があります。日本の入国審査は欧米諸国に対してそれほど厳しくないため、アメリカ人が日本に入国するのはほとんど問題がないのですが、日本人が短期間の間に何回もアメリカに入国すると数々の問題点に遭遇します。

移民の国アメリカは入国する人すべてを移民とみなしています。不法に滞在する外国人のことを、「不法残留外国人」とは呼ばずに、「不法移民」と呼んでいるくらいです。ノービザ渡航者に対しても例外でなく、1年のうちに何回も渡航を繰り返す人、1回の滞在が30日以上と長い人などは厳しく審査されて、入国を拒否されることもあります。

いったん入国を拒否されてしまえば、ノービザ渡航がスムーズにできないことが多いため、観光ビザなどを申請する必要があります。

ビザを申請する

お互いの気持ちが結婚する方向にいけば、あとは正式

なビザ（婚約者ビザか移民ビザ）の申請となります。しかし、遠距離恋愛の場合は、まだ乗り越えるべき課題が存在します。婚約者ビザにしても移民ビザにしても、最初に書類を提出してから面接を経て実際に渡航できるまで、1年前後の時間がかかるからです［詳細は61頁参照］。

待っている間の約1年間は、アメリカへのノービザ渡航もしづらくなります。入国審査の際、入国係官がさらなる審査が必要と定めた入国者は、別のところに連れていかれて、荷物検査を含む審査がおこなわれます。別室に連れていかれないような対策については、次項「遠距離恋愛中に入国を拒否されないために」を参照してください。

このときに注意したいのは、嘘をつかないことです。嘘がばれた場合は、ビザ・フロード（詐欺）となります。ビザ・フロードの烙印を押された人に、永住権は発給されません。アメリカの弁護士は、トラブルを避けるために、ビザ申請中の間の渡航はしないようにとアドバイスしています。

アメリカへの外国人入国者
［33,667,328人・2006年］

国別入国者

1	メキシコ	6,146	18.3%
2	イギリス	4,949	14.7%
3	日本	4,306	12.8%
4	ドイツ	1,704	5.1%
5	フランス	1,192	3.5%
6	韓国	942	
7	インド	761	
8	イタリア	758	
9	オーストラリア	750	
10	ブラジル	698	
11	オランダ	646	
12	中国	596	
13	スペイン	543	
14	アイルランド	496	
15	コロンビア	443	
16	ベネズエラ	393	
17	バハマ諸島	351	
18	スウェーデン	347	
19	イスラエル	339	
20	台湾	331	

ビザ別入国者

ノービザ	15,986	47.5%
観光ビザ	11,269	33.5%
商用ビザ	2,673	7.9%
就労ビザ*	1,709	5.1%
学生ビザ*	1,168	3.5%
通過ビザ*	378	1.1%

*家族も含む

性別入国者

男性	17,820	52.9%
女性	15,360	45.6%
不明	486	1.4%

年代別入国者

15歳以下	2,789	8.3%
15〜24歳	4,048	12.0%
25〜44歳	14,913	44.3%
45〜64歳	9,442	28.0%
65歳以上	2,419	7.2%

［単位・千、永住権保持者は除く］
出典：Customes and Border Protection
(U. S. Dept. of Homeland Security)

6 遠距離恋愛中に入国を拒否されないために

入国を拒否されないために

ノービザで渡航するためには、電子渡航認証システムによるオンライン事前登録をして認証を受け、滞在に十分な資金と往復のチケット、もしくはアメリカを出国するチケットを持っている必要があります。チケットはオープンチケットではなく、日付入りチケットが望ましいでしょう。

入国係官は入国する外国人が犯罪者やテロリストのリストに載っていないかどうかを調べるとともに、目的にそったビザで入国するかどうかを審査します。ノービザ渡航で入国できるのは、観光か商用のいずれかなので、入国係官は「アメリカで働いているのではないか」「ノービザ渡航して、アメリカ人と結婚するのではないか」「学校にいくのではないか」という点に関して審査をします。

恋人と会うために渡航というホンネの目的をいうと、「Kビザ（婚約者ビザ）や移民ビザを取ってから出直しなさい」と入国させてくれない可能性が高いでしょう。

また「Do you have a boyfriend (girlfriend)?」という質問にはYesと答えないようにしましょう。boyfriend (girlfriend) は恋人を意味するので要注意です。

時には入国審査のカウンターから別のところに連れていかれて、審査が続けられることもあります。この場合は、荷物審査もされますので、学校のパンフレット、履歴書、アメリカの会社の名刺、恋人の写真や住所を書いたメモなど持たないほうがいいでしょう。

対策1●書類を準備

以下の書類を準備し、もし入国審査で疑いをかけられて別室に連れていかれそうになった時にみせてください。これらはあくまでも疑いをかけられたときにみせるもので、最初からみせる必要はありません。

●アメリカでの旅程表（英文）

●十分な滞在資金があるという証明書（英文）

●日本の金融機関の残高証明書、トラベラーズチェックなど

●日本とのつながりを示す書類（英文）

アメリカでの滞在は短期間であり、生活の基盤はあくまで日本にあるという以下の書類を準備してください。

勤め人●働いている会社に在職証明書もしくは休暇証明書を作成してもらいましょう（自分で英文を作って、上司にサインをしてもらうという形式でいいでしょう）。日本の会社での名刺なども提示するといいでしょう。商用でいく場合は、会社から「××という仕事の用件で、山田太郎をアメリカに出張させます」といった旨の手紙を書いてもらいます。

学生●在学証明書

主婦●配偶者が書いた渡航同意書

［注］証明書は英文で書いてもらうか、英文翻訳を添付します。

対策2●アメリカでの滞在先をホテルにする

オンライン事前登録にはアメリカの滞在先を書く欄がありますが、友人がいても滞在先の欄にはホテル名、都市名、州名を書きます。ホテルは特に予約する必要はありません。

対策3●チケットの買い方を工夫する

オープンチケットや1ヵ月以上滞在するチケットを持っていると疑われることがあります。長期滞在する場合は、予定変更可能なチケットを購入して、とりあえず短期滞在の帰国日を予約して、入国してから現地で予約を変更するという方法をとります。

気をつけたいビザ・フロード［詐欺罪］

審査にあたっては入国係官が自由裁量権を持っています。そのため、入国者は入国係官が下した判断にしたがわなければなりません。係官によって、厳しかったりそうでなかったりするため、入国には運、不運がつきまといます。全体としてはデトロイトの空港での審査が厳しいといわれるので、注意が必要です。

ちなみに入国拒否になったとしても、永住権やKビザの面接では問題ありません。ただし、入国時に嘘をついたことがばれて、ビザ・フロード（詐欺罪）とされた場合、永住権を取得できないことになります。

7 偽装結婚を疑われない**永住権取得**の方法

偽装結婚が永住権取得の手段に

アメリカの永住権を取得するには、大きくわけて次のような方法があります。

1●結婚などの家族関係を通して申請する
2●仕事を通して申請する
3●抽選永住権に当選して申請する
4●投資を通して申請する

申請すると、面接を経て永住権が発給されます。アメリカに居住している場合は、合法的に滞在している必要があります。ただしひとつだけ例外があって、アメリカ市民との結婚を通して永住権を申請する場合のみ、不法滞在を免除してもらうことができます。これはアメリカ市民の婚姻の自由や権利を守るためのものです。結婚相手が不法滞在といえども、アメリカ市民から婚姻する権利を奪うことはできないという考えがアメリカ社会の根底にはあるからです。

アメリカには不法入国者や不法滞在者が１，０００万人以上いるといわれていますが、彼らが合法的な滞在資格を得ることができるのは、**1**の道しかないわけです。

そのため、アメリカで永住していく手段として、偽装結婚をする人が少なくありません。

偽装結婚をめぐって

２００４年、約30人のドミニカ出身の野球選手の偽装結婚が、シーズンオフ中に発覚しました。それ以後、選手たちは入国を禁じられ、有望視されていたネルソン選手（２００８年現在・中日投手）はアメリカで野球をプレーする道を断たれてしまいました。

２００７年11月、ロシア国籍の女性（24）と西ロサンゼルスに住むアメリカ人男性（30）が、偽装結婚の容疑で移民税関取締局（ＩＣＥ）に逮捕されるという事件が起こりました。２人はそれぞれの自宅で逮捕され、一緒に暮らしてはいませんでした。

ロシア人女性は2005年暮れから2006年初めにかけて、インターネットの無料地域情報掲示板に「グリーンカード結婚」の募集を出し、「精神的な愛のつながりだけで、セックスは含まれない」との条件を付けていました。報酬は総額1万5,000ドル。ICEがこの募集に気付き、逮捕となりました。インターネットを利用した偽装結婚に関する逮捕はこれが初めてでした。

永住権の面接は偽装結婚チェック

偽装結婚が少なくないため、永住権の面接の際、移民局の係官は2人の結婚が偽装ではないかどうかを厳しくチェックします。

偽装結婚をテーマにしたアメリカ映画『グリーンカード』、韓国映画『ディープ・ブルー・ナイト』、日系三世が監督した映画『リビィング・オン東京タイム』では、すべて面接や審査のシーンが出てきます。夫婦別々に質問されて答えに矛盾がないかどうかをチェックされたり、配偶者の肉親の名前を尋ねられたりします。

「リビングにかかっているカーテンは何色か」「歯磨きチューブはどんなブランドを使っているか」

そう突然聞かれたら、嘘偽りのない本当の夫婦でも答えに窮するかもしれません。

同じ面接でも、日本のアメリカ大使館の面接はそれほど厳しくありません。日本人の場合、偽装結婚までして永住権を取得しようと考える人が少ないからかもしれません。日米間の経済的な格差が少ないという背景もあるでしょう。

永住権の面接時、結婚が偽装ではないことを示すために、2人で交わした手紙やEメールのコピー、国際電話の領収書、写真などの提出をします。これらの書類は普段から捨てないで保存しておくように心がけましょう。

ちなみに写真は2人で撮った写真、家族とともに撮った写真、友人たちと撮った写真など、いろいろな種類の写真を持参するといいようです。写真嫌いな人がいるかもしれませんが、面接を控えている場合は、嫌いとはいっていられないでしょう。

請願書類を提出時、もしくは面接時に、夫婦の出会いについて簡単な報告書を書かされることがありますので、出会った日、お互いの親に会った日、婚約した日、結婚した日などをメモして、提出できるようにしておきましょう。

8 国際結婚した人同士の**ネットワーク**を作ろう

国際結婚ウェブサイト「ぱたのうち」の掲示板

長かった遠距離恋愛をくぐり抜け、周囲の反対を押し切ってゴールインしたにも拘わらず、新婚時代があわただしく過ぎ去っていくと、相手の欠点がみえてくるようになります。感情の起伏が激しい相手との喧嘩もたびたびあって、汚いＦ文字入りの英語でまくしたてられると、異国の地でみじめな気持ちになる……。

国際結婚でありがちな喧嘩やグチをあらいざらい日本語で告白すれば、それだけで気持ちがおさまります。時には読んでくれた人から、「私も同じ状況です。頑張りましょう」と励ましの言葉が返ってきます。国際結婚をして、アメリカの地で同じような状況で生活している人がいるんだという連帯感を感じとれるのが、国際結婚をした日本人女性が日本語で提供しているウェブサイト「ぱたのうち」［http://www.patanouchi.com/］です。

ちなみに主宰者のパターソン林屋晶子さんは2児の母親で、永住権取得の体験本を執筆されています［２０５頁参照］。

このウェブサイトは、アメリカ人と結婚して永住権を申請したい人にとっての情報提供的お役立ちサイトからスタートしましたが、それぞれの利用者が永住権を取得してハイ、サヨナラと終わってしまうのではなくて、永住権取得後も掲示板を通してそれぞれの悩みを話し合ったりして、コミュニケーションを構築しています。

ダイエットの話や喧嘩の体験談から、深刻なＤＶ（家庭内暴力）の問題や離婚の問題なども話し合われているサイトなので、国際結婚の先輩たちが、どのようにアメリカで結婚生活を送っているかが窺えて役に立つし、励みにもなるでしょう。

ほかにもある掲示板

留学や就労と違って、国際結婚の場合は配偶者の居住地で生活をすることが多いので、時には周囲に日本人が誰もいないという環境のなかに放り出されることがあります。健全な生活を過ごすためにも、孤立しないということはとても大事なことです。そんな場合の強い味方が、インターネットの掲示板です。

日頃思っていることを書いたり、わからないことを教えてもらったり、悩みを打ち明けたり、と様々な点で利用できます。

ミリタリーワイフの掲示板
▶http://free1.principle.jp/cbbs/love/cbbs.cgi
軍人と結婚した人のための掲示板です。

国際結婚の掲示板
▶http://principle.jp/bbs1/cbbs.cgi?id=poohpooh2

m・i・x・iを利用しよう

社会的ネットワークをインターネット上で構築することを目的にしたソーシャル・ネットワーク・サービス（SNS・Social Network Service）も、掲示板と同じように利用できます。

日本で最大の会員数を持つm・i・x・iでは、個々のプロフィールページ、ブログのほかに、コミュニティ・サイトがあって、共通の話題を持つユーザーがお互いに交流できます。

２００９年1月現在で、２１８０万人以上が登録しています。登録するためには、m・i・x・iの既登録者から招待状を受ける必要がありますが、２００９年春からは招待状がなくても登録が可能になります。

「コミュニティ」と書かれた箇所をクリックして、「国際結婚」「指定なし」と入力して検索すると、関連する１４０件以上のコミュニティが出てきます。

永住権請願・申請の手続きの段階で役に立つ「ダーリンはアメリカ人～書類編～」、「国際結婚 In California」「国際結婚 in NYC & NJ」のような地域限定のもの、「国際結婚・国際恋愛について」「国際結婚駆け込み寺（米国版）」「国際結婚&ハーフの子育て」などバラエティに富んでいます。自由に閲覧・発言できるグループと、登録（無料）が必要なグループがあります。自分で主催してグループを立ち上げることもできます。

9 日本人渡米者の国際結婚ヒストリー

黎明期の渡米

鎖国政策をとっていた江戸時代に渡米した日本人としては、漂流民と江戸幕府の使節団がいます。漂流民としてはジョン万次郎や浜田彦蔵（ジョセフ・ヒコ）、使節団としては咸臨丸で渡った勝海舟や福沢諭吉らが有名です。ジョセフ・ヒコは帰化してアメリカ市民となった最初の日本人です。

明治時代になると、３つの大きなグループがアメリカへと向かいます。1●政府の岩倉使節団や国費留学生などのエリートグループ 2●国費が得られず資産もあまりないので、働きながら学校に通う苦学生グループ 3●ひと旗あげようと出稼ぎで渡航した移民グループです。

明治の黎明期の時代は、エリートグループに属する日本人がアメリカ人と結婚することはありましたが、例外的なものでした。

増加する移民グループの渡米

日本人の移民の歴史は、１８６８年（明治元年）のハワイ（当時ハワイ王国）への移住から始まります。本土への移住は翌年で、官軍に敗れた会津藩による集団移住から始まりました。

１８８２年、カリフォルニア州に中国人が増加したため、中国人の移民が禁止され、その代わりとして日本人の労働力が求められるようになりました。「ひと旗あげて故郷に錦を飾ろう」という日本人移民の渡米が本格化しますが、その増加につれてアメリカには排外主義が台頭し、移民の波が最高潮に達した１９０８年には、日米政府間の「紳士協定」が結ばれて移民は禁止されました。

これはサンフランシスコで起こった日本人学童の隔離命令（「日本人はアメリカ人の学校に通うな」というもの）に端を発しています。この事件をめぐって日米間で「移民摩擦」が起こり、妥協策として出てきたのが「紳士協定」だったのです。

写真結婚で渡米

移民として渡航するのは圧倒的に男性が多かったため、日系社会の男女比率は10対1でした。「紳士協定」のため、新たな移民は禁止となりましたが、在米の日本人移民が本国から家族を呼び寄せるのは許可されました。そのため、写真を頼りにまだみぬ夫に嫁いでいく「写真結婚」の日本人女性が増加しました。

１９１３年、アジア人は「帰化不能外国人」と定められ、一世の土地所有の道は閉ざされました。１９２０年、アメリカ生まれの子ども名義の土地所有も不可能となりました。１９２４年、呼び寄せによる渡航が禁止され、一世による移民の動きはなくなりました。

戦前、カリフォルニア州など多くの州では、アジア系と白人の結婚は法律で禁じられていました。また、移民は日本語しか使わない生活をしていた人が多いため、日本人以外とコミュニケーションを取ることが少なく、国際結婚はほとんどみられませんでした。

呼び寄せによる渡航が禁止されてからは、一生独身で暮らさざるを得ない日本人男性も少なくありませんでした。太平洋戦争中、西海岸在住の日系人12万人は、「敵国外人」として、10ヵ所の強制収容所に送り込まれました。

「戦争花嫁」の渡米と移民の再開

戦争が終わって、駐留してきたアメリカ軍人と交際する女性が増え、１９４６年6月ＧＩフィアンセ法により両者の結婚が可能となり、１９４８年1月最初の「戦争花嫁」40人が渡米し、同年2月には、混血児の救済施設「エリザベス・サンダースホーム」が設立されました。

１９５２年サンフランシスコ条約が調印され、日本は国際社会に復帰しました。同年には日本からの移民が再開され、アメリカの日系一世には帰化市民になる道が開かれました。

海外渡航の自由化

１９６４年に日本人の海外渡航が自由化されました。しかし、1ドル３６０ドルの固定相場制で、海外渡航は庶民にとって高値の花でした。70年代になるとドルが変動相場制となり、ごく普通の日本人にも海外旅行が普及し、語学留学などで渡航する日本人が増加しました。

そのなかにはアメリカで暮らすうちに結婚したり、仕事に就いたりして永住権を獲得し、現地の人間（移民）となった人たちも少なくありません。

このように、「移民になろうとしていたわけではないけれど、結果として移民となった」という人の占める割合が多いのが、70年代以降の移民（海外移住者）の特徴です。また、正式な永住権はなくてもアメリカ暮らしを望む、移民予備軍ともいうべき「潜在移民」の日本人もかなり多いようです。

OL留学症候群

80年代後半のバブル景気の時代、「ＯＬ留学症候群」という言葉がマスコミを賑わしました。キャリアアップを図るために留学をするＯＬたちを指した言葉で、給料に関しても、ポジションに関しても、男性よりも失うものが少ないＯＬたちが仕事を辞め、さらなる飛躍を求めて未知なる世界へと旅立っていきました。渡航先として一番人気のあるのはアメリカでした。

日本に帰国してもなんらかの仕事があるため、ＯＬたちの海外留学熱は加速度を増し、女性の留学人口は増加しました。「ＯＬ留学症候群」は、そのようなバブル景気を背景として出てきた社会的現象でした。留学する女性が増えるとともに、現地で知りあったアメリカ人と国際結婚する割合も増加していきました。

日系人と新一世

アメリカの日系社会では、戦前に渡米した日本人を一世、その子孫を二世、三世と呼び、戦後に渡米した日本人を「新一世」あるいは「新渡米者」と呼んでいます。

10年ごとに実施される国勢調査（２０００年）によれば、アメリカの日系人人口はおよそ80万人で、全人口2億8，490万人に占める割合は1パーセント以下です。ハワイに3分の1（ハワイ人口の4分の1）、西海岸に3分の1、その他アメリカ各地に3分の1、といった構成になっています。

ロサンゼルスのリトル東京にある「全米日系人博物館」は、日系人とその歴史に関係した資料を展示しています。

〝書類地獄〟をくぐり抜け、ハワイで2人暮らし

エム［30代・医師］
ロンドンで2年間語学留学の体験あり。スカイダイビングを通して知り合ったアメリカ人と2006年3月に結婚。現在はハワイのオワフ島ハレイワで夫（40歳）と2人暮らし。

国際結婚

＊＊ご主人はどのような方ですか

現在の仕事はコンストラクションです。出会ったころはスカイダイビング関係の会社のドライバーと在庫管理をしていました。元々はコンストラクションの仕事を15年ほどしていたようです。カリフォルニア出身で、ティーンエイジャーのころはハワイ島で暮らしていました。

＊＊どのようにして出会われましたか

夫もスカイダイバーなので、私がカリフォルニアにスカイダイビングにいって、長期滞在するようになり、知りあいました。

＊＊結婚をして渡米すると、日本での仕事をあきらめざるを得なくなりますが、それに関して葛藤がありましたか

私は医師ですが、それ以前から体を壊したせいで、専門職をあきらめる段階はかなり以前にあり、健康診断をするパートタイムで働いていたので、結婚によってあきらめるという感じはあまりしませんでした。現在も3～4ヵ月おきに1～2ヵ月くらいずつ、日本で同じ仕事をしています。

＊＊国際結婚するにあたって、双方の家族の反対はありましたか

夫の家族からは反対はあまりありませんでした。実家は両親とも78歳でしたが、父はすんなり受け入れていました。母は世代的にも、夫の仕事がよくわからないことがあり、当初は反対していたようです。

＊＊結婚後はカリフォルニアにお住まいだったようですが、その後ハワイに移られましたね

出会いが南カリフォルニアの田舎のスカイダイビングセンターでしたから、その近所で暮らしていました。結婚後もしばらくカリフォルニアで暮らしていたのですが、夫が転職というか、かつてのコンストラクションの仕事仲間（10代の頃からの友人）がハワイですでに働いていて、彼から「また一緒に働こう」とオファーが続いていたので決心したようです。

主人は2～3歳のころはオアフ島、13

～17歳のころはハワイ島で生活していたので、ハワイ自体になじみがあったと思います。

私の両親は80代で、ハワイのほうがなじみがあるし、両親にとっても安心であること、私も時々日本に働きにいきやすいこと、双方の中間点だったこともあって、ハワイへと移住しました。

オアフ島の北側で2人暮らし

＊＊お住まいの地域は

ハワイのオワフ島北側にあるハレイワに住んでいます。ワイキキに比べて、地元住民と観光客の意識の違いが強いようです。これはいい点でもあり、悪い点でもあると思います。ここの人は誰にでも親切で、同じお店で買い物していれば、店員さんとも仲良くなりますし、「どこのお店が安くていい品があるよ」なんて話が出たりします。

＊＊休日はどのように過ごされていますか

もっぱら釣りか、波が穏やかな日はスノーケルなどをしています。私はいまだにジャンプジャンプと騒いでいますが、夫はもともと釣りバカ日誌状態の人だったので、「釣り命」です。よほど食べられるという確信がない限り、キャッチ&リリースです。

＊＊お住まいの地域での友達作りやネットワーク作りはどのようにされていますか

夫の友人でサンセットビーチに住んでいる人がいて、その人の家でよくカジュアルなパーティをします。場所がいいので、彼の家がもっとも利用されるんです。パーティに集まってくる人の家族、ボーイフレンド・ガールフレンドなどと話をして、徐々に友達になりました。

しかし、先日はその友達の誕生日で、昼から夜まで英語漬けだったので、翌日はさすがに「もう英語で話したくない！」と叫んで、通常嫌いな日本の時代劇をみてしまいました。

＊＊日本人との交流はいかがですか

住んでいる地域に日本人渡米者のコミュニティやグループなどがあるかどうか、探してみたことはありません。ワイキキ側でないので、あまりないかもしれませんね。ただ、スカイダイビング場の比較的近くに住んでいるので、ジャンプに行くと、日本人のタンデムのお客さんがたくさんいますから、話をします。

書類地獄

＊＊国際結婚をすると、関連する書類の提出が必要になり、それは「書類地獄」とも呼ばれていますが、これをどのようにして乗り切りましたか

とにかく調べに調べるといった感じです。グローバルJネットワークの結婚に関するマニュアルを片手に、大使館の国際結婚に関するサイトをサーフィンしまくり、一つひとつファイルにしました。夫はパソコンはダメ、書類仕事も苦手、全くの原始人なので、そういう点では手伝ってもらえませんでした。精神的にはサポートしてくれましたが。ですが、まさに「地獄」なのか、請願終了後は過労で血圧が２１０を超えて倒れました（普段は低血圧）。

＊＊手続きのなかで、なにかエピソードはありますか

書類地獄で眠れなかったある晩のことです。南カリフォルニアの盆地は冬場、猛烈に冷え込みます。毛布にくるまり、書類をぱらぱらチェックしていました。彼から離婚の証明書だといって渡されていた書類がなんとなく気になって、電子辞書片手に読み始めました。まわりくどい法律用語が並ぶなかを読み進めるうちに、その書類は、裁判所からの「別れて暮らすことに関する同意書」だと気がつきました。たとえば、このアパートは家賃を払うのはどちらで、などと書かれてあり、夫と妻と記載されているではないですか。

しかし、前妻はもう再婚していましたし、法的に離婚が確定しているのは確かで、その書類だけが送られてきていたので、それを夫は実家の倉庫に保管していたらしいのです。きちんと確認しない夫が一番悪いのですが……。

こちらは、驚愕のあまり一睡もできませんし、起こしたところで口論になって終わりだと思いましたから、「この書類では、かくかくしかじかの理由で法的には離婚どころか、結婚している証明になる」と手紙を書いて、朝、手渡しました。彼は、「この書類しか持っていないし、相手は結婚しているんだし、問題ないはずだ」と頑張っていましたが、「私の手紙と、この書類を、同僚の離婚のエキスパートにみせてみてちょうだい」と職場に送り出しました。

案の定、「これじゃ、まずいぜ」といわれたらしく、裁判所に離婚の証明書の発行を依頼しました。それが、結婚の予定の2週間くらい前でした。もしその時チェックしなかったら、結婚の許可書をもらいに大使館にいって、「重婚する気か！」といわれたことでしょう。

＊＊周囲の人たちの反応は

私の職種や、性格が凸凹すぎるせいか、「なんで彼女がお前と結婚するんだ。永住権や市民権目当てに決まっている」といわれたことがあったらしく、私も嫌な気分になりました。私の日本の友人のなかにも、そう思った人がいたようです。単に付き合っていたころは、そういう目ではみられませんでした。

でも、そういう目的なら、もう少し書類を理解できる人を探します。もしくはお金を払って弁護士さんまかせにします、といいたかったです。

これからのことを考慮中

＊＊国際結婚をうまく乗り切っていくために気をつけていることや、工夫していることはありますか

思ったことはいう、というのをモットーにしています。私の英語は完全なネイティブというほどではなく、やはり勘違いが発生したりします。

さらに、常識の違い（文化の違い）も感じます。よかれと思ってしたことがわずらわしいようだったり、いわなくても態度でわかるでしょと思っていても、い

うことが必要だったり、ということがあります。愛情表現にしても、怒っていることに関しても同じことです。これはかなりシリアスだと思った場合は、辞書を片手に手紙を書きます。ボキャブラリー不足がありますし、興奮すると私の英語がさらに悲惨になるため、書くほうが冷静に説明できるからです。読むほうも、冷静にこちらの言い分を理解するようです。

＊＊国際結婚を考えている方に対して、アドバイスはありますか

国際結婚にあこがれて、恋しているような気持ちになっている場合、結婚してから非常に大変だと思います。遠くに離れていると、いい面ばかり思い出すでしょうし……。

モラル的にはいかがなものかと思う方もいるかもしれませんが、少なくとも2ヵ月は一緒に暮らしてから結婚に踏み切ったほうがいいような気がします。

＊＊渡航前と渡航後で、アメリカに対する考えは変わりましたか

変わったということはあまりないようです。「こういう感じかな」と思っていたことが、「やっぱりそうか」という感じです。

よくいわれることですが、食生活の悲惨さには驚かされます。専業主婦でもあまり料理をしない人が多いようで。TVディナー（電子レンジで暖めるだけの、簡易機内食のようになったセットメニュー）で終わりという感じです。

朝昼夜ジャンクフードの人が少なくないようです。かと思えば、「オーガニック命」のように、気にする人は異常に気にするようです。ほかには「アメリカ一番」意識が強いなと思いました。あっけらかんとしていてあまり陰険でないので気になりませんが、本土の南部の方などはさらにすごかったです。カリフォルニアにいたころの友人のお父さんは、白人至上主義のグループKKK（ク・クラックス・クラン）のメンバーだったようです。

＊＊お仕事はされていますか

アメリカでは専業主婦です。もうすぐ1ヵ月ほど日本に仕事に帰ります。ホノルルは入国がいまだに厳しいので、2ヵ月は留守にしたくないな〜という感じです。今後はこちらで仕事をしたいと思いますが、免許は使えませんから、いろいろ考慮中です。

［『グローバルJ通信』2007年4・5月号より抜粋・加筆修正あり］

＊＊2008年10月現在、病気治療のため、離婚して帰国。

2章

結婚とその手続き

さまざまなかたちの
結婚式がある

アメリカと日本の戸籍は
どう違うの?

プレナップって
なあに?

1 アメリカで結婚する時のプロセス

結婚のプロセス

日本では結婚式を挙げなくても、籍を入れるだけで婚姻関係が成立します。これは戸籍制度のある日本ならではのことですが、戸籍制度のないアメリカでは、入籍という概念がないため、婚姻関係を成立させるためには、認可された司式者（牧師、神父、裁判所判事、役所事務官など）のもとで結婚式を挙げなければなりません。

結婚式を挙げる前には、あらかじめ役所から結婚許可書（Marriage License）を入手して、結婚式当日に結婚式を挙げた司式者のサインをもらいます。

サイン入りの書類を提出（＝婚姻届の提出）すると、婚姻関係が成立します。司式者が書類を郵送するか、本人たちが出頭して書類を提出するかは、州によって違っています。

婚姻関係の成立後、役所で結婚証明書（Marriage Certificate）を発行してもらいます。この結婚証明書を取得して初めて、永住権の請願が可能となります。また、結婚証明書は、アメリカでの結婚を日本の戸籍に反映させるためにも必要となります。

婚姻の要件

結婚許可書を発行してもらうためには、婚姻のための要件を満たしていなければなりません。婚姻の要件は州ごとに異なりますが、主に次のようなものがあります。

●年齢

通常は18歳以上から結婚が認められていますが、州によって親の承諾があれば14歳から認めているところもあります。

●再婚禁止期間

アメリカには制限がありません。日本の法律では、男性には制限がありませんが、女性は6ヵ月以上たってからでないと再婚はできません。

●血液検査

血液検査を義務付けている州は、アラバマ、コネチカット、ワシントンD.C.、ジョージア、インディアナ、ルイジアナ、マサチューセッツ、ミシシッピィ、モンタナ、オクラホマ、ペンシルベニア、ウエストバージニアの各州です。ニューヨーク州は場合により血液検査が必要になることもあります。アイダホ州には血液検査はありませんが、エイズに関する質問への回答が血液検査の代用となっています。

　ほかにも女性だけに風疹検査を義務付けている州もあります。妊娠時に風疹にかかると、障害を持った子どもが産まれる可能性があるため、それを予防する措置だと思われます。

　このほかにも、結婚時にその州に居住していなければならなかったり、結婚許可書の発行から婚姻届までを短期間内におこなわなければならない州もあります。また、同じ州（state）でも郡（county）によって要件が異なることがありますので、注意が必要です。

同性同士の結婚

　２００４年５月、マサチューセッツ州では全米のトップをきって、同性同士の結婚を認可しました。２００８年10月、コネチカット州でも同性婚が解禁されました。

　カリフォルニア州では２００８年６月、同性婚が解禁されましたが、同年11月に実施された住民投票で反対票が多く、あらためて禁止されることが決定しました。

　ちなみにヨーロッパではオランダ、ベルギー、スペインが同性婚を認めています。

アメリカでの結婚のプロセス

結婚のための要件を満たす

↓

役所で結婚許可書[Marriage License]を入手する

↓

結婚式を挙げて、司式者にサインをしてもらう

↓

サインをした結婚許可書を役所に提出する

↓

役所で結婚証明書[Marriage Certificate]を入手する

↓

日本の領事館に婚姻届を提出して日本の戸籍に反映させる

2 ラスベガスの結婚パッケージと役所での結婚式

いろいろなタイプの結婚式

日本では入籍をすれば婚姻関係が成立するため、結婚式を挙げないカップルも少なくありません。しかし、前項の「1 アメリカで結婚する時のプロセス」で説明したように、結婚式に立ちあう司式者（牧師、神父、裁判所判事、役所事務官など）のサインをもらう必要があるため、アメリカでは何らかの形で結婚式を挙げなくてはなりません。

アメリカ映画をみていると、ほとんど当人同士だけで式を挙げるシーンがありますが、それはこういった事情によります。ちなみに結婚式には立会人（証人）が必要ですが、適当な人がみつからない場合は、役所や教会で代行してくれます。

結婚式が絶対不可欠という事情を背景に、アメリカではファッショナブルなホテルでおこなう豪華な結婚式から、平服のまま役所でおこなう簡素な結婚式まで、様々なスタイルの結婚式があります。

ラスベガスでの結婚式

アメリカでは結婚式を挙げる前に、結婚許可書（Marriage License）を入手しなければなりません。半数以上の州では待ち時間なしに許可書を発行していますが、3～5日待たないと発行してくれない州もあります。ちなみにニューヨーク、カリフォルニア、ハワイの各州には待ち時間はありません。

この待ち時間を嫌って、早く結婚式を挙げたいカップル、住居近くで結婚式を挙げたいけれど平日になかなか予約が取れないカップル、ハネムーンとドッキングさせて結婚式を挙げるカップルなどが、ラスベガスで結婚式を挙げます。

ラスベガスのあるネバダ州では、結婚許可書を待ち時間なくすぐに発行してくれ、役所は週末でも手続きをしてくれます。そのため、結婚許可書の入手から、結婚式を経て、結婚証明書を取得するまで短期間でできるため、全米の急ぎ婚カップルに人気があります。

週末なら教会は24時間オープンなので、予約がなくてもふらっと立ち寄って、結婚式を挙げてもらうことも可能です。

「衝動買い」という言葉がありますが、恋人同士がラスベガスを訪れて、計画をしていなかったのにもかかわらず気分的なノリで、いわば「衝動結婚」するカップルもいるのが、ラスベガスの結婚式の特徴です。

結婚許可書を発行するラスベガスの役所の周辺では、パッケージのチラシを配る人々が見受けられます。結婚のメッカでもあるラスベガスでは、様々な結婚パッケージがあって、そのなかから自分にあったものを選べます。

ドレスにタキシードの結婚式、写真撮影、ビデオ撮影、送り迎えがセットになって３００ドルのパッケージから、平服でよければそれこそ１００ドルのパッケージもあるようです。教会での結婚式パッケージとホテルでの結婚式パッケージがありますが、ホテルの結婚式は雰囲気がよいぶん値段が高く、教会でのパッケージは安くてすむようです。Las Vigas Weddingsというウェブサイト [http://lwedme.com/candlelight_a.php] には、10種類以上のパッケージが写真入りで紹介されています。

役所での結婚式

もし平日に時間が取れるならば、住んでいる地区にある役所での結婚式は、交通費がかからないぶん、ラスベガスでの結婚式よりさらに安くてすみます。

予約をしておけば、結婚許可書を入手して、そのまま役所で結婚式を挙げて司式者のサインをもらうといったことも、州によっては可能です。ドレスや指輪がなくても、Ｔシャツとジーンズでも結婚式が挙げられます。

ビザの関係などで結婚式を急ぐカップルは、とりあえず役所で簡単な結婚式を挙げ、余裕ができたところで、ウェディングドレスとタキシードを着て写真スタジオで記念写真を撮ってもらったり、披露宴を開いて周囲の人々から祝ってもらったりしているようです。

3 日本とは違うアメリカの結婚式と披露宴

映画でみるアメリカの結婚式と披露宴

　アメリカ映画には結婚式のシーンがよく出てきますが、印象深い作品を挙げると、結婚式（wedding ceremony）と披露宴（wedding reception）をテーマにした「花嫁の父（Father of the Bride）」があります。18歳のエリザベス・テーラーが花嫁役で出演している１９５０年製作の映画ですが、古きよき時代の結婚が描かれています。１９９２年にはリメイクの「花嫁のパパ（Father of the Bride）」が製作されました。

「花嫁の父」では、結婚式と披露宴をどこでおこなうかで、父と娘が対立します。父はかつての自分たちがそうだったように、結婚式も披露宴も花嫁の家で簡素にしてもらいたいと願っています。しかし、娘は教会で結婚式を挙げるのが夢で、結局、結婚式は教会、披露宴は自宅でおこなうことになります。家での披露宴は花やシャンデリアを飾り、音楽隊を雇い、ケータリングサービスを頼んで料理を作らせるといった豪華なものになります。

　この映画でわかることは、むかしは結婚式も披露宴も花嫁の家でやっていたこと、そして、費用は花嫁側が出すことです。

「花嫁のパパ」では、教会で結婚式を挙げることに関しては父と娘の意見は同じですが、父はいきつけのレストランで簡素に披露宴をおこないたいと思っていたのに、結局は結婚コーディネーターを雇って、自宅で盛大に披露宴をおこなうはめになってしまいます。

　これらの映画に共通するのは、費用は花嫁側が出すことです。「花嫁のパパ」では、外国からやってくる新郎関係者の飛行機のチケットまで新婦側が準備します。

　アメリカでは新婦側が結婚式と披露宴の費用を出し、新郎側が婚約指輪、結婚指輪、司式者（牧師など）への謝礼、結婚式付添人の貸衣装代や謝礼、ブーケ、結婚式前日におこなわれるリハーサル・ディナーの食事代、新婚旅行の費用などを出すといわれています。

現在では費用の分担については多様化していますので、双方で話しあって決めればいいでしょう。結婚式の場所も、教会のほかに、ホテル、レストラン、ゴルフ場、船上、ビーチ、役所の登記所などバラエティに富んでいます。

お祝いの贈り物

招待状をもらったら、結婚式や披露宴に出席しなくても、贈り物をするのがしきたりで、新郎の関係者であっても、贈り物は新婦にするようです。

アメリカには bridal registry または wedding registry という合理的な慣習があって、花嫁は結婚の数ヵ月前から、もらって嬉しい祝いの品リスト（ベッド用品、台所用品、電気製品など）を作って店やデパートなどに登録しておきます。このリストのことを wish list といいます。

贈る側は登録している店にいって新郎新婦の名を告げ、リストのなかから予算にあったものを選んで贈ります。すでに買われた品物はリストから削除されているので、同じ物を選んでしまうことはありません。みなが希望するような金額の品物は早くなくなるので、早めに店に足を運びます。

アメリカでは様々なシチュエーションで
結婚式を挙げる。
こちらはゴルフ場での結婚式。

結婚式前のパーティ

パーティ好きのアメリカ人は次のようなパーティを企画して、結婚式に向けての日々を盛り上げていきます。

●ブライダル・シャワー[Bridal Shower]

新婦の姉妹や友人などが企画して、新婦を祝福するパーティ。結婚式の2〜8週間前に、新婦の自宅、新婦の友人宅、レストランなどでおこなわれます。出産前にはベビー・シャワーという同様のパーティが開かれます。伝統的には女性のみでおこなわれますが、最近では男性も参加することがあります。

●バッチェラーズ・パーティ[Bachelor's Party]

新郎の友人（男性）が企画して、男性だけで過ごすパーティ。結婚式の前夜にレストラン、バー、ナイトクラブなどで過ごすことが多く、独身生活最後の無礼講として、ストリップショーにいくこともあるようです。

●ガールズ・ナイト[Girl's Night]

バッチェラーズ・パーティの女性版。新婦の独身最後の日を、レストラン、バー、ナイトクラブなどで過ごしたり、新婦の部屋で宿泊したりします。

●リハーサル・ディナー[Rehearsal Dinner]

新郎新婦、親族、結婚式の付添人、司式者（牧師など）が式の前日にリハーサルをおこない、その後に食事をします。

結婚式の付添人

日本では仲人をたてますが、欧米ではそれに匹敵する役割として付添人が選ばれます。前述の映画のなかにも、付添人たちが登場しています。付添人は男女同数を揃え、女性たちは同じデザインで同じ色（白以外）のドレスを着ます。

●ベストマン[Best Man]

バッチェラーズ・パーティを企画し、結婚式に結婚証明書と指輪を持っていきます。グルームズメンの中で新郎と一番親しい友人が務めます。

●グルームズメン[Groom's Men]

結婚式と披露宴でブライズメイドをエスコートしたり、招待客を席までエスコートしたりします。新郎の兄弟や未婚の親しい友人が務めます。

●リングボーイ[Ring Boy]

サテン生地でできた小さなクッションの上に結婚指輪を乗せて運んだり、フラワーガールのエスコートをします。10歳以下の少年が務めます。

●メイドオブオナー[Maid of Honor]

ブライダル・シャワーを企画したり、新婦のベールやドレスを整えたりして新婦をサポートします。ブライズメイドの中で新婦と一番親しい友人が務めます。

●ブライズメイド[Bride's Maid]

挙式の前から新婦をサポートし、披露宴では受付で記帳を手伝います。新婦の姉妹や親しい友人が務めます。

●フラワーガール[Flower Girl]

バージンロードに花びらをまきながら花嫁の入場を促します。10歳以下の少女が務めます。

4 アメリカ市民が日本で結婚するには

アメリカ市民が日本で結婚する場合、婚姻手続きは次のようなプロセスとなります。

ステップ1
「婚姻要件宣誓書」を発行してもらう

アメリカ市民が日本の役所で婚姻の手続きをするためには、「婚姻要件宣誓書（Affidavit of Competency to Marry）」［45頁参照］を発行してもらう必要があります。これは、結婚しようとしているアメリカ市民が、日本政府の要求する婚姻要件を満たしていることを証明するための書類です。離婚や死別の経験者は、それを証明する書類も提出します。

1●「婚姻要件宣誓書」を入手する

「婚姻要件宣誓書」はアメリカ大使館、領事館、米軍基地で入手するか、インターネットを通してダウンロードします。

▼http://japan.usembassy.gov/pdfs/wwwf7114.pdf

英語の申請用紙、その書き方サンプル、日本語の翻訳フォーム、その書き方サンプルの4ページ構成です。

2●「婚姻要件宣誓書」に記入して公証サインをもらう

サンプル書類を参考にしながら、アメリカ市民は「英語の申請用紙」に、日本人配偶者は「翻訳フォーム」の書類に書き込んでいきます。

サインは勝手にするのではなく、カップルがアメリカ大使館・領事館［83頁参照］に出向いて、係官の目前でする必要があります。係官は申請者のサインを見届けた後、自分自身のサインをします。これを公証サイン（notary sign）といいます（料金30ドル）。クレジットカードでの支払が可能です。婚姻要件宣誓書は、公証サイン後3ヵ月間有効です。軍人の場合は所属する米軍基地で公証サインをおこないます。

ステップ2
日本の役所に婚姻届を提出する

日本の役所に婚姻届けを提出する際、カップルが出頭するのであれば、どの役所でもかまいません。婚姻者は婚姻届に押印しますが、外国人の場合はアルファベットで名前を書くだけですみます。その箇所以外の項目は、日本人が代筆できます。婚姻届には、成人2人（両親、兄弟姉妹可）の署名と押印が必要です。

1●婚姻届けを提出する

提出するにあたって、アメリカ市民は「婚姻要件宣誓書」とその翻訳フォーム、パスポート、外国人登録証（該当者のみ）を準備します。日本人配偶者は、戸籍抄本または謄本と印鑑を準備します。

2●「婚姻届受理証明書」を発行してもらう

婚姻届を提出した時に、役所に「婚姻届受理証明書」を発行してもらいます。証明書には、卒業証書のような賞状形式の大型サイズと、通常の証明書サイズの2種類あります。普通サイズは当日発行してくれますが、役所によっては、大型サイズは発行までに数日かかることがあるようです。

ステップ3
結婚証明書のために公証サインをもらう

日本の役所で発行してもらった「婚姻受理証明書」は結婚証明書となります。しかし、日本語のままなので、正式に世界で通用する結婚証明書にするためには、さらにワンステップのプロセスが必要です。

1●「婚姻届受理証明書」を翻訳する

大使館・領事館が提供する翻訳フォーム［47頁参照］を参照しながら、翻訳します。日本人配偶者が翻訳してもかまいません。翻訳フォームには大型サイズ用と普通サイズ用の2種類あり、インターネットを通してダウンロードも可能です。

翻訳フォーム・大型サイズ
▶http://japan.usembassy.gov/pdfs/wwflarge.pdf
翻訳フォーム・普通サイズ
▶http://japan.usembassy.gov/pdfs/wwfsmall.pdf

2●翻訳フォームの公証サインをもらう

アメリカ大使館・領事館に出向いて公証サインをもらいます。

「婚姻届受理証明書」（日本語原文）と「英文翻訳フォーム」、公証サイン入りの翻訳証明書の3点セットが全世界で通用する「結婚証明書（Marriage Certificate）」となります。そのためアメリカ市民はアメリカの役所に婚姻届を提出する必要はありません。

婚姻要件宣誓書［記入例］

SAMPLE

)
) **SS:**
)

SINGLE AFFIDAVIT FOR MARRIAGE OF:

Jack Edward SMITH, JR the *first* (son)/daughter of

Jack Edward SMITH, SR and *Mary Anne WILSON*
(father's name) (mother's maiden name)

Father's citizenship: *U.S.A.* Mother's citizenship: *U.S.A.*

U.S. address: *123 El Paso Street, Los Angeles, California (P.O. Box Address Not Allowed)*

Date of birth: *January 16, 1967*

Place of birth: *San Francisco, California*

Evidence of citizenship: *United States Passport no. 073245979 issued on May 12, 1999 at Seattle*

Local address: *1256 Osaki 1-chome, Shinagawa-ku, Tokyo*

(If previously married: I was divorced from *Sally Ann Brown* on this date *May 1, 2003*.)

I, the above-mentioned person being duly sworn, do declare that, according to the laws of my domicile, I am of legal marriageable age, that ~~I have not been married before /~~ I have been married before and divorced, and that there is no hindrance, legal or otherwise, to my uniting in marriage with

Yoko NAKAJIMA, a citizen of *Japan*.

DO NOT SIGN
Signature of Affiant

Subscribed and sworn to before me this date ______________ at ________________.

Consul of the United States of America duly commissioned and qualified

婚姻要件宣誓書［翻訳記入例］

翻訳記入例

日本国)
)
) での宣誓書

一人用の婚姻要件宣誓書

宣誓者名： ジャック・エドワード・スミス、ジュニア 続柄：長男

父の名前： ジャック・エドワード・スミス、シニア 国籍：米国

母の旧姓： メリー・アン・ウィルソン 国籍：米国

宣誓者の

アメリカの住所： カリフォルニア州ロサンゼルス、エルパソ通１２３番地（P.O.Boxは不可）

生年月日： １９６７年1月１６日

出生地： カリフォルニア州サンフランシスコ

国籍の証明： 米国旅券番号 073245979 1999年5月12日発行 発給地シアトル

日本国内の住所： 東京都品川区大崎一丁目1256番

（前婚がある場合、
私は、日付：2003年5月1日に名前：サリー・アン・ブラウン と離婚しました。）

上記の宣誓者である私は、私の本国法によれば婚姻可能年齢に達しており、~~前婚がなく~~、前婚あるが離婚しており、

日本 国籍の 中島洋子 との婚姻に、

法律上その他いかなる支障もないことを宣誓します。

宣誓者の署名

年 月 日、場所： において本職の面前で署名宣誓した。

アメリカ合衆国 領事

婚姻届受理証明書の翻訳フォーム［普通サイズ］

TRANSLATION OF EXTRACT:
JAPANESE CERTIFICATE OF ACCEPTANCE OF MARRIAGE

DATE OF REPORT : ____________________

HUSBAND

NAME : ____________________

DATE OF BIRTH : ____________________

PERMANENT DOMICILE (HONSEKI) : ____________________

____

WIFE

NAME : ____________________

DATE OF BIRTH : ____________________

PERMANENT DOMICILE (HONSEKI) : ____________________

____

Issue # : ____________________

This is to certify the foregoing report was accepted on ____________________

Issue Date : ____________________

Title : ____________________

Name : ____________________

Seal

I certify that the foregoing is a correct translation.

Translator's signature : ____________________

Translator's Name : ____________________

Date : ____________________

日本語原文、翻訳フォーム、公証サイン入りの翻訳証明書の3点セットが
全世界で通用する「結婚証明書」となる。

5 アメリカの結婚証明書を持っているだけではダメ！

アメリカでは既婚、日本では未婚

かつて日本人同士の夫婦なのに、姓が違っているカップルがいました。日本では夫婦別姓が認められていないため、姓の違う夫婦は存在しないはずなのですが、2人の話を聞いて謎がとけました。彼らはニューヨーク州の法律に従って結婚しましたが、日本の役所（領事館）に届けを出さなかったため、日本の法律上では未婚扱いになっていたのです。

結局彼らはアメリカで離婚することになりましたが、日本の戸籍上では彼らは未婚のままです。つまり「戸籍を汚した」わけではないということになります。アメリカでは既婚者なのに、日本では未婚者というのは、日本の戸籍制度ゆえの悲喜劇といえるでしょう。

入籍の重み

アメリカ市民が日本の役所に婚姻届を提出して、婚姻届受理証明書を入手すれば、それが結婚証明書となり、婚姻関係が成立します。あとは婚姻届受理証明書の翻訳をして、公証サイン入りの翻訳証明書の3点セットを揃えて書類を持っていれば、それが世界で通用する結婚証明書となります。アメリカに帰国して、あらためてアメリカの役所に婚姻届をする必要はありません。

一方、日本人がアメリカで結婚して結婚証明書を入手しても、それだけでは日本の法律上で結婚したことにはなりません。戸籍制度のある日本では、「入籍」というプロセスを経てはじめて婚姻関係が成立するからです。

アメリカの法律にしたがって結婚した場合は、アメリカで取得した結婚証明書を提出して、婚姻届の手続きをおこないます。日本では婚姻届を提出した日付が結婚日付となりますが、アメリカで結婚した場合は、結婚証明書に記載されている日付が結婚日付となります。通常は結婚日から3ヵ月以内に婚姻届をおこないます。

ごくたまにですが、アメリカ市民と結婚しても日本の役所に婚姻届を出さない人がいます。届けなければならないことを知らなかった、面倒だった、離婚するかもしれないので戸籍を汚したくなかった、と理由はいろいろですが、届けを出さないと、子どもが生まれても、正式な結婚をして生まれた子どもとして届けることができなくなります。婚姻届を出していなければ、子どもは母親から生まれた非嫡出子（私生児）としてしか入籍できません。

　１９８５年に改正国籍法が実施されるまでは、あえて日本の役所に婚姻届を出さないカップルがいました。なぜなら国際結婚の夫婦の場合、父親が日本人の場合のみ、子どもは日本国籍を取得できて、母親が日本人の場合、子どもは日本国籍が取得できなかったからです。

結婚後の戸籍

　国際結婚による婚姻届を提出すると、提出者はそれまでの家族の戸籍から離れて新しい戸籍を作ることになります。その際、本籍地を定めて新戸主となりますが、特に届けを出さないかぎり、姓の変更はありません。

　通常、戸籍には戸主の項目、配偶者の項目、子どもの項目が設けられます。日本国籍保持者でない家族の項目は設けられないため、外国人配偶者に関しては、新戸主の項目のなかで、「平成×年×月×日　国籍アメリカ合衆国スミス、ジョンリチャード（西暦一九××年×月×日生）と婚姻届出」と記載されるだけです。

　子どもは日本国籍保持者なので、子どもが生まれれば、子どもの項目が設けられます。改姓の届けを出さないかぎり、パスポートの姓も変わりません。

国際結婚をした人の戸籍［姓の変更のないもの］

本籍　東京都千代田区千代田一番地一

氏名　山田　花子

平成拾六年参月参日編製　印

昭和参拾九年拾月拾日東京都千代田区で出生同月拾七日父届出入籍　印

平成拾六年参月参日国籍アメリカ合衆国スミス、ジョンリチャード（西暦千九百六拾四年弐月五日生）と婚姻届出東京都千代田区千代田一番地一山田太郎戸籍から入籍　印

父　山田太郎

母　陽子

長女

妻　花子

出生　昭和参拾九年拾月拾日

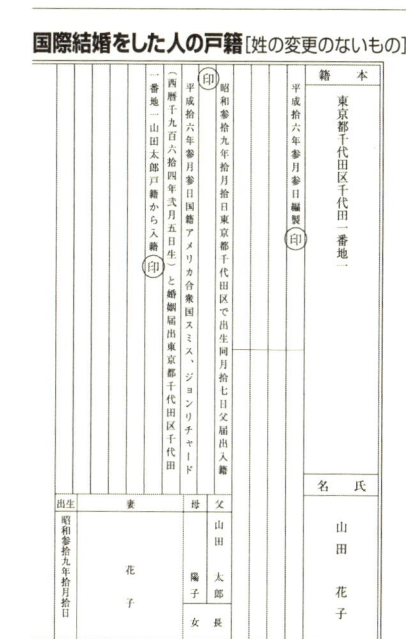

6 お互いの国での姓名表記の違いを知る

国際結婚となれば、お互いの国でどのような姓名を使用するのか、どのような表記で姓名を名乗るかの問題が出てきます。

日本の戸籍に記載される配偶者の姓名

日本の役所に婚姻届を出す時に注意したいのが、アメリカ人の配偶者の姓名の表記の仕方です。戸籍にはアルファベットは使用されないため、外国人の姓名はカタカナで届けることになります。たとえば、「ドボルザーク」と届けるか、「ドヴォルザーク」と届けるかは、自己申告制なので申請者次第となります。

アメリカ人の姓名には、ミドルネームがあったり、最後にJr.（ジュニア）と付いていたりすることがあって複雑です。たとえば、John Richard Smithという姓名の場合、Johnがファーストネーム、Richardがミドルネーム、Smithがファミリーネーム（姓）となります。この姓名を日本の戸籍に記載すると、「スミス、ジョンリチャード」となります。日本ではミドルネームの概念がないため、ファーストネームのあとに句読点もスペースもなく、ミドルネームが続けて記載されます。姓と名の間には「、」が記載されます。

John Richard Smith, Jr.というようにJr.（ジュニア）が付いている場合は、ジュニアは名の一部とみなして、「スミス、ジョンリチャードジュニア」となります。日系人のJohn Richard Yamadaの表記は、「ヤマダ、ジョンリチャード」となります。漢字の「山田」でなく、カタカナの「ヤマダ」となります。

国際結婚が珍しい地方の役所で婚姻届を提出すると、係員が表記方法を間違えることがあります。たとえば、「スミス、リチャードジョン」というふうに、ファーストネームとミドルネームの順番を間違えるといったことが起こります。提出の際に、念を押して確認するようにしてください。

パスポートの表記

戸籍制度のある日本では、戸籍に記載されている姓名が公式名となり、戸籍に記載されている姓名がパスポートに記載されます。

なかにはパスポートに書かれたローマ字表記の姓名が気に入らないという人がいます。たとえば「小野」も「大野」も、どちらもOnoとなってしまいます。

日本の姓名をローマ字表記にする時、ヘボン式表記と長音表記があります。日本政府はヘボン式表記を採用しているため、「小野」も「大野」も同じ表記となってしまうわけです。もし「大野」を、OnoではなくOhnoと表記してほしい場合は、パスポート申請時または更新時に、長音表記にしてほしいと申請すれば、Ohnoと表記してもらうことが可能です。何も申し出ない場合は、ヘボン式表記となります。

戸籍での外国人名の表記

ミドルネームがある場合

［例］

John ジョン	Richard リチャード	Smith スミス
ファースト ネーム	ミドル ネーム	ファミリー ネーム

戸籍に記載される場合

スミス、ジョンリチャード
（スミスのあとには「、」が付く。
ファーストネームとミドルネームの間には
何も付かずに続けて書く）

Jr.がつく場合

［例］

John Richard Smith, Jr.
スミス、ジョンリチャードジュニア
（ジュニアは姓ではなく名の一部として
扱われるため、名の最後に付け足す形となる）

アメリカで使用する姓名

グリーンカードとソーシャル・セキュリティ・カードに記載される姓名が、アメリカでの姓名ということになります。アメリカで使用する姓名は、必ずしも日本の戸籍と同じ姓名でなくてもかまいません。

グリーンカードに記載される姓名は、永住権の請願・申請時に記載する姓名がそのまま反映されるので、できれば結婚の手続きをするために書類を提出する段階から、どの姓名を使用するのか、どのような表記にするのか、考えておく必要があるでしょう。夫の姓を名乗りたいなど、姓名の変更については、次項を参照してください。

7 永住権をとるためにアメリカで使用する姓名を考えておく

アメリカでどのような姓名を名乗るかは非常に大事なことです。結婚を経て永住権を請願し、移民ビザが発給されれば、ほとんどの場合、永住権を請願した時の姓名でグリーンカードとソーシャル・セキュリティ・カード（ＳＳカード）が発行されます。そのため結婚して永住権を請願する段階から、アメリカで使用する姓名のことを考えておかなければなりません。

姓名をどうするかに関しては、次の3つの方法が考えられます。たとえば山田花子（Hanako Yamada）さんの場合を例にとってみましょう。

1●アメリカでも日本名を名乗る

アメリカでの姓名●Hanako Yamada
日本での戸籍の姓名●山田花子
パスポートの姓名●Hanako Yamada

国際結婚の場合は結婚しても戸籍の姓は変わらないので、結婚後も戸籍、パスポートとも姓の変更はありません。この場合は、パスポート、グリーンカード、ＳＳカードが同一となります。

2●戸籍は変えずにアメリカで夫の氏を名乗る

アメリカでの姓名●Hanako Smith
あるいは Hanako Yamada Smith など
日本での戸籍の姓名●山田花子
パスポートの姓名●Hanako Yamada (Smith)

戸籍の姓は変えず、アメリカで夫の姓を名乗りたい場合は、パスポートに夫の姓を別名併記してもらいます。日本領事館か日本の旅券センターに行って手続きをすると、パスポートの4ページにHanako Yamada（Smith）と、夫の姓が括弧に入れて記載されます。

3●戸籍の姓を変えてアメリカで夫の氏を名乗る

アメリカでの姓名●Hanako Smith
あるいは Hanako Yamada Smith など

日本での戸籍の姓名●**スミス花子**
パスポートの姓名●**Hanako Smith**

日本の戸籍上で姓の変更を希望する場合は、婚姻成立後6ヵ月以内に「姓名変更届」を日本の役所か日本領事館に提出します。6ヵ月を超えた場合は、家庭裁判所の許可が必要となります。

姓を変えたら、日本領事館か日本の旅券センターに、姓名欄を変更する届けを提出するか、パスポートを新規に発給してもらいます。

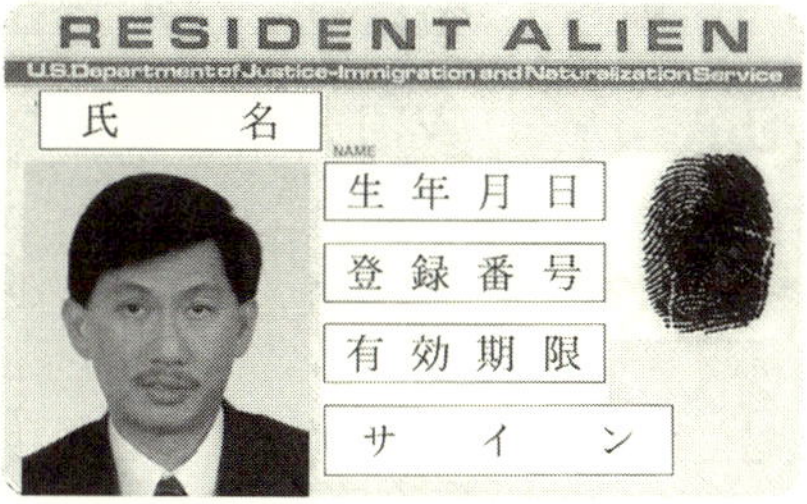

永住を許可するグリーンカード
かつてのカードの色がグリーンだったため、通称「グリーンカード」と呼ばれる。
ほかにもPermanent Resident Card, Alien Registration Receipt Card, Form I-551などと呼ばれる。

日本ではミドルネームが認められないので、山田花子がJohn Richard Smithと結婚した場合、戸籍にはスミス花子、パスポートにはHanako Smithと記載されることになります。

アメリカでの姓名

アメリカで使用する姓名としては、「Hanako Yamada」「Hanako Smith」「Hanako Yamada Smith」（山田をミドルネームとして使用）のいずれでもかまいません。

双方の姓をハイフンでつないで複合姓「Hanako Smith-Yamada」「Hanako Yamada-Smith」も使用できますが、日本でパスポートを申請する時に、認可されないこともあるようです。

いずれにしても、アメリカで使用したい姓名を、永住権の請願書・申請書の姓名欄に記載すれば、その姓名がグリーンカードやSSカードに反映されて記載されます。

戸籍制度のないアメリカでは、これが公式名だという決定打はないようです。強いて挙げればSSカードにある姓名が公式名といえるようですが、カードの姓名と免許証、銀行口座、パスポートの姓名が違っていても問題はないようです。

8 生まれた子どもの姓名を届け出る

戸籍の表記

子どもが生まれたら、日本の役所または領事館に出生届を提出します。その時に注意したいのは姓名の表記です。

たとえばアメリカの姓名をJames Taro Smithとしたとします。日本の戸籍にはミドルネームは使用できないので、名を「ジェームズ」とするか、「太郎」とするか、「ジェームズ太郎」とするか迷いますが、いずれの名も届けることができます。アルファベットは使用できません。

次に子どもの姓はどうなるでしょうか。母親の山田花子が改姓していなければ、子どもの姓は自動的に山田となります。スミスに改姓していれば、子どもの姓は自動的にスミスとなります。

パスポートの表記

子どもにジェームズという名を付けたと仮定しましょう。パスポートは戸籍をもとにアルファベット表記されるので、何も届けないと、自動的にジェームズは「Jemuzu」と表記されてしまいます。それを避けて、正しく「James」と綴ってもらうためには、「非ヘボン式綴り申請書」を提出します。

母親が改姓していない場合、子どものパスポートの表記はJames Yamadaとなります。母親は改姓していないが、Smithを別名併記する届けを出していれば、子どものパスポートの表記はJames Yamada（Smith）となります。

母親がスミスと改姓していれば、子どものパスポートの表記はJames Smithとなります。母親が改姓せず、子どもにアメリカのパスポートと同じ姓を名乗らせたい場合は、子どもだけ改姓します。この場合、子どもは独立して別の戸籍を持つことになります。

9 プレナップ［婚前契約］を相手に求められたらどうする？

プレナップを交わす夫婦は2割以上

プレナップ（Prenup・婚前契約）は正式にはPrenuptial Agreementといい、結婚前の男女が、あらかじめ夫婦生活に関する事柄（財産の取り扱い、離婚の条件、家事分担など）について、文書で交わす契約です。

プレナップは、日本ではあまり聞き慣れませんが、一部の国ではごく普通のこととして存在します。たとえばパキスタンでは婚姻時にプレナップにサインして、夫婦間の財産契約登記代わりとして所持するようです。フランスでは夫婦の4分の1、アメリカでは2割以上がプレナップを交わすようです。

婚前契約のある国の人と結婚する場合や、資産や相続財産が多い人と結婚する場合は、プレナップを交わすことを求められるかもしれません。または離婚大国のアメリカらしく、離婚時の争いの予防としてプレナップを交わすことがあるかもしれません。

プレナップを求められたら

日本人はプレナップを求められると、相手の愛情を疑ってしまうこともあるようですが、話し合うべきことを話し合うステップとして、冷静にとらえて対処するのが望ましいでしょう。

結婚相手からプレナップにサインをしてくれと求められた場合、結婚相手は家族関係の法律に詳しい弁護士を通してすでにプレナップを作成していることが多いでしょう。

そのような場合は、プロの弁護士に依頼して、書かれている内容を確認してもらいます。もし州法で定められている当然の権利が盛り込まれていなければ、それを記載してもらうなど要求したほうがいいでしょう。また、理にかなった方法で、自分の要求も盛り込んでいくといいでしょう。

アメリカで迎える金婚式

今は日本食

子宝に恵まれたAさんは、近所に大学生や社会人の孫がたくさんいる。しかし、自己流の英語を話すAさんと会話をしてくれるのは、やさしい孫娘ひとりだけだそうだ。

昔は大家族で、はりきって子どもが喜ぶ洋風の食事を作ってきたAさんだが、夫と2人だけの生活になったら、それぞれが自分の食事を作るようになった。夫は自分でハンバーガーやサンドイッチを作り、Aさんは日本食を作って食べる。年に何回かいく日本食スーパーで買ったものを大事に冷凍庫にしまっておいて、少しずつ食べている。

Aさんによると、どんなに英語がよくできても、どんなにアメリカの食事が好きでも、年をとるとだんだん英語が出なくなり、日本食を食べたくなり、日本返りをしてくるのだそうだ。

老後の楽しみは

東部の田舎町に住む70代を過ぎた日本女性のグループは、よく集まっている。主に日本食レストランにいって、月に何度かみんなで日本食を食べたり、誰かの家で日本のドラマや韓国のドラマを一緒にみたりする。またシニア割引を利用して、観光バスに乗り、みんなであちこちにいく。グループの女性たちの楽しみは、同じくシニア割引があるカジノで遊ぶことだ。1週間に少なくとも1度はカジノにいく。

もう杖をついてしか歩けない人や、かなり足腰が弱っている人が多いが、まだ自分で車の運転をしている。身体障害者用のラベルをもらっているので、車に貼り、お店などにいっても入り口から一番近いところに停めることができる。車の運転ができる限りは、ひとりでも出歩くことが可能だと思っているが、周りには心配されている。

若いころは、日本人の友だちはいらないと思っていても、年を取ってくると、国際結婚という似たような境遇の日本人の友だちと一緒に過ごすほうがだんだん楽しくなってくるそうである。

もう日本には帰れない

金婚式を迎えるような人々が結婚してアメリカに渡った時は、インターネットはおろか、電話さえ自由にかけられない時代だった。実際に自殺をしてしまった人が何人もいるように苦労の連続だった。

若いころは、老後は日本に帰りたいと思っていても、いざ年をとってみると、日本の近い親戚もいなくなり、日本との絆が薄れて、難しいことがわかってくる。しかし、数々の困難を乗り越えてきた人たちは、みんな明るくたくましくみえる。

3章

結婚と渡航ビザの関係

いざ結婚！
でも準備は
どうしたらいい？

永住権と市民権の
違いって？

大使館に
問い合わせする
方法は？

1 日本で暮らすアメリカ人と結婚する場合

アメリカ市民が日本で6ヵ月以上暮らしている場合、その配偶者のために、東京のアメリカ大使館か那覇の領事館に移民ビザ（永住権）の請願ができます。配偶者が子連れ結婚で、21歳未満の未婚の子どもがいる場合は、子どもの請願もできます。

大勢の人が請願をして混雑しているアメリカの移民局と違って、日本の大使館・領事館は請願者が少ないので、待ち時間ははるかに少なくてすみます。うまくいけば請願から面接を経て、1～2ヵ月で移民ビザが取得できます。

ただし、申請者（日本人配偶者）がアメリカ以外の国に1年以上滞在していた場合は、その国の警察証明書が必要となって、取得に3ヵ月以上かかるため、そのぶん移民ビザの取得は遅れるでしょう。

請願の予約

請願はアメリカ市民が、東京のアメリカ大使館か那覇の領事館へ出頭しておこないます。できれば申請者（アメリカ市民の配偶者）も一緒に出頭するのが望ましいでしょう。

出頭の日時については、インターネットでオンライン予約をします（3ヵ月先まで予約可能）。電話、ファックス、郵送による予約はできません。

以下のウェブサイトに提出書類が記載されています。最後にある「東京」か「那覇」をクリックすると、請願予約ができます。

▶http://japan.usembassy.gov/j/visa/tvisaj-ivi130check.html

請願時の提出書類

請願者が提出する書類

●I-130（永住権請願用紙）
●日本に居住していることを証明する書類
●G-325（経歴書）
●カラー写真1枚

●請願者がアメリカ市民であることを証明する書類
パスポート、出生証明書（or帰化証明書）を提示。

●写真入り身分証明書
パスポートの顔写真のページのコピー、写真入りの身分証明書のコピー、米軍の身分証明書のコピー（該当者のみ）を1部提出。

●結婚を証明する書類
日本で結婚した場合は、日本の役所で発行された婚姻届受理証明書とその翻訳、翻訳証明書（受益者の戸籍に結婚の記載があれば、戸籍抄本とその翻訳、翻訳証明書の提出でも可能）。
アメリカで結婚している場合は結婚証明書（役所が発行したオリジナルのサティフィケートコピー）。

●I-864（扶養宣誓供述書）と添付書類〔詳細については70頁、74頁参照〕

●離婚か死別の証明書（該当者のみ）

申請者が提出する書類

●DS-230（経歴書〔巻末の資料参照〕）

●G-325（経歴書〔巻末の資料参照〕）

●カラー写真1枚

●パスポートの顔写真のページのコピー

●パスポートにある全ての国のビザのページのコピー

●パスポートにあるSOFA（Status of Forces Agreement 駐留米軍地位に関する協定）スタンプのコピー（該当者のみ）

●過去のパスポート全て（日本国籍以外の申請者のみ）

●出生証明書
戸籍抄本、その翻訳、翻訳証明書をセットにして提出します。出生を確認するためのものなので、結婚する前の戸籍でもかまいません。

●離婚か死別の証明書（該当者のみ）
戸籍にその旨の記載があれば、新たに提出の必要はありません。もし戸籍に記載がなければ、さかのぼった戸籍か、離婚や死別の証明書を提出します。

結婚後2年以内のカップルは、このほかにも2人が写った結婚式の写真、双方の家族や友人と一緒に撮った写真、2人がかわした手紙、Eメール、電話の通話記録のコピーなどを提出するといいでしょう。また、2人について質問されることもありますので、2人の出会いに始まるヒストリーの年月日をメモにしておいたほうがいいでしょう。

面接までに準備する書類

請願が受理されると、申請者（日本人配偶者）は申請書類（DS-230）を提出し、面接までに「2章・4渡航ビザの請願・新制にあたって準備する書類」で紹介している書類を準備します。

その他に必要な書類としては、次のものがあります。

●パスポートと写真2枚

●人物調査書(security clearance)(当該者のみ)

在日米軍基地に住む申請者で、基地内に6ヵ月以上居住している場合は、申請者の16歳の誕生日以後の期間を含む日本の警察証明および基地での人物調査書(security clearance)も提出しなければなりません。

基地保安事務所によっては日本の警察証明と人物証明書の両方を発行することができますが、人物調査書に限る場合もあり、そのような場合は別途日本の警察証明書を入手しなければなりません。詳細は基地の保安事務所に相談してください。

●アメリカの住所と電話番号

グリーンカードの郵送先として、アメリカの住所と電話番号を報告します。私書箱は使用できますが、米軍基地の住所は不可です。

●エクスパック500(返信用封筒)

郵便局かコンビニで入手可能。

面接の予約

面接のための書類が準備できたら、ウェブサイト【http://japan.usembassy.gov/j/visa/tvisaj-ivapptrequest.html】で面接の予約をします。

請願日はオンラインで予約可能日を指定できましたが、面接の場合は日の指定はできません。予約を希望する週を指定するだけです。通常、面接は月曜日におこなわれます。

後にアメリカ大使館からEメールで面接日が通知されます。そのメールを印刷したものを持参して、面接を受けます【面接については76頁参照】。

２ アメリカ市民との婚約から結婚に至るプロセス

一刻も早く結婚して一緒に暮らしたい……。それが、結婚を決意した２人の想いでしょう。しかし、双方が日米に離れて暮らしている場合、渡航ビザを申請しても、約１年前後にわたる長い待ち時間が２人の間に横たわっています。

Ｋビザと移民ビザ

婚約や結婚によって取得できるビザとしては、Ｋビザ（婚約者ビザ）と移民ビザ（永住権）があります。Ｋビザは婚姻ビザとも呼ばれ、婚約者だけでなく、すでに結婚している人にも適用されます。Ｋビザの請願者となれるのはアメリカ市民のみで、永住権保持者はＫビザの請願者にはなれません。

Ｋビザも移民ビザも、すぐに申請できるわけではありません。相手のアメリカ市民が申請書類を提出して「請願」し、それが認可されてから、婚約者か配偶者が申請書類を提出して「申請」をします。そして、「面接審査」を経て、Ｋビザか移民ビザが発給されます。

双方のビザとも、提出する書類はほとんど同じものです。双方のビザの大きな違いは、請願→申請→面接というプロセスのなかでほぼ同じ書類を提出しなければならないにもかかわらず、Ｋビザが非移民ビザの扱いになっていることです。

そのため非移民ビザの申請者と同じように、ＤＳ-１５６のオンライン登録や、ＤＳ-１５７（16～45歳の男性申請者のみ）も提出しなければなりません。

また、Ｋビザの場合は、移民ビザと同じく警察証明書や健康診断書を提出するにも拘わらず、永住権は取得できません。渡米後90日以内に結婚して、永住権を申請し、アメリカでの面接を経て初めて永住権が発給されます。

Ｋビザは日本とアメリカでそれぞれ面接を受けなければなりませんが、移民ビザに比べて待ち時間が少し短いことがメリットです。

２度の申請をして、２度の面接があるＫビザを申請するか、それとも少し長く待たされても、1回だけで永住権を取得できる移民ビザを申請するか。これに関しては、お互いの話し合いで決めていけばいいでしょう。

Kビザ申請のプロセス

申請は3段階にわかれています。

申請の第1段階はアメリカ市民によるアメリカ移民局への請願で、それが受理されると日本にいる申請者のところにインストラクションが郵送され、第2段階へと進んでいきます。

第2段階では、申請者は指示された書類を郵送し、必要書類を準備します［70頁参照］。書類がそろった段階で、東京のアメリカ大使館か那覇の領事館に、面接の予約をします。

次のウェブサイトにKビザのチェックリストが掲載されています。最後の行をクリックすることによって、面接予約の画面に切り替わります。

▼http://japan.usembassy.gov/j/visa/tvisaj-niv-kchecklist.html

後にアメリカ大使館からEメールで面接日が通知されます。そのメールを印刷したものを持参して、面接を受けます［面接については76頁参照］。

面接を受けて書類に不備がなければ、Kビザが発給されます。ビザ発給日から6ヵ月以内にアメリカに渡航します。渡航後90日以内に結婚をして、申請書類I-485を提出し、永住者へと滞在資格を変更します。いわゆる第3段階としての永住権申請です。

すでに日本で面接審査を受けているため、アメリカでの申請は簡素化されたものとなります。

移民ビザ申請のプロセス

アメリカ市民か永住権保持者がアメリカの移民局に請願書を提出して受理されると、ナショナルビザセンター（NVC）は、請願者に対してはI-864［70頁参照］、申請者に対しては「3章・6 渡航ビザの請願・申請にあたって準備する書類」で紹介した書類のいくつかを郵送することを指示してきます。

NVCはすべての書類を受け取ると、アメリカ大使館での面接日を通知する書類を、日本にいる申請者の住所に送ります。面接通知は、面接日の約1ヵ月前にきます。

面接日は通常、月曜日に定められています。月曜が休館の場合は火曜日となります。定められた日の都合が悪い場合は、面接の変更が可能です。ただし、永住権発給割当月が決まっているため、その月のなかでしか変更はできません。

面接変更は次のウェブサイトでできます。

▶http://japan.usembassy.gov/j/visa/tvisaj-ivapptrequest.html

面接を受けて書類に不備がなければ、移民ビザが発給されるので、ビザ発給日から6ヵ月以内に渡米します。入国時パスポートに1年間有効のスタンプを押し、番号を記載してくれます。これが仮のグリーンカード番号となります。実際のグリーンカードは入国後1ヵ月以内に郵送されてきます。

婚約や結婚による永住権申請についてより詳しく知りたい場合は、グローバルJネットワーク発行の「婚約・結婚を通しての永住権申請マニュアル」をお読みください。入手方法については285頁を参照してください。

Kビザ申請のプロセス

請願者:アメリカ市民、申請者:その婚約者

第1段階●アメリカでの請願

1●請願者:移民局に申請用紙を郵送
(審査の後、書類はNVCを経てアメリカ大使館へ)

2●アメリカ大使館:申請者にインストラクションを郵送して、
必要書類の送付と準備を指示

第2段階●アメリカ大使館で面接

3●申請者:書類が準備できたら面接日を
オンラインでリクエスト予約(面接日はメールで通知される)

4●申請者:アメリカ大使館で面接。
定められた書類を持参して提出。Kビザは約1週間後に郵送

第3段階●アメリカでの結婚と永住権申請

5●申請者:渡航(ビザ発給日から6カ月以内)

6●申請者:結婚(入国後90日以内に結婚)

7●申請者:I-485(滞在資格の変更申請書)を提出
(入国後90日以内に提出)。
申請後はI-485pending中として合法滞在できる

8●移民局:面接の通知

9●請願者と申請者:面接

10●申請者:グリーンカード受け取り

移民ビザ申請のプロセス

[アメリカで請願・日本で面接]

請願者:アメリカ市民・永住権保持者、申請者:その配偶者

1●請願者:移民局に申請用紙を郵送。審査の後、書類はNVCへ

2●NVC:請願者と申請者に、
追加書類を送ることを指示した手紙を送る。

3●請願者:I-864(扶養宣誓供述書)と添付書類を郵送。
申請者:定められた書類を郵送

4●NVC:申請者へ面接日を通知。
NVCが必要書類を米国大使館へ送付

5●申請者:アメリカ大使館で面接。
定められた書類を持参して提出。移民ビザは約1週間後に郵送

6●申請者:渡航(ビザ発給日から6カ月以内)。
入国時、パスポートに1年間有効のスタンプを押してくれる

7●申請者:グリーンカード受け取り。
入国後1カ月以内に郵送される

3 渡米中に出会ったアメリカ人と結婚する場合

60日ルール

留学ビザや就労ビザなどの非移民ビザで滞在中に出会ったアメリカ人と結婚する場合は、アメリカに滞在したまま永住権へと滞在資格を変更できます。

ここで気を付けなければならないのは、移民法には60日ルールという規定があることです。ビザは滞在目的にそって発給されます。たとえば学生ビザの場合は、勉強する人のために発給されます。ただし、滞在中に結婚して学生ビザから永住権へと滞在資格を変更することは可能です。その場合、渡航後60日以上経っていれば、「勉学のため渡航したが、滞在するうちに結婚することになった」という主張が認められるからです。60日以内であれば、最初から結婚する気だったのに、学生ビザで渡航したのだろうと疑われるので注意が必要です。

永住権の請願と滞在資格の変更

まずアメリカ市民が移民局へ請願書I-130を郵送で提出します。提出先はI-130のインストラクション部分を参照してください。

提出した請願書類が受理されると、移民局から請願者(アメリカ市民・永住権保持者)と申請者(その配偶者)に連絡がありますので、申請者は滞在資格を非移民ビザから移民ビザへと変更するために書類I-485を郵送で提出します。提出先はI-485のインストラクション部分を参照してください。

アメリカ市民の家族(配偶者、親、21歳以下の未婚の子ども)の場合は、年間発給枠がないため、すぐに申請書を提出できます。面接までの待ち時間に就労や国外旅行をしたい場合は、オプションとして、次の書類も提出します。通常は許可が出るまで、3ヵ月かかります。

●I-765 (Application for Employment authorization

就労許可申請書）

●I-131（Advance Parole:Application for travel document 国外への旅行許可申請書）

14～79歳の申請者は、移民局での指紋採取と写真撮影が義務付けられています。移民局より場所と日時についての通知がくるので、指定された日時に出頭します。

永住権取得までの**プロセス**

［アメリカで請願・アメリカで面接］

請願者：アメリカ市民・永住権保持者、申請者：その配偶者

1●請願者：I-130の提出（＝永住権の「請願」）
2●移民局：請願の受理
3●申請者：滞在資格の変更（I-485などを提出）
4●移民局：I-485のプロセス開始。
プロセス手続き中として合法滞在が認められ、
認められれば就労が可能になる
5●移民局：半年～3年後に、面接の通知
6●請願者＋申請者：面接。
面接時に移民局がパスポートにスタンプを押してくれる
7●申請者：グリーンカード受け取り。
カードが郵送されるまでは、
押してもらったスタンプがグリーンカード代わりとなる

面接までの待ち時間

I-485を提出すると、面接を待つまでの期間は、I-485 pending（滞在資格変更申請中）という特殊なステータスとなって合法的滞在となり、Aナンバー（グリーンカードナンバー）が与えられます。

I-485を提出してから面接までは、半年～3年かかるようですが、合法身分で働きながら待つこともできるので、プレッシャーは少ないでしょう。

面接までに提出する書類については、「3章・6 渡航ビザの請願・申請にあたって準備する書類」を参照してください。いつ提出するかは移民局によっても微妙に違いますので、その指示に従ってください。面接で書類の不備がないと、その場でパスポートにスタンプを押してもらえ、グリーンカードは約1ヵ月後に郵送されてきます。カードが郵送されるまでは、スタンプがグリーンカード代わりとなります。

婚約や結婚による永住権申請についてより詳しく知りたい場合は、グローバルJネットワーク発行の「婚約・結婚を通しての永住権申請マニュアル」をお読みください。入手方法については285頁を参照してください。

4 日本人同士のカップルが海外で**結婚・移住**する場合

双方が日本で暮らしている場合

日本人同士のカップルで、双方が日本で暮らしている場合、ビザ取得予定者の配偶者は、その家族としてビザを申請できます。その場合、結婚している夫婦にのみ適用されるので、入籍している必要があります。これは非移民ビザ（学生ビザや就労ビザなど）にも移民ビザ（永住権）にもあてはまります。

たとえば、夫が就労ビザで渡航する場合、配偶者と21歳未満の未婚の子どもは家族ビザを申請することができます。申請の際には、必要な書類に加えて、戸籍謄本、英訳、翻訳証明書を提出します。

家族はビザ保持者と同じ期間、アメリカに滞在できます。通常、配偶者は学校にいくことはできますが、就労することはできません。例外として、Jビザ、Lビザ、Eビザなどの配偶者は、労働許可の申請後に就労することができます。申請時点に雇用主が決まっていなくてもかまいません。

移民ビザの場合も同じですが、仕事を通して移民ビザを申請した人で、請願時に結婚していなかった人の場合は、面接までに入籍をして、アメリカ大使館に結婚した旨を知らせる必要があります。

移民ビザの申請予定者が、戸籍謄本、その英訳、翻訳証明書を郵送すれば、配偶者も永住権の面接を一緒に受けることができるように、申請書類が送られてきます。配偶者は書類に記入して、アメリカ大使館の指示にしたがってください。

これらの手続きはすべて面接の前にする必要があります。もし手続きが面接の後になると、永住権の年間発給枠制限があるため、配偶者の面接は5～6年先となります。

双方がアメリカで暮らしている場合

日本人同士のカップルで、双方がアメリカで暮らしている場合は、どちらか一方のビザの家族として滞在資格を変更できます。アメリカに在住したまま、滞在資格の変更が可能です。こちらの場合も、結婚している夫婦にのみ適用されます。

たとえば、学生ビザ保持者の女性が就労ビザ保持者の男性と結婚すると、妻は就労ビザ保持者の家族ビザへと滞在資格を変更できます。

永住権保持者と結婚する場合は、滞在資格の変更に関して、非移民ビザ保持者との結婚のようにはことがスムーズに運びません。アメリカ市民と違って、永住権保持者には年間発給枠があるため、配偶者が面接を経て永住権へと滞在資格を変更できるまで、5～6年はかかるからです。この待ち時間を解決するために、アメリカ市民権を取得してから結婚し、配偶者のために永住権を請願する方法を採る人もいるくらいです。

日米双方で暮らしている場合

日本人同士のカップルが日米に離れて暮らしている場合、アメリカ在住者が保持するのが非移民ビザ（学生ビザや就労ビザなど）であれば、入籍後に、日本在住者は相手の保持するビザの家族として、ビザを申請できます。

アメリカ在住者が永住権保持者の場合は、前述したように移民ビザ取得まで5～6年かかるため、他の対策を考える必要があるでしょう。

多くの人が採るのは、入籍の前に学生ビザなどの非移民ビザを申請して渡米し、60日後［64頁参照］に現地で結婚して、永住権を請願するという方法です。永住権保持者と結婚していると、学生ビザが却下される怖れがあるので、未婚の状態で学生ビザを申請するのがポイントとなります。滞在資格の申請が認可されるまでの数年間、合法状態をキープしていなければなりません。

アメリカに滞在する日本人の職業

民間企業関係者とその家族	52.7%
留学生・研究者・教師とその家族	35.7%
自由業・専門職能者とその家族	3.7%
政府関係職員とその家族	1.7%
報道関係者とその家族	0.8%
その他	5.4%

出典：『海外在留邦人数統計』（2007年報外務省領事局）より

5 子連れ結婚をする際の手続き

家族のサイズと貧困ライン

アメリカ市民または永住権保持者は、結婚した配偶者とその21歳未満の未婚の子どものために、永住権を請願することができます。

永住権の審査の際に、請願者（アメリカ市民か永住権保持者）が一家を養っていけるだけの年収や預貯金があるかどうかをチェックします。

収入の基準となるのが、毎年2月にアメリカ政府が発表する「貧困ライン」［74頁参照］です。本土、アラスカ、ハワイの3地域にわけて、それぞれ家族のサイズによって収入ラインが定められています。永住権の請願者は、貧困ラインの１２５％以上（軍人の場合は１００％以上）の収入を有していることを証明する必要があります。

貧困ラインは家族構成によって違います。子どもがいない夫婦の場合は、家族のサイズは2人となります。子連れ結婚で連れていく子どもが1人いる場合は、３人家族となります。子連れ結婚で子どもが1人いて、相手にも子どもが1人いる場合は、家族のサイズは4人となります。

本土で暮らす場合、夫婦２人の場合だと、１万４，０００ドル×１２５％＝１万７，５００ドル以上の年収を得ていなければなりません。家族４人の場合は、２万１，２００ドル×１２５％＝２万６，５００ドル以上の年収となります。

このように家族のサイズと永住権申請は、密接に関わっています。

相手に子どもがいる場合

アメリカでは未婚でも子どものいる人がいますので、結婚相手に子どもがいるかどうか確かめたほうがいいでしょう。移民局が定める収入基準のほかにも、相手に子どもがいれば、いろいろと気を遣う問題が出てくるようです。結婚相手（男性）に子どもがいると、一緒に暮らしていなくても養育費を払う義務があります。養育費は原則として子どもが18歳になるまで支払います（18歳を超える場合もあります）。

移民局の貧困ラインの規定とは別に、もし結婚相手に2人の子どもがいれば、給料の40％ほどが養育費にもっていかれると予想されます。

日本では養育費を払わないこともありますが、アメリカでは養育費の取り決めは裁判所がおこなうため、給料から天引きするなどして、支払いは強制的に執行されます。日本の離婚家庭では、母親が子どもをひきとって育てることがほとんどで、離婚した夫婦はほとんど顔をあわせることがなく、子どもは父親と没交渉になることも少なくありません。

アメリカでも母親と暮らすことがほとんどですが、父親は面会権を持っています。なかには長期の休みごと、学期末ごと、週末ごとに父のもとで暮らす子どももいます。時には元配偶者も一緒に、元家族で旅行にいくことすらあるようです。日本と違って、子どもは父親（母親）との関係が切れず、ある意味では元配偶者との関係も切れることがありません。

心の準備

結婚相手に子どもがいる場合は、その子どもたちが週末ごとにやってきたり、一緒に旅行したりすることなどもあるので、あらかじめ心の準備をしておく必要があります。子どもたちが、なまりのある英語を話す父親の結婚相手を見下すことだって、なきにしもあらずです。アメリカでは離婚、再婚を繰り返す人が多く、それが親子関係を複雑にしています。

アメリカの離婚率に関しては、初婚の離婚率より、再婚の離婚率のほうが格段に多い結果となっています。離婚の原因として、初婚の場合は金銭が半分を占め、再婚の場合は子ども関係のことが半分を占めているようです。アメリカでは、初婚女性は子持ちの男性を圏外におく傾向があるため、子どものあるアメリカ人バツイチ男性は外国人女性に目を向けると言われています。

6 渡航ビザの請願・申請にあたって準備する書類

この項ではＫビザや移民ビザなどを請願・申請するにあたって準備する主な書類を紹介します。アメリカの移民局で請願するのか、日本のアメリカ大使館・領事館で請願するのかによって、書類の提出方法や時期が微妙に違っています。

Ｋビザの請願をした場合や、日本で移民ビザを請願して日本で面接を受ける場合は、すべて持参して手渡しで提出します。

アメリカで請願して日本で面接を受ける場合は、健康診断書と予防接種証明書を除いて、郵送する場合がほとんどです。

請願者が準備する書類

離婚か死別の証明書［該当者のみ］

アメリカの役所に発行してもらい、書類を提出します。

扶養宣誓供述書Ｉ-８６４［移民ビザの場合］

この書類はアメリカで申請者を生活保護者とさせないことを保証するために、請願者が提出する書類です。

Ｉ-８６４はアメリカ市民が受益者を経済的に養えるだけの収入を得ているか、もしくは資産を有していることを証明するためのものです。収入の目安となるのは、国が定める貧困ラインの１２５％以上（軍人の場合は１００％以上）です。貧困ラインは毎年2月に発表され、住む州や家族構成によって違ってきます。

この書類は不備になることが多いため、日本では請願時に提出することとなりました。もし請願時に不備とされたとしても、面接時にあらためて提出できるからです。

生活保証書Ｉ-１３４［Ｋビザの場合］

Ｋビザの場合は、Ｉ-８６４のかわりにＩ-１３４を提出します。Ｉ-８６４はあらためて、アメリカでの申請、面接の過程のなかで提出が要求されます。

申請者が準備する書類

日本の警察証明書

16歳以上の申請者は、提出しなければなりません。日本の都道府県レベルの警察署に発行してもらいます。英文書きのものが密封された状態で発行されます。

外国の警察証明書［該当者のみ］

16歳以上の申請者で、アメリカ以外の国に1年以上滞在していた場合は、その国の警察証明書も提出しなければなりません。アメリカの警察証明書は提出する必要がありません。

出生証明書［戸籍抄本か戸籍謄本］

戸籍抄本に翻訳、翻訳証明書を添付して提出します。提出先がアメリカの移民局やナショナル・ビザ・センターの場合は、翻訳証明書の公証サイン［＊1］が必要となります。日本のアメリカ大使館・領事館に提出する場合は、公証サインは不要です。

離婚か死別の証明書［該当者のみ］

前述の戸籍抄本（謄本）に離婚か死別の記載があれば、あらたに提出の必要はありません。もし戸籍に記載がなければ、さかのぼった戸籍か、離婚や死別の証明書を提出します。

提出先がアメリカの移民局やナショナル・ビザ・センターの場合は、翻訳証明書の公証サインが必要となります。日本のアメリカ大使館・領事館に提出する場合は、公証サインは不要です。

健康診断書

指定された医療機関で健康診断を受けます。日本での指定医療機関は、東京（3機関）、横須賀、神戸、沖縄にある6機関のみです。

身体測定、胸部X線撮影、ＨＩＶ感染と性病の検査を含む血液検査などがおこなわれます。15歳未満の子どもには血液検査とX線撮影は必要ありません。費用は15歳以上が2万5,000円、15歳未満が1万4,000円です。

予防接種はどこで受けてもかまいませんが、同じところで受ける申請者が多いようです。健康診断と予防接種を受けるには予約が必要です。その際に当日持参するものを確認してください。当日は脱衣することとコンタクトレンズをはずすことを要求されますので、その準備をしてください。

通常は、予約日に健康診断と予防接種のための抗体検査を受け、約1週間後に健康診断書を受け取りにいき、その際に必要な予防接種をしてもらいます。健康診断と同日に予防接種をまとめ打ちしてくれる機関もあります。余分に料金を払えば、健康診断書の発行を早めてもらえます（東京のみ）。急ぐ人は問い合わせをして、予防接種も含めて、どのくらいの期間でおこなってくれるのか確認してから予約を取るといいでしょう。

発行される診断書は密封されていますので、密封された状態で大使館に提出します。アメリカへの入国は、健康診断・予防接種から1年以内におこなわなければなりません。

予防接種証明書

97年7月より移民ビザ申請者には予防接種［＊2］が義務付けられることになりました。Kビザは強制ではありませんが、いずれアメリカで必要となるので、健康診断と一緒に受ける人が多いようです。

各国の医療機関によって違いますが、日本の医療機関では18～64歳の申請者に対して、実際に予防接種が必要なのは、おたふく風邪、はしか、風疹、破傷風、水ぼうそうだということです。

抗体検査や予防接種を円滑にするには、これまで受けた予防接種の記録（母子手帳や予防接種証明書など）を持参するといいでしょう。もしなければ手ぶらでもかまいません。健康診断時に問診したり抗体検査をしてくれますので、その指示にしたがってください。子どもの時にかかった病気（おたふく風邪、はしか、風疹、水疱瘡など）について質問されますので、親に聞いて確認しておきましょう。

予防接種が必要か否かは、申請者の年齢、病歴、健康状態などを考慮しながら、医師が判断します。

妊婦の場合は、申し出るとレントゲン撮影と予防接種が免除となります。移民ビザで渡米して出産後、アメリカでの撮影が必要となります。

予防注射が必要だと判断された場合、たいていの医療機関では健康診断書を受け取りにいくときに接種を受けます。費用は別途に支払います。東京ブリティッシュ・クリニックではジフテリア破傷風トキソイドは免除となり、ほかの接種が必要な場合は、問診のうえ、健康診断当日に必要な接種をまとめ打ちしてくれます。

一方、神戸海星病院では、1本ずつ間をあけて各2回ずつ打ちます。そのため複数の接種が必要な場合は、数週間～数ヵ月かかることになります。ただし、続きの予防接種はアメリカでも受けることができるようです。各医療機関の医師によって予防接種に対する見解の相違があるため、こういう結果になるようです。

［＊1］**公証サイン**［notary sign］●証明書のサインが真正であることを証明するために、公的な機関の第三者の目前で、本人と第三者が同時にサインすること。日本国内で公証サインのサービスをおこなっているのはアメリカ大使館・領事館のみです。この本を監修したグローバルJネットワークでは公証サイン付き翻訳をおこなっています。

［＊2］**予防接種の病気の種類**●おたふく風邪、はしか、風疹、ポリオ（小児麻痺）、破傷風、ロタウィルス、ジフテリア・トキソイド、百日咳、B型流行性感冒（H－B）、A型肝炎、B型肝炎、髄膜炎菌感染症、ヒト乳頭腫ウイルス、水痘、帯状疱疹、肺炎球菌、流行性感冒

日本で指定されている医療機関

東京

聖母病院
東京都新宿区中落合2-5-1
☎03-3951-1111

東京ブリティッシュ・クリニック
東京都渋谷区恵比寿西2-13-7 代官山Yビルディング2階
☎03-5458-6099
［注］午後の予約がOKなど融通がきき、予防接種のまとめうちが可能。つまり抗体検査をせずにすべての接種を1日でしてもらえることが可能です。
通常は4日後に診断書が発行されますが、料金を余分に払えば、当日または翌日に診断書を発行してもらえます。
宅急便で診断書を送付してもらうことも可能。

東京メディカル・アンド・サージカル・クリニック
東京都港区芝公園3-4-30 第32森ビル2階
☎03-3432-5181

横須賀

U. S. Naval Hospital-Yokosuka［米海軍病院］
PSC 475 Code 212, FPO AP 96350
DSN 243-8576（Physical examination section）
DSN 243-5349（健康診断セクション）
［注］アメリカ軍人のための病院なので、診断書を発行してもらうのに時間がかかるようです。
そのため急ぐ人にはおすすめではありません。

神戸

神戸海星病院
兵庫県神戸市灘区篠原北町3-11-15
☎078-871-5201
［注］予防接種は各機関によって医師の対応が違いますが、この機関では、予防接種は1本ずつ、しかも2回にわけておこなわれるため、複数の予防接種が必要な人にとっては、長ければ予防接種に数ヵ月ほどかかることもあります。
最初の予防接種が終わっていれば、面接でOKが出ますが、その後も予防接種に通わなくてはならないので、何回も足を運びたくない人は、東京の機関で受けているようです。

沖縄

沖縄アドベンチスト・メディカル・センター
沖縄県中頭郡西原町幸池868
☎098-946-2833

7 永住権を請願するには、一定以上の収入が必要

ジョイント・スポンサー

永住権の請願者となるアメリカ市民（or永住権保持者）は、Ｉ-８６４［扶養宣誓供述書］を提出して、貧困ラインの１２５％以上（軍人の場合は１００％以上）の収入を有していることを証明する必要があります。貧困ラインは住む州や家族構成によっても違ってきます。

若いカップルにとって、この貧困ラインは永住権請願のハードルとなっています。もし請願者の収入だけで貧困ラインを超えられない場合は、次のように解決策を考えていきます。

1●申請者（外国人配偶者）がアメリカで収入を得ている場合は、その収入を合算できます。**2●**この段階でもまだクリアできない場合は、請願者と申請者の預金残高を合算します。日本の預金でもＯＫです。預金の場合はカウントの仕方が違っています。

求められている金額は以下の通りです。

｛（移民局が求める収入基準）－（前年のtax returnに記載された税引き前の収入 unadjusted gross income）｝×５倍の金額

移民局が求める収入基準が１万４，０００ドルなのに、収入が１万ドルしかない場合、残りの４，０００ドルを預金で補おうとする場合、（４，０００×５）ドルの金額の預金が必要だということになります。

ただし、この方法は、申請者がすでに請願者と同居しているなどの条件があるので、最新情報を移民局などでチェックしてください。**3●**この段階でもまだクリアできない場合、ジョイント・スポンサーを探す必要があります。ジョイント・スポンサーになれるのは、アメリカに在住する18歳以上のアメリカ市民か永住権保持者で、移民局が求める収入基準を満たしている人です。

Ｉ-８６４に添付する書類

申請用紙Ｉ-８６４のインストラクション部分に、添

付する書類について英語で説明されているので、請願者に読んでもらって必要とされる書類を準備してもらってください。

1●請願者に十分な収入がある場合

●請願者の雇用を証明する会社の書類。

請願者の年収、勤続年数、肩書き、仕事内容、会社の所在地などを明記したもの。決まった形式はなく、自由に作成してかまいません

●W-2(源泉徴収票)を含んだ最新の納税証明書(Federal income tax return)。

納税証明書とは1040(テン・フォーティ)と呼ばれる連邦政府に納める所得税の申告用紙のことです。アメリカ人であれば企業に勤めていても納税申告は義務なので、几帳面な人はタックス・リターンを保管しているはずですが、もし保管していない場合は、IRS(税務署)に発行してもらう必要があります。

最新の納税証明書(=前年度の納税証明書)を提出できない場合は、その旨を記載した請願者の手紙を添付します。現在十分な収入があれば、問題ありません。

●過去6ヵ月のpay tag(給与明細書)

●Form 1099(Miscellaneous Income)

●その他収入の根拠となる書類(該当者のみ)

2●請願者に十分な収入がない場合

●請願者のI-864と**1**の書類のうち提出できるもの

●最新の納税証明書(=前年度の納税証明書)を提出できない場合は、その旨を記載した請願者の手紙

●ジョイント・スポンサーのI-864と**1**で説明した添付書類

●ジョイント・スポンサーの身分がアメリカ市民か永住権保持者であることを示す書類

貧困ライン[2008年2月発表]

家族構成	本土	アラスカ	ハワイ
1人	$10,400 [10,210]	$13,000 [12,770]	$11,960 [11,750]
2人	$10,400 [13,690]	$17,500 [17,120]	$16,100 [15,750]
3人	$17,600 [17,170]	$22,000 [21,470]	$20,240 [19,750]
4人	$21,200 [20,650]	$26,500 [25,820]	$24,380 [23,750]
1人増加ごと	$3,600 [3,480]	$4,500 [4,350]	$4,140 [4,000]

＊離婚経験者で養育中の子どもがある人は、家族構成に注意。
貧困ラインは毎年3%前後上昇していくので、
この額より大目の収入があることが望ましい。
(括弧は前年度、毎年2月発表)
出典：http://aspe.hhs.gov/poverty/

8 面接から最初に渡航するまでの流れ

アメリカ大使館・領事館での面接

日本のアメリカ大使館・領事館では、申請者（日本人配偶者）だけが単独で面接を受けます。面接といっても、係官と1対1になって個室でおこなうものではなく、窓口で持参した書類を手渡しするだけです。窓口で提出した書類に不備があれば、係官は書類をみて、書きたらない箇所や書き間違っている箇所を指摘してくれるので、指示にしたがいます。

書類の提出が終わると、ドルで申請料金を支払うように指示され、用紙が配布されます。申請料金はクレジットカードで支払えます。渡された用紙に、アメリカの住所（グリーンカードの郵送先）、日本の住所、両親の名前を記入して提出します。

面接で落とされる人

次に名前を呼ばれると、アメリカ人の領事が窓口に出てきます。領事は質疑応答に偽りがないことを申請者に宣誓させた後、結婚が偽装でないかどうかを確かめるために、簡単な質問をおこないます。

- ●2人はどこでどんなきっかけで知りあったのか
- ●結婚してからどのくらい経つのか
- ●知りあったときの夫の職業は、現在の職業は
- ●夫は何度日本にきたのか
- ●結婚後はどこに住むのか

質疑応答は数分間で終わります。使用する言語は、英語でも日本語でもどちらでもかまいません。英語ができないからといって、面接で落とされることはありません。面接で落とされるのは次のような申請者です。

- ●犯罪歴のある人（起訴されたことのある人）
- ●精神病、伝染病を持っている人（家族関係を通して申請する場合、たとえＨＩＶ感染者であっても、保護者としての家族が嘆願すれば、落とされることはないようです）
- ●不法滞在をしたことのある人（97年4月以降に１８０

日以上の不法滞在をしたことがあって、再入国が認められていない人）

●ビザフロード（詐欺）とされて入国拒否、強制送還された人

移民ビザ［永住権］の郵送

書類の不備がなければ、面接から約1週間で移民ビザが郵送されてきます。移民ビザは学生ビザや就労ビザのように、パスポートにビザスタンプが押されたものではなく、A4サイズの封筒のなかに密封された状態で書類が入っています。開封できるのはイミグレーションの係官だけなので、くれぐれも開封しないようにしてください。

密封された書類とともに、大使館で準備してくれた書類がタイプで打たれています。この書類はみられるようになっているので、タイプミスがないかどうか確認しましょう。

最初の空港でカードの手続き

移民ビザまたはKビザ（婚約者ビザ）が発給された日から6ヵ月以内にアメリカへ渡航することが義務付けられます。最初に入国した空港のイミグレーションで、グリーンカード［53頁参照］やソーシャル・セキュリティ・カード（SSカード）を発行してもらうための手続きをします。

指定されたカウンターにいって並び、順番がきたら移民ビザをみせて指紋をとり、用紙に記入してサインします。この時の指紋やサインがグリーンカードに反映されます。SSカードを持っていない人は、カードを送ってほしい旨を伝えます。空港によってはSSカードを送ってくれないこともありますので、その場合は最寄りのSSオフィスで手続きをします。

手続きのためにグリーンカード用の写真や健康診断時に発行してもらったレントゲン写真を要求されることがあるので、これらも準備しておきましょう。

手続きが終わると、入国審査官はパスポートに1年間有効の日付を記載したスタンプを押し、手書きで番号を書いてくれます。これが仮グリーンカードI-551です。本物のグリーンカードは1ヵ月以内に郵送されるので、それまではこのI-551がアメリカでの身分を示すものになります。

9 条件付き永住権から**正規の永住権**へ

偽装結婚を防止するための条件付き永住権

移民結婚詐欺改正法（1986年）では、結婚後2年以内に結婚を通して永住権の申請をすると、移民法上その結婚は制限付き結婚とされています。そのため2年間は正規の永住権ではなく、条件付きの永住権（Conditional Residency）が発給されるだけです。これは永住権取得を目的とした偽装結婚を防ぐ意味をこめて採られた措置です。

ただし、結婚相手が永住権保持者の場合は、永住権を申請してから発給されるまで2年以上かかるので、実質的には関係ないといえるでしょう。

条件付き永住権から正規の永住権へ

条件付き永住権は、最初の面接の期日から2年間有効です。期限が切れる90日前から正規の永住権へと切り替え申請することができます。申請は夫婦共同でおこないます。この手続きを忘れると、永住権は無効になります。

提出書類

管轄の移民局サービスセンター（USCIS Service Center）へ次の書類を提出します。

- ●I-751（Petition to Remove the Condition on Residence）
- ●I-751のサポート書類

偽装結婚でないことを裏付ける次の書類のいずれかを提出します。

- ●2人の結婚によって生まれた子どもの出生証明書
- ●同居していることを示す住まいの契約書など
- ●銀行の共同名義の口座の証明書
- ●2人のことをよく知っている人物による手紙とサイン

書類が受理されるとグリーンカードの有効期限が1年延長され、移民局よりその旨を知らせる「Notice of Action」が郵送されます。

次に管轄の移民局から連絡があり、写真、婚姻の証拠になる書類など指示された書類を持参して提出すると、最初の時と同じようにパスポートにI-551（仮グリーンカード）のスタンプを押してくれます（1年間有効）。あとは正規のグリーンカードが郵送されてくるのを待ちます。

もし条件付き永住権を保持している2年の間に離婚をした場合は、その時点で移民局にその旨を報告しなければなりません。通常は、正規の永住権への切り替え申請はできなくなりますが、それまでの結婚が偽装結婚でなく、離婚の理由が移民局側に納得いくものであれば、正規の永住権への切り替え申請手続きは可能となります。

たとえば結婚した相手に虐待された人とか、理由もなく離婚を強制された人などは、その証明をきちんとすれば、切り替え申請ができる可能性は高くなるわけです。

正規の永住権を得た後に離婚をしたとしても、そのことで永住権が無効になることはありません。

永住権取得者の数［2007年］
［取得者総数：1,052,415人］

国別

メキシコ	148,640［14.1%］
中国	76,655［ 7.3%］
フィリピン	72,596［ 6.9%］
インド	65,353［ 6.2%］
コロンビア	33,187［ 3.2%］
ハイチ	30,405［ 2.9%］
キューバ	29,104［ 2.8%］
ベトナム	28,691［ 2.7%］
ドミニカ	28,024［ 2.7%］
韓国	22,405［ 2.1%］
エルサルバトル	21,127［ 2.0%］
ジャマイカ	19,375［ 1.8%］
グァテマラ	17,908［ 1.7%］
ペルー	17,699［ 1.7%］
カナダ	15,495［ 1.5%］
イギリス	14,545［ 1.4%］
ブラジル	14,295［ 1.4%］
パキスタン	13,492［ 1.3%］
エチオピア	12,786［ 1.2%］
ナイジェリア	12,448［ 1.2%］
その他	358,185［34.0%］

年齢別

5歳以下	39,319［ 3.7%］
5〜14歳	118,889［11.3%］
15〜24歳	192,265［18.3%］
25〜34歳	257,522［24.5%］
35〜44歳	199,643［19.0%］
45〜54歳	113,717［10.8%］
55〜64歳	72,550［ 6.9%］
65歳以上	58,504［ 5.6%］

婚姻状況

未婚	387,252［36.8%］
既婚	610,134［58.0%］
その他	50,318［ 4.8%］

地域別

アフリカ	94,711［ 9.0%］
アジア	383,508［36.4%］
北アメリカ	339,355［32.2%］
ヨーロッパ	120,821［11.5%］
南アメリカ	106,525［10.1%］
オセアニア	6,101［ 0.6%］
不明	1,394［ 0.1%］

取得の内訳

家族ベースで取得	689,820［65.5%］
仕事ベースで取得	162,176［15.4%］
抽選永住権当選	42,127［ 4.0%］
難民・亡命など	136,125［12.9%］

性別

男性	471,377
女性	581,031
不明	7

州別居住先

カリフォルニア	228,941［21.8%］
ニューヨーク	136,941［13.0%］
フロリダ	126,277［12.0%］
テキサス	77,278［ 7.3%］
ニュージャージー	55,834［ 5.3%］
イリノイ	41,971［ 4.0%］
マサチューセッツ	30,555［ 2.9%］
バージニア	29,682［ 2.8%］
ジョージア	27,353［ 2.6%］
メリーランド	24,255［ 2.3%］
その他	273,530［26.0%］

出典：U.S.Department of Homeland Security, Computer Linked Application Information Management System（CLAIMS）, Legal Immigrant Data

10 永住権と市民権の違いはどこにある？

グリーンカードの更新

アメリカの移民局から永住を認められるとAlien Registration Card（外国人登録証）が発行されます。カードの表面の色がかつてグリーンだったため、通称グリーンカードと呼ばれています。現在はピンク色に変わりましたが、通称が残っています。カードのみならず、永住権そのものを意味する時も、グリーンカードという呼称が使われています。

テレホンカードと同じサイズのカードには名前、生年月日、外国人番号（Alien Number）、有効期限が書かれ、写真、指紋、自筆のサインが記載されます［53頁参照］。カードは10年ごとに更新していきます。運転免許証のように形式的なもので、更新を続けるかぎりアメリカに滞在できます。更新時の面接はありません。

アメリカ市民権

永住権を取得してから5年経つと市民権を申請する資格ができます。アメリカ市民と結婚した場合は、3年経つとその資格ができます。その期間中は道徳的によいおこないを維持していなければならないとされています。また、定められた期間の少なくとも半分は実際にアメリカに滞在していなければなりません。

移民局に帰化申請を提出すれば、口頭テストと面接があって、審査がおこなわれます。合格すれば帰化市民の誕生です。帰化の申請をする直前の少なくとも3ヵ月間はその州や移民局の管轄区域に住んでいなくてはなりません。

市民権の申請が許可されると、帰化証明書が発行されます。グリーンカードを返上し、アメリカのパスポートを発行してもらうと、帰化市民の誕生となります。

永住権と市民権の違い

永住権と市民権の大きな違いは、永住権保持者には選挙権・被選挙権がないこと、州によって永住権保持者は公務員として採用してもらえないことです。

アメリカで普通に生活していくうえにおいては、永住権と市民権はほとんど違いがないといわれています。そのため日本人は永住権を取得しても、日本国籍を保持したままで、市民権を取得しない人が大多数です。

しかし、アメリカ市民は配偶者、子ども、親、兄弟姉妹などのために、永住権を請願するスポンサーになることができるため、将来、親を呼び寄せて一緒に暮らしたいと計画している人などは、アメリカ市民権を取得するようです。ちなみに永住権保持者がスポンサーになって永住権を請願できるのは、配偶者と未婚の子どもだけです。

永住権と市民権のそのほかの違いとしては、市民はアメリカ国外に何年も続けて居住できますが、永住権保持者は1年以上アメリカ国外で暮らした場合、アメリカ入国時点での審査の際にグリーンカードを取り上げられることがあります。ほかにも永住権保持者が重犯罪を起こした場合や、軽犯罪を何回か犯した場合、国外退去となることがあります。

市民権取得者の数[2007年]
[取得者総数：660,477人]

国別

メキシコ	122,258[18.5%]
インド	46,871[7.1%]
フィリピン	38,830[5.9%]
中国	33,134[5.0%]
ベトナム	27,921[4.2%]
ドミニカ	20,645[3.1%]
韓国	17,628[2.7%]
エルサルバトル	17,157[2.6%]
キューバ	15,394[2.3%]
ジャマイカ	12,314[1.9%]
コロンビア	12,089[1.8%]
ハイチ	11,552[1.7%]
イラン	10,557[1.6%]
ポーランド	9,320[1.4%]
パキスタン	9,147[1.4%]
ウクライナ	8,594[1.3%]
カナダ	8,473[1.3%]
グァテマラ	8,181[1.2%]
ボスニア ヘルツェコビナ	8,175[1.2%]
ニカラグア	8,164[1.2%]
その他	214,073[32.4%]

性別

男性	294,244
女性	365,807
不明	426

州別居住先

カリフォルニア	181,684[27.5%]
ニューヨーク	73,676[11.2%]
フロリダ	54,563[8.3%]
テキサス	53,032[8.0%]
イリノイ	38,735[5.9%]
ニュージャージー	35,235[5.3%]
マサチューセッツ	20,952[3.2%]
ワシントン	14,671[2.2%]
ジョージア	14,181[2.1%]
バージニア	14,171[2.1%]
その他	159,577[24.2%]

年齢別

18〜24歳	65,592[9.9%]
25〜34歳	167,320[25.3%]
35〜44歳	192,811[29.2%]
45〜54歳	108,277[16.4%]
55〜64歳	74,352[11.3%]
65歳以上	52,125[7.9%]

婚姻状況

未婚	140,971[21.3%]
既婚	438,805[66.4%]
その他	80,701[12.2%]

地域別

アフリカ	41,652[6.3%]
アジア	238,797[36.2%]
ヨーロッパ	86,742[13.1%]
北アメリカ	241,163[36.5%]
オセアニア	3,342[0.5%]
南アメリカ	48,133[7.3%]
不明	648[0.1%]

出典：U.S.Department of Homeland Security, Computer Linked Application Information Management System(CLAIMS), Legal Immigrant Data

11 アメリカ大使館に問い合わせをする際の流れ

永住権の請願や申請について質問があるときは、電話かEメールでの問い合わせとなります。直接大使館・領事館を訪れての質問はできません。

電話で問い合わせをするには

問い合わせの電話番号は☎００５３１・１３・１３５３で、問い合わせ可能時間は、平日の午前8時から午後6時までです。アメリカからは☎８６６・２３８・６４４９となります。電話代のほかに、利用料金がかかります。料金は1回につき18ドル35セント（日本円での相当額）で、クレジットカードでの支払となります。

携帯電話から質問するには、電話番号を登録（無料）します。００５７にダイヤルし、ＫＤＤＩの音声案内を聞いて「＊５」を押し、オペレーターに登録を申し込みます。この番号しかかけない場合、登録料は無料です。

Eメールで問い合わせをするには

次のサイトにアクセスして、左下にある「Eメールのお問い合わせ」の項目の指示された箇所をクリックしていきます。

▶http://japan.usembassy.gov/j/tvisaj-main.html

通常は休館日を除き、３日以内に回答があります。料金は1回につき約2，１３０円で、クレジットカードでの支払となります。

回答できない質問

- 動物や植物の検疫について
- アメリカの税関のトラブルについて
- アメリカ入国時のトラブルについて
- グリーンカードの更新とトラブルについて
- ソーシャル・セキュリティ・カードについて
- 永住権保持者の再入国許可証について

アメリカ大使館と領事館の連絡先

アメリカ大使館

〒107-8420 東京都港区赤坂1-10-5

☎03-3224-5000［代表］ 03-3224-5856［市民サービス一般］

http://japan.usembassy.gov/j/tvisaj-main.html

業務時間●平日8:30-12:00 14:00-16:00［一部の業務のみ］

主な業務内容●移民ビザの請願、申請受付［要予約］、非移民ビザの申請受付［要予約］、
アメリカ市民向けの結婚などの諸手続、公証サインの手続き

最寄り駅●地下鉄銀座線「溜池山王」駅下車13番出口徒歩5分

在大阪・神戸アメリカ総領事館

〒530-8543 大阪市北区西天満2-11-5

☎06-6315-5900

業務時間●平日9:00-12:00 13:00-16:00［要予約］

主な業務内容●非移民ビザの申請受付［要予約］、アメリカ市民向けの結婚などの諸手続、公証サインの手続き

最寄り駅●地下鉄御堂筋線および京阪電車の「淀屋橋駅」下車。
1番出口より地上に出て北へ向かい、御堂筋に沿って徒歩5分

在沖縄アメリカ総領事館

〒901-2104 沖縄県浦添市当山2-1-1

☎098-8876-4243

業務時間●平日8:30-12:30 13:30-15:00

主な業務内容●移民ビザの請願、申請受付［要予約］、非移民ビザの申請受付［要予約］、
アメリカ市民向けの結婚などの諸手続、公証サインの手続き

在札幌アメリカ総領事館

〒064-0821 北海道札幌市中央区北一条西28-3-1

☎011-641-1115

業務時間●月水金 9:00-11:30 13:30-16:00

主な業務内容●非移民ビザの申請受付［月数回のみ・要予約］、
アメリカ市民向けの結婚などの諸手続［要予約］、公証サインの手続き［要予約］

在名古屋アメリカ総領事館

〒450-0001 名古屋市中村区那古野1-47-1 名古屋国際センタービル6階

☎052-581-4501

主な業務内容●アメリカ市民向けの結婚などの諸手続［要予約］、公証サインの手続き［要予約］

在福岡アメリカ総領事館

〒810-0052 福岡県福岡市中央区大濠2-5-26

☎092-751-9331

業務時間●平日 9:00-12:00 13:00-16:00

主な業務内容●非移民ビザの申請受付［月数回のみ・要予約］、
アメリカ市民向けの結婚などの諸手続［要予約］、公証サインの手続き［要予約］

［注］各公館のサイトの探し方

1●アメリカ大使館のサイトにアクセス

http://japan.usembassy.gov/j/tvisaj-main.html

2●「領事館・アメリカンセンター」をクリック

3●希望の公館をクリック

12 移民局への問い合わせ・請願の仕方

アメリカの移民局（U.S. Citizenship and Immigration Services・USCIS)には、「移民局サービスセンター（USCIS Service Center)」と「移民局地方事務所（USCIS District Office)」の2種類があり、インターネットを通して最寄りの事務所の所在地や業務時間を調べることができます。

移民局のサイト［http://www.uscis.gov/portal/site/uscis］にアクセスして、「Services & Benefits」→「Field Offices」→「Filed Office Locator」とクリックすると、アメリカの州地図が出てくるので、自分の住む州をクリックして探します。住まいの zip code（郵便番号）を入力して探すこともできます。

移民局サービスセンター［USCIS Service Center］

請願者は永住権やKビザ（婚約者ビザ）を請願するために、シカゴの移民局へ書類を郵送します。郵送先のP・O・Box や Zip Code の番号は、請願者や申請者がどこに住んでいるかによって違ってきます。詳細については、書類I-130やI-129Fのインストラクションの部分に書かれているので、その指示にしたがってください。

シカゴに届いた書類は、管轄の移民局サービスセンター（バーモント、テキサス、ネブラスカ、カリフォルニア州）に転送されて、手続きが進められていきます。

審査官が提出された書類のみで公平な審査ができるように、請願者や申請者がサービスセンターに問い合わせをしたり、コンタクトを取ったりすることは認められていません。

移民局地方事務所［USCIS District Office］

全米各地にあります。比較的簡単な手続き、書類の配布、面接審査などをおこないます。請願者や申請者が問い合わせできるように、常設の窓口を設けています。事務所の移転が多いので、所在地についてはインターネットなどを通して確認を取るようにしてください。

問い合わせをするには

アメリカ国内での問い合わせ番号は、☎1・800・375・5283です。移民局地方事務所を訪れて質問したり、申請書類やその提出先を確認したい時は、移民局のInfoPassのシステムを利用して、移民局へ出向く日時を予約します［予約の仕方はコラムを参照］。予約はインターネットを通してのみ可能です。

申請書類を入手するには

移民局のインターネットを通して書類をダウンロードするか、☎1・800・870・3676で請求します。ダウンロードするには、移民局のサイト［http://www.uscis.gov/portal/site/uscis］にアクセスして、「Immigration Forms」をクリックし、ダウンロードしたい書類をクリックします。

コラム
InfoPassの利用方法

移民局地方事務所に出頭して
問い合わせをしたい人のための予約システム。

1 ●http://www.uscis.gov/portal/site/uscisにアクセスする
2 ●左下にあるINFOPASSをクリックする
3 ●12の言語のうちEnglishを選択する［日本語なし］
4 ●Make your appointmentをクリックする
5 ●居住地のzip code［郵便番号］を入力する
6 ●以下の選択肢のなかから
問い合わせをしたい項目をクリック
＊You need Service on a case has already been filed.
＊You are a new Permanent Resident and have not yet received your Permanent Resident Card
＊You want to file an application in person
＊You need information or other services
＊You need a form.
［問い合わせをしたい場合は、
You need information or other servicesを選択する］
7 ●姓名、生年月日、Zip Code、電話番号、
メールアドレス［オプション］などを入力する
8 ●予約の希望日と時間を選択する
9 ●画面に移民局の所在地と予約の日時が出るので印刷する
10●9を持参して移民局へ

日系電話帳

『イエローページ・ジャパン』

全米を網羅した『全国版』と『地方版』がある。『全国版』は全米29都市にある日系の塾、レストラン、みやげ物店などの自営業から人材派遣業、銀行、デパートまでが網羅されている。電話とともに会社のホームページのアドレスも掲載されている。

地方版には、『ロサンゼルス・サンディエゴ版』『ニューヨーク・ニュージャージー・コネチカット版』『シカゴ・デトロイト・インディアナポリス版』『サンフランシスコ・サンノゼ・シアトル・ポートランド版』『ハワイ版』がある。ウェブサイト版もあり。http://www.ypj.com/

電話帳は日系書店で入手可能。全国版は33.50ドル。地方版は無料。郵送してもらいたい場合は、電話帳の値段プラス郵送費などを支払う。郵送料を含む値段は以下の通り。

全国版
カリフォルニア州内●44.28ドル
カリフォルニア州外●41.50ドル
カナダ●44.50ドル
日本[エアメール]●73.50ドル [船便]●53.50ドル
地方版
各8ドル[郵送費のみの値段]。日本からは注文不可

連絡先●(株)アプコン・インターナショナル
本社●420 Boyd St., #307
Los Angeles, CA 90013
1-213-680-9101[代表]
支社●1682 Kalakaua Ave., #106
Honolulu,HI 96826
1-808-943-8458

ちなみにこの会社は常時スタッフ（ハワイとLAでの広告営業、LAでの製作・編集アシスタント）を募集している。ビザサポートも可能なようだ。

『羅府テレフォンガイド』

羅府とはロサンゼルスのこと。日系企業の掲載地域はロサンゼルス、サンディエゴ、ラスベガス、パームスプリングス。職業別に企業を掲載し、アメリカ生活情報やゴルフ場ガイドのページもある。カリフォルニア州にある日系関連の本屋、食料品店、レストラン、ホテル、コミュニティセンターなどで入手可能。無料。アメリカ国内で郵送を希望する場合は、郵送費が14ドル。ウェブサイトでは日系企業の職業別検索ができる。

問い合わせ●310-515-7100
http://www.telephoneguide.com/japanese/

『ハワイべんり帳』

ハワイの電話番号ガイド。日系関連の場所で入手可能。無料。郵送で申し込む場合、郵送費は以下の通り。オアフ島4ドル、他島とアメリカ本土5ドル、カナダ6ドル、日本12ドル。

808-596-0099
http://www.eastwest-journal.com/

USifinder

http://www.usifinder.com/jpn/index.html

インターネット版イエローページ。総掲載件数は約3万7000件。職業別の宣伝、広告・ビジネス情報を書き込める掲示板もあり。

4章

日本を離れる前にしておくこと

健康保険や年金は
どうするの？

夫にばれずに
お金を持っていくには？

アメリカに着いたら
すぐにしなくちゃ
いけないこと

1 いざ渡航！ その前に準備しておくべきこと

役所での手続き

国外転出届

海外で長期滞在をする場合、役所に国外転出届を提出します。出発日の2週間前から受け付けてくれます。社会人の場合、届けをしないと居住者として納税の義務が継続されてしまうので注意が必要です。転出先の住所が確定していない場合は、滞在予定の国名と市を伝えます。

年金の手続き

日本での仕事を辞めた人が国外転出届を提出すると、年金は任意加入扱いとなるため、国民年金に加入して掛け金を支払うか、カラ期間扱いにしてもらうかを選択して手続きを進めます【92頁参照】。

健康保険の手続き

自治体を通して国民健康保険に加入している人は、有効期限を出発当日までに変更してもらいます。

税金の確定申告

就労していた人が渡米前にその年の税金の確定申告をすると、ほとんどの場合、払いすぎていた所得税が還付されます。

たとえば２００８年の所得税の申告は翌年２００９年3月15日までにおこないますが、その年度に更なる収入がないのであれば、渡航前に確定申告をしていくことができます。ただし、前年の所得を対象にして課税される住民税は、渡米した翌年も支払わなくてはならないので、その手続きもしておくといいでしょう。

固定資産税支払代理人届

不動産を保持している場合は、所定の用紙に必要事項を記載して代理人を指定し、代理人の印も押して提出します。

持っていくと便利なもの

パーソナルなもの

家族・友人・自宅の写真（コミュニケーションのため）、
メガネやコンタクトの予備、常用している日本の薬、所有している資格や賞状、お気に入りのCD

書籍関連

英会話の本、英文法の本、英文手紙の書き方の本、医療関係の本、子ども用の本、料理の本、
世界地図帳、日本を日英両語で説明している本、折り紙の本、旅行ガイドブック

アメリカでは手に入りにくいもの

耳かき、摂氏表示の体温計、あかすりタオル、クリアーホルダー（アメリカのものは日本ほど丈夫でない）、
使い捨てカイロ、濡れティッシュ、和食器

あると便利なもの

ノートパソコン、デジカメ、電子辞書、電卓、香典袋、
国際運転免許証＋日本の運転免許証（レンタカーの時に必要）、証明書用顔写真、
電話用国際プリペイドカード（電話がひけるようになるまで便利）

家族がいるなら

変圧器、炊飯器、ホットプレート、おたま・しゃもじ・箸・箸置き・ゴマすり器などの炊事用具、
充電式の小型掃除機

みやげ

千代紙人形・扇子・風呂敷・手ぬぐい・ガーゼマフラーなどアメリカ人が喜びそうな小物やクッキー、
日本語の本や雑誌（日本人の友人向け）、食べ物（日本人の友人向け・税関で没収されないものを選択）

その他の準備

住所変更届

ひとり暮らしの人や、家族全員で渡米する人は、実家の住所などを、銀行や郵便局に届けます。郵便物は、届け出をした日から1年間、新しい住所に転送してくれます。

保険の解約

必要であれば、自動車保険やその他の保険の解約の手続きをしておきます。

歯の治療

「海外に渡航するなら、まず歯の治療を受けろ」とはよくいわれることで、そのように周囲からアドバイスを受けた人は多いでしょう。特にアメリカは治療費の高い国なので、渡航が決まったらすぐにでも検診や治療を受けておきましょう。

「デンターネット全国マップ」[http://www.denternet.jp/]を利用して自分の住む地域をクリックすれば、評判のいい歯科医院には利用者が書き込みをしているので、歯医者選びの参考になります。

健康に関する書類

本人や一緒に渡航する家族に持病やアレルギーの症状がある場合は、医師にその旨を記載した書類を発行してもらいます。

学齢期の子どもを連れていく場合の準備

予防接種の書類や母子手帳

子どもが受けた予防接種の書類や母子手帳を持っていきます。アメリカの学校に入学するにあたっては予防接種が必要ですが、書類があれば免除されます。

母子手帳に記載されている日本語の英訳については、母子手帳の外国語版（日本語併記）を、「財団法人母子衛生研究会」（☎０３・３４９９・３１１１）が出版しているので、参考になるでしょう。

教科書給与証明書の取得

義務教育を受けている子どもを連れて渡航する場合、子どもが通っている学校から教科書給与証明書をもらって海外子女教育振興財団に申請すると、教科書がもらえます。その後は日本の大使館・領事館を通じて受け取ります。希望すれば、郵送もしてくれます。

子どもの成績証明書と卒業証明書

入学時に必要とされることがありますので、成績証明書と卒業証明書を準備します。

戸籍抄本

入学時に出生証明書の提出を求められることがあるので、戸籍抄本を準備します。出生証明書といえば、日本では戸籍がそれに相当します。個人であれば戸籍抄本、家族すべてが求められている時は戸籍謄本を提出します。

アメリカで暮らしていくうえにおいて、出生証明書を求められることが多いので、家族の戸籍を揃えておくといいでしょう。アメリカは生まれた時に発行された出生証明書を一生使う国なので、戸籍の発行年月日が古いものであっても、受け入れてもらえるかもしれません。

新しい発行年月日の戸籍を求められた時は、日本にいる親族に送ってもらうか、親族に期待できない時は、海外から郵送してもらえるシステムがありますので、本籍のある役所に問い合わせて、その方法を聞いておきましょう。

2 アメリカと日本の健康保険の違い

アメリカの健康保険制度

アメリカには、日本のように自治体を通して加入できる国民皆保険の制度はありません。所属する機関（会社や学校など）を通して加入するか、生命保険に加入するように民間の保険に加入します。保険に加入していない会社に勤めていたり、自営業者、無職の人などは保険に加入していないことも少なくありません。

U.S. Census Bureau（2007）のデータでは、2006年には人口の約16%にあたる4，700万人が無保険状態だと発表されています。

国際結婚で渡米する場合は、結婚相手がどのような保険に加入しているのか、その保険は家族をサポートしてくれるのか、歯の保険は含まれているのかなどを確認し、もし自力で保険に入らなければならない場合は、アメリカで保険に加入するまでの対策を考えましょう。

海外旅行保険と国民健康保険

アメリカの民間保険は、一定の滞在期間を満たさないと加入できないこともあります。そのためアメリカですぐに健康保険に加入できない場合は、日本で海外旅行保険に加入するか、日本の自治体の国民健康保険制度を利用することになります。海外旅行保険はアメリカでかかった医療費用の全額が、国保は7～8割が還付されます。

海外旅行保険は、日本出発前に、日本でしか加入できません。3ヵ月までの短期間であれば、クレジットカードに付帯した海外旅行保険もあるので、調べてみましょう。

もしアメリカでも日本の国民健康保険を受けたければ、国保に新規加入もしくは継続加入し、毎月掛け金を払う必要があります。掛け金は前年度の収入を基礎にして算出されます。国保の加入者は、日本に滞在していることになるため、役所に国外転出届をする必要はありません。

3 日本で掛けた年金はどうなる？

任意加入かカラ期間扱いか

日本では20歳から60歳未満の国民は年金に加入しなければなりません。いわゆる年金の強制加入です。

年金を受給するためには25年以上掛け金を払っていなければなりませんが、海外在住期間中はカラ期間とみなしてくれます。たとえば15年しか掛け金を払っていなくても、海外に在住した期間が10年以上あれば、その期間はカラ期間として、年金の掛け金を払っていなくても、受給資格期間を満たしていることになります。その場合は、掛け金を払っていないので受け取る給付金は少なくなります。

海外に居住するにあたっては、年金をカラ期間とするか、任意加入するかを決めて、国内最終居住地の役所にいって手続きをおこないます。

任意加入を選択する場合、協力者が必要なので、親族あるいは国民年金協会に依頼して、掛け金を納付します。

国民年金協会に依頼する場合は、協会が指定する銀行の普通口座（非居住者要口座）を開設して入金します。協会はその口座から自動振替して、本人名義で掛け金を納付します。カラ期間など年金関連の詳細については、役所か社会保険庁で相談してください。

帰化した場合は

アメリカ市民権を取得して帰化した場合は、帰化時の年齢によって適用される措置が違ってきます。

年金には「加入権」と「受給権」があります。受給権は国籍が変わっても失うことはありません。しかし、アメリカ住まいの人がアメリカに帰化した場合は、加入権を失います。ちなみに日本に住んでいる外国人は、国籍にかかわらず、加入権があります。

加入権を失えば、年金の掛け金を支払えなくなりますので、その時点(帰化した時点)で、加入期間の条件を満たしていなければ、年金は受給できません。条件を満たしていれば、受給権は有するので、年金は受給できます。

日米国家間社会保障協定

これまでは45歳未満で帰化すると、日本の年金を受給できませんでしたが、２００５年、日米国家間社会保障協定が結ばれたことにより、年金受給に必要な加入年数の加算が両国間でおこなわれることになりました。

たとえば日本の年金の掛け金を20年間払っていたＡさんがいるとします。Ａさんがアメリカの年金制度に加入して掛け金を５年間払うと、日米両国の年金加入期間は通算25年となります。年金受給条件が日本では25年以上、アメリカでは10年以上ですから、Ａさんは日米両国の条件を満たし、日米両国から年金を受給できます。

Ａさんは帰化した時点で受給資格はありませんでしたが、アメリカで年金の掛け金を払うことによって、日米双方で受給資格を取得できるようになったのです。法律は人を救うといいますが、日米国家間社会保障協定はそのいい例です。

ただし、年金加入期間が合算されるためには、少なくともアメリカで１年半以上、年金の掛け金を支払う必要があります。

日本では勤労者でなくても自治体を通して国民年金の掛け金を納付できますが、アメリカでは勤労者でなければ、年金の掛け金は納付できません。

払い戻しは可能か

それまで払った年金の掛け金の払い戻し請求はできませんが、脱退一時金を請求することはできます。当然のことですが、一時金を請求すれば、年金の給付は受けられず、アメリカの年金制度への合算もされません。

脱退一時金請求は、日本国内に住所を有しなくなってから２年以内におこなわなければなりません。

お役立ち**サイト**

海外在住日本人の年金加入

http://www.faminet.co.jp/d_guide/d_tk/other/tk5_1_1.html

海外在住者のための年金相談サイト

http://www.nona.dti.ne.jp/~nenkin/search/abroad.htm

4 日本の運転免許証をキープしておくために必要なこと

国際運転免許証を取得

国際運転免許証は、都道府県の運転免許試験場に出向けば、その日のうちに発行されます。最寄りの警察署でも発行してくれますが、数週間後に郵送での発行となります。持参する書類は、免許証、写真1枚（タテ5×ヨコ4センチ）です。交付された日から1年間有効。

実際に国際運転免許証がアメリカでどの程度使用できるかについては、各州の取り決めによって違っています。たとえばカリフォルニア州では、「旅行者」であれば国際運転免許証で運転ができますが、「居住者」であれば居住者になって10日以内にカリフォルニア州の免許を取ることが要求されます。つまり「居住者」と「非居住者」とでは扱いが違うことになります。

「居住者」の規定も各州によって違っていて、カリフォルニア州では就労者、就学者を含んでいるので、留学生でもカリフォルニア州の免許を取らなければいけませんが、テネシー州では就学者は「居住者」として扱っていないので、留学生はテネシー州の免許証を取る必要はなく、有効期限までフルに国際運転免許証が使用できます。州が要求している運転免許証を所持していない場合は、罰金・禁固刑が科せられます。

そのため州によって違う免許取得規定を把握しておく必要があるでしょう。これらの規定については、インターネットの検索サイトで「Department of Motor Vihicles+（州名）」と入力して、該当するウェブサイトを参照してください。

日本の運転免許証の更新「渡米前」

せっかく取得した日本の運転免許証はキープしておきたいものです。

通常、運転免許証の更新は、誕生日の1ヵ月前から誕生日の1ヵ月後までの2ヵ月間に住所地を管轄する警察署か運転免許センターでおこないます。渡米にあたって、前述の期間以外に運転免許証を更新することは可能ですが、有効期限は短いものになります。

手続きに必要なものは、免許証、写真1枚（タテ3×ヨコ2・4センチ）、パスポートです。

渡航中に期限が切れたらどうなるのか

期限内の更新であれば従来の更新と同じですが、期限が切れていれば次のような措置となります。

1●免許の期限が切れて6ヵ月以内の場合

更新時に優良等講習か一般講習を受講しなければなりません。

手続きに必要なもの●申請書、免許証、住所を証明する書類、戸籍抄本、写真1枚、パスポート。

2●海外滞在のため、免許の期限が切れて6ヵ月～3年以内の場合

帰国あるいは一時帰国から1ヵ月以内に手続きをします。更新時に一般講習を受講しなければなりません。

手続きに必要なもの●**1**と同じ書類。

3●海外滞在のため、免許の期限が切れて3年以上の場合

一部の例外を除いて、更新時に学科試験と技能試験に合格しなければなりません。

手続きに必要なもの●**1**と同じ書類。

アメリカの運転免許証を書き換える

期限が切れてから3年以上経てば、一部の例外を除いて、免許の取り直しとなります。

その場合は、免許を取り直すよりも、アメリカの運転免許証を持っていれば、試験を一部免除されて、日本の運転免許証へと書き換えることができます。

ただし、アメリカで免許取得後3ヵ月以上滞在していたことが条件となります。

試験免除申請のために、次の書類を提出します。

●アメリカで取得した運転免許証（有効期限内のもの）

●アメリカの運転免許証の翻訳

日本自動車連盟（☎03・3436・2811）か、在米日本大使館・領事館が発行した翻訳が必要です。

●取得後3ヵ月以上アメリカに滞在していたことを証明するパスポート

書き換えの申請にあたっては、都道府県運転免許試験場または運転免許センターへ、提出書類・手数料・受付時間・講習場所などを確認してください。

5 日本に貯金を残すには**オンライン銀行**を活用しよう

日本に貯金をキープしていく場合は、オンラインで操作ができ、必要があればインターナショナルキャッシュカードでアメリカで出金できる銀行を選択して、預金を移し替えるといいでしょう。この項では2つの銀行を紹介します。

新生銀行

この銀行の利点は、オンライン利用で日本国内の銀行口座への振込手数料が無料になることです。日本で品物を購入したりサービスを受けたので円で振り込みたい、日本の親族や友人に円で振り込みたい、といった時に重宝します。

無料になる回数は、月1回です。前月の月間平均残高が200万円以上あるいは投資信託、外貨預金、仕組預金などの前月の月間平均残高が30万円以上あれば月5回、プラチナ会員［98頁の*1参照］と呼ばれる高額預金者は、月10回となり、新生銀行内部の振り込みは残高にかかわらず、何回でも無料です。2番目の利点は、プラチナ会員は海外送金手数料が月1回無料になることです。ただし、店頭にて本人のみしか手続きができません。

3番目の利点は、預金の利息が他の都市銀行に比べて高く、4番目の利点は、口座管理手数料がチャージされないことです。

問い合わせ［24時間アクセス可能］
☎0120・456・860［国内］
☎81・3・3865・4190［海外］

シティバンク［外資系銀行］

この銀行の利点は、世界じゅうにネットワークを持っているため、海外送金が店頭、電話、オンラインを通してできることです。そのうえ前月残高が1,000万円相当以上の預金者はシティゴールドと呼ばれ、海外送金手数料が無料になる特典があります。前月残高が100万円相当以上の預金者にも割引料金が適用されま

シティバンクと新生銀行の比較

			シティバンク	新生銀行
海外送金手数料			4,000円［店頭・電話］ 3,500円［オンライン］	4,000円［店頭のみ］ 高額預金者は無料［店頭のみ］
			2,500円［電話］[1] 2,000円［オンライン］[1]	
			高額預金者は無料 ［店頭・電話・オンライン］	
国内送金手数料 ［オンライン使用］	行内振込		無料	無料
	他行振込		160円 or 無料[1]	月1回無料 月5回無料［本文参照］ 月10回無料［本文参照］
ATM使用料金 ［出金］	国内	自行	無料	無料
		自行以外	105〜210円 or 無料[2]	無料
	海外	自行	無料	なし
		自行以外	有料の場合多し	有料の場合多し
口座維持手数料			2,100円 or 無料[3]	無料

それぞれの高額預金者については本文参照
[1]前月の月間平均残高が100万円相当以上の預金者
[2]前月の月間平均残高が100万円相当以上で普通預金残高が5000円以上の預金者
[3]規定の月間平均残高がある預金者［本文参照］、eセービング利用者

す［表参照］。

2番目の利点は、申請すればドル専用のキャッシュカードが持てることです。これは日本の口座に作ったドル預金のためのキャッシュカードで、ATMでお金を引き出しても、円からドルへの為替手数料はかかりません［101頁参照］。

3番目の利点は、ドル、オーストラリアドル、ユーロ、ポンドのトラベラーズチェックの発行手数料が無料になることです（通常の手数料は1％）。

4番目の利点は、前述のシティゴールドと呼ばれる高額預金者は国内への振込手数料が無料になることです。口座維持手数料は、月間平均残高が20万円相当額以上（外貨預金、投資信託の合算）あるいは50万円相当額以上（外貨預金、投資信託、円預金の合算）であれば無料ですが、それ以下だと月額2,100円となります。

オンライン利用者のみを対象にした「eセービング」では、残高に拘わらず口座維持手数料は無料です。

問い合わせ［24時間アクセス可能］
☎０１２０・７１・４１８９
☎０１２０・２０・４１８９［eセービング］

口座を開くには

双方の銀行とも、窓口か郵送で手続きをします。郵送の場合は電話をかけて申込用紙を送ってもらい、必要事項を記入して、郵送で申し込みます。後日キャッシュカードが郵送されてきますので、そのカードを利用して最寄りのＡＴＭから普通の円預金口座に入金します。定期預金や外貨預金にしたければ、円の普通預金口座をベースにして、窓口、電話、オンラインで手続きをおこないます。

日本の口座のような通帳はなく、月ごとに取引明細書が送られてきます。シティバンクはアメリカにも送付してくれますが、新生銀行は日本に住所を有していなければならないので、渡米時は実家などを連絡先にして住所変更をする必要があります。

日本国内での現金の出し入れは、同銀行のほかに郵便局、都市銀行、セブンイレブンにあるＡＴＭを利用しておこないます。ＡＴＭの手数料に関しては、新生銀行は無料ですが、シティバンクは有料です。ただし、シティバンクでの前月の全体残高が１００万円以上で、普通預金の残高が５，０００円以上あれば、ＡＴＭの手数料は無料となります。

双方の銀行とも、インターナショナルキャッシュカードの機能があるので、海外のＡＴＭでも出金が可能です。ＡＴＭにてドルで受け取り、当日の為替レートに手数料が加算された日本円相当額が、円の普通預金口座から引き落とされます。海外のＡＴＭによっては、使用料がかかることがあります。シティバンクの場合、同銀行内にあるＡＴＭを使用すれば、使用料は無料です。［＊２］

［＊１］**プラチナ会員**●次のいずれかを満たしている預金者は自動的にプラチナ会員となります。１●前月末残高が２，０００万円以上、２●投資信託、外貨預金、仕組預金などの前月末残高が３００万円以上、３●住宅ローンの利用者。

［＊２］銀行のサービスや特典は変更されることが多いので、最新情報を確認するようにしてください。

6 アメリカに着いたら**銀行口座を開設**する

アメリカに着いたら銀行口座を開設しましょう。銀行口座を大きく分けると、「セービング・アカウント」と「チェッキング・アカウント」があります。アメリカ人はこれらの口座をうまく使い分けています。

アメリカでは夫婦のジョイント・アカウントが開けますので、共有財産として使用するジョイント・アカウントと、個人名義のアカウントを開いて、区別して管理しましょう。

セービング・アカウント

日本の普通預金に該当する口座で、日本から送金する場合の送金先口座として使用します。

口座を開設すればキャッシュカードが発行されるので、開設時に使用可能のＡＴＭやその使用料金、１日の引出可能料金などを確認します。

この口座からビザやマスターカードなど銀行系のクレジットカードを申し込めます。外国人の場合は、買い物をした時にあえてローンという形をとり、毎月確実に返済してクレジットヒストリーの支払実績を作った後に申し込むといった工夫が必要です。

チェッキング・アカウント

日本の当座預金に該当する口座で、家賃、光熱費、電話代などを支払うために使用します。

口座を開設してサインの登録をすると、小切手帳を発行してくれます。残高を超えるチェックを切ると、１枚につきペナルティ（罰金）が科せられます。また、残高を所定額以上に保っておくと、手数料を取られませんが、所定額以下になると、チェックを切るごとに手数料がかかります。通常、チェッキング・アカウントには利子がつきませんが、所定額の高いアカウントには、利子がつくものもあります。

7 夫に内緒のお金…どうしても必要です

結婚前の貯金は個別財産

アメリカでは、結婚後に夫婦で築いた財産は2人の共有財産となります。たとえ夫のみが働き妻が専業主婦であっても、2人の共有財産となります。同じく負債も共有の負債となります。離婚を決意したら、その準備中に相手が変な借金をしないように気をつけなさい、とは笑い話のように言われるアドバイスです。

しかし、結婚前の財産は個別財産とみなされますので、夫婦の間で共有財産と個別財産をはっきりと区別しておくことが大切です。できれば結婚したら、結婚前の貯金には手をつけないで、いざという時のために残しておきたいものです。

個別財産の金額がわかれば、期待したり期待されたりしますので、お互いの個別財産についてはノータッチで、個別財産がいくらあるのか相手に知られないのが得策といえるでしょう。

離婚大国のアメリカゆえ、何が起こるかわからない将来に向けて、結婚前から防御策を講じておくのが、郷に入れば郷に従う生き方といえるでしょう。

ニーズを満たす銀行に口座を開設

日本の貯金をすべて持っていくのは賢いやり方ではありません。現代はインターネットの時代ですので、アメリカから日本の預金をオンラインで遠隔操作できます。

遠隔操作ができれば、ドルと円のレートがよい時に、オンラインで同じ銀行口座の円預金からドル預金に替えたり、アメリカの銀行に送金したりできます。

もし現在利用している銀行が、海外在住者のニーズを満たしていなければ、ニーズを満たしている銀行に口座を開設して移し替えるように手配しておきましょう。円とドルのオンライン操作ができるように、次の条件を満たしている銀行を選びます。

●同じ口座内でドル預金と円預金ができること

●オンラインで操作ができること
●インターナショナルキャッシュカードでアメリカのATMで出金できること
●オンラインで海外送金ができること

たとえば「5 日本に貯金を残すにはオンライン銀行を活用しよう」で紹介したシティバンクは、これらの条件を満たしています。

オンラインで送金するには、あらかじめ送金先を登録しておく必要があります。登録は電話やメールではなく、書類に必要事項を書き込み、郵送によっておこないます。

ドル専用の外貨キャッシュカード

前述の条件を満たしていれば、レートのよい時に円からドルにお金を替えたり、送金したりできるほか、インターナショナルキャッシュカードを利用して、アメリカのATMでドルでお金を引き出せます。シティバンクのATMを利用すれば、利用料金も発生しません。

ほかにもシティバンクには利点があります。希望すれば、ドル預金から引き落とされるドル専用の外貨キャッシュカードが発行されます。このカードがあれば、ドル預金からドルがそのまま引き出せるので、引き出す時の為替レートを気にせずにすみます。ちなみにこのカードは日本では使用できません。

ひとつの口座から、円のキャッシュカードとドルのキャッシュカードが発行されるので、利用者はその時のレートによって、得をするカードを使用するという選択も可能となります。

日本に口座を持っていることを知られたくない

シティバンクでは通帳を発行しないため、利用者の住所に月ごとに取引明細書を郵送します。住所変更届けをすると、アメリカの住所へも無料で郵送してくれます。

日本に口座を持っていることを夫に知られたくない場合は、Eメールで通知してもらうこともできます。

持っていくお金は

渡航の際に持っていくお金は、ドルのキャッシュとトラベラーズチェックでいいでしょう。シティバンクの口座を持っていれば、手数料が無料で、トラベラーズチェックが購入できます。

8 妊娠中や子連れで飛行機に乗るには

妊娠中の女性が乗る場合

妊娠中の女性が飛行機に乗る場合、妊娠12週以降、36週以前が望ましいとされています。予約時には必ず、妊娠中であることを伝えておきましょう。航空会社側も妊娠中の女性には、出口とトイレに近い通路側の席（余裕があるときは隣席の空いた席）を用意したり、荷物のサポートをしたりなど、特別な配慮をしてくれます。

空港で使用されるX線については、胎児への影響は特にないと報告されているので、安心して大丈夫でしょう。

出産予定日まで2ヵ月以上ある場合は、特別な手続きは必要ありません。2ヵ月以内であれば、何らかの手続きが必要となります。航空会社によって取り扱いが違いますが、ここでは日本航空と全日空の国際線規定を紹介します。

日本航空〔JAL〕

予定日が不明の場合、双子以上の妊娠や早産の経験がある場合、妊娠36週以降の場合は、産科医の診断書・同意書が必要です。出産予定日の14日以内であれば、書類の提出プラス産科医の同伴が必要です。

全日空〔ANA〕

出産予定日の28日前であれば、産科医の同意書・診断書が必要です。出産予定日の7日以内であれば、書類の提出プラス産科医の同伴が必要です。

病人や車イス使用者が乗る場合

病気の程度により書類の提出が必要になることがあるので、予約の際に確認しておきましょう。食事制限がある病人には、特別メニューが提供されるので、リクエストを出しておきましょう。

着席した状態で搭乗できない病人は、医師か看護師に同伴してもらって、ストレッチャー（組み立て式簡易ベッド）を使用して搭乗します。その場合はストレッチャー料金が課金されます。

車イスを使う場合は、予約時やチェックイン時にその旨を申し出れば、スタッフが座席に座るまで面倒をみてくれます。航空会社が準備している車イスを使用できる場合もありますので、予約の際に確認しましょう。

安全上の見地から1機あたりの車イス利用者の人数を制限しているため、予約は早めにするのがいいでしょう。

子どもの飛行機料金

ツアーではなく個人で航空券を購入する場合、航空会社によって子ども料金が設定されているので、その運賃表に従います。通常は年齢により次のように設定されています。ちなみに料金は旅行開始日の年齢で適用されます。

●ゼロ歳～2歳未満→幼児料金（大人の10％）

生後8日以降なら搭乗が可能。座席はなく、大人が膝の上に抱きます。もし座席が欲しければ、子ども料金となります。

大人1人が幼児2人以上を同伴するときは、2人目からは子ども料金となります。

●2歳～12歳未満→子ども料金（大人の25％）

座席あり。

●12歳以上→大人料金

小学生でも12歳になれば大人料金となります。

幼児・子ども向けサービス

多くの航空会社で、赤ちゃん用ゆりかご、紙おむつとおむつ交換台、離乳食・幼児食、チャイルドシートなどを提供する幼児・子供向けサービスがあります。予約時にどのようなサービスがあるか確認してください。

また、機内で絵本、おもちゃ、トランプ、プラモデル、ぬいぐるみなどが利用できるので、どのようなアイテムがあるのか、確認しておくといいでしょう。

子どもがひとりで乗る場合

あらかじめ手続きをしておけば、5～12歳未満の子どもでもひとりで搭乗できます。通関や機内での書類作成などは、スタッフが特別に面倒をみてくれます。ただし、出発と到着の空港に、保護者または親戚などが送り迎えをすることが条件です。

9 アメリカに着いたらすぐにすべきこと

アメリカに着いたらするべきことが多いので、何から手をつけていいかわからない状態になります。まずは日米の役所関係の手続きから手をつけていきましょう。

日本の役所関係の手続き

在留届を提出

日本国籍を有する日本人は、アメリカに3ヵ月以上滞在する場合、滞在地域を管轄する日本大使館または領事館に在留届けを提出するように求められています。アメリカ国内での転居、他国への転居、日本への帰国の際も届けを提出します。

在留届けは、現地で災害や政治暴動などの緊急事態が発生したり、傷害や交通事故が起こった際に、日本人の身元の確認をするデータとなります。

日本大使館・領事館が管轄する地域については、277頁を参照してください。

オンライン登録▼http://ezzairyu.mofa.go.jp/
申請用紙をダウンロードして郵送▼http://www.cgj.org/jp/b/02.html

在外選挙人名簿への登録

2005年5月から、海外に住んでいても国政選挙に参加することが可能になりました。この制度は各国に住む海外在住者たちが活動をして、勝ち取ったものです。

海外で投票するためには、あらかじめ在外選挙人名簿への登録が必要です。日本大使館・領事館に登録申請の手続をすれば、申請者の日本国内の最終住所地または本籍地の市区町村選挙管理委員会の在外選挙人名簿に登録されて、在外選挙人証が発行されます。

在外選挙人証があれば、衆・参議員選挙（補欠選挙も含む）の投票がおこなえます。在外公館での投票、日本の選挙管理委員会への郵便投票、日本国内での投票のいずれかの方法をとって、国政に参加することになります。

在留届を提出する時に、一緒に登録の手続きをおこなうといいでしょう。登録するためには、日本で転出届を提出していなければなりません。申請に必要な書類については、外務省のウェブサイトを参照してください。

外務省のウェブサイト▶http://www.mofa.go.jp/mofaj/toko/senkyo/

領事館のメール配信サービスに登録

アメリカの各総領事館はウェブサイトを持っていますが、なかでも在ニューヨーク総領事館のウェブサイトは充実しています。「緊急メール・総領事館からのお知らせメール配信サービス」に登録をしておけば、日本政府や総領事館、アメリカ政府やＦＢＩなどが発表する緊急情報が日本語で配信されます。登録は無料。

在ニューヨーク総領事館のウェブサイト
▶http://www.ny.us.emb-japan.go.jp/jp/html/index.html
メール配信サービス登録
▶https://www.mailmz.emb-japan.go.jp/cgi-bin/cmd/index.cgi?emb=ny.us

渡米後のやるべきことリスト

役所関連［日本］
- 在留届を提出
- 在外選挙人名簿への登録
- 領事館のメール配信サービスに登録

役所関連［アメリカ］
- ソーシャル・セキュリティ・カードの申請
- 運転免許証の申請
- 身分証明書の申請［オプション］

移民局関連
- 永住権への滞在資格変更の手続き
- 住所変更通知

生活関連
- 住まい探し
- 仕事探し
- 光熱費の手続き
- 電話の手続き
- プロバイダーの手続き
- 銀行口座の開設
- 車の手配
- ホームドクター探し
- ゴミの出し方の情報を入手
- 家具、家電、食器を揃える
- 友人へ新住所のお知らせ
- 最寄りの役所や図書館で地域情報のチラシや冊子を入手
- 住まい近辺で発行される無料日本語情報誌を入手
- 日本語で発行されたイエローページを入手［86頁参照］
- 英語で発行されたイエローページを入手

子どもの学校関連
- 学校への入学手続き
- プリスクール、幼稚園への入園手続き

アメリカの役所関係への手続き

ソーシャル・セキュリティ・カードの申請

日本で移民ビザを取得してアメリカに入国する場合は、最初に降り立ったアメリカの空港で、グリーンカードとソーシャル・セキュリティ・カード（ＳＳカード）を発行してもらう手続きをします。

通常は入国してから約1ヵ月前後でカードが郵送されてきます。このカードに記載されている姓名がアメリカでの公式名となります。

空港によってはＳＳカードが郵送されない場合もあるので、1ヵ月たってもカードが送られてこなければ、ソーシャル・セキュリティ・オフィスにいって問い合わせてみましょう。

ＳＳカードを申請できるのは、永住権保持者や就労ビザ保持者など、就労が合法的に認められている外国人だけで、それ以外の外国人は申請できません。Ｋビザ保持者は、就労許可が下りたら申請しましょう。

運転免許証の申請

居住する州内にあるDMV（Department of Motor Vihicles・車両管理局）に出向いてDriver's Manualを取得し、ひととおり勉強した後に筆記試験を受けます。筆記試験は四択形式が多く、日本のように難しいものではないでしょう。州によっては日本語で受験できるところもあります。

筆記試験に合格すれば仮免許証が発行され、助手席に免許証を持っている人がいれば、州内での運転が可能です。次の段階である路上試験に受かれば、運転免許証が発行されます。

運転免許証を申請するにあたって、州によってはＳＳカードが必須になっているところがあります。就労資格がなくてＳＳカードが取得できない場合は、カードが取れない理由をＳＳオフィスに書いてもらって提出します。

また、州によっては、複数の免許証を持つことを認めないため、日本の免許証を提示すると没収されることがあるので注意が必要です。

身分証明書の申請

アメリカでは写真付きの運転免許証が身分証明書として使用されています。運転しない人はパスポートを持ち歩くことになりますが、かさばってしまうので、運転しない人が困らないように、ＤＭＶでは運転免許証と同サイズの写真入り身分証明書を発行しています。

アメリカで運転するつもりがなくても、ぜひＤＭＶにいき、身分証明書を発行してもらいましょう。

移民局関連の手続き

永住権への滞在資格変更の手続き

Ｋビザ（婚約者ビザ）で渡航した人は、入国から90日以内に結婚をして、永住権へと滞在資格を変更する手続きをおこなわなければなりません。

滞在資格の変更とともに、就労許可とアドバンスパロール（旅行許可証）を申請すると、面接までの待ち時間の間に就労や外国旅行が自由にできるようになります。通常は許可が出るまで3ヵ月かかります。申請する時点で、雇用主が決まっていなくてもかまいません。

移民局に住所変更通知［AR-11］を提出

外国人がアメリカで住所変更をした場合、移民局に通知をすることが法律で定められています。通知を怠ると法律違反となるので注意が必要です。

住所変更から10日以内に届けをすることになっていますが、申請書類には旧住所と新住所を記載する欄はあっても、いつ移動したかを記載する欄はありません。

新渡米者は、新居が決まったらとりあえず提出します。その際は旧住所をホテルや知人宅など最初に滞在したところにします。

提出した証拠が残るように、オンライン登録の場合はプリントアウトします。郵送の場合は書留（Certified Mail）の受領証を保存しておきます。

オンライン**登録**

AR-11の提出方法
以下のいずれかの方法で提出

オンライン登録で提出
1 ●移民局のサイトにアクセス
https://egov.uscis.gov/crisgwi/go?action=coa
2 ●必要事項をオンラインで登録

申請用紙をダウンロードして郵送で提出
1 ●移民局のサイトにアクセス
http://www.uscis.gov/portal/site/uscis
2 ●Immigration Forms をクリック
3 ●Change of Address をクリック
4 ●Download AR-11 をクリック
5 ●ダウンロードした用紙に記入
6 ●用紙に記載されている住所に用紙を郵送

予防接種のスケジュール、離乳食、家庭でできる手当てについて医療用語とその発音等もとりいれ、
わかりやすく解説。また、母子手帳のように子どもの発育や、予防接種の記録をつける健康手帳としても、
利用できるようになっている。

『アメリカで歯を治療するとき』福永玲子著[JETRO]1680円
日本と違うアメリカの歯科医療システムについて、
一般にどのような治療がどの分野の歯科医によっておこなわれるかを説明し、
安心して英語で質問ができ、治療のオプション[選択]も自分に一番適したものを選べるよう解説。

『アメリカの市販薬ラクラク活用ブック』Aテンヘイブ&當麻あづさ著[日経BP社]1260円
発熱・腹痛・発疹など突然の症状に見舞われた時、とりあえず医師にかからず、
アメリカの市販薬だけで対処するための本。どんな薬を、どこで、どう買うか？
一般的でよく使う市販薬をすべて写真入りで紹介、名称、効能、服用法、注意点をわかりやすい文章で解説。
そうした薬を売っている場所、店内での探し方もアドバイス。
コピーして店員に提示できる「書き込みシート」や「英語の想定問答集」付き。

『女性のためのアメリカ医療ガイド』Wラックマン&福永玲子著[JETRO]1680円
アメリカでの診察の受け方、婦人科の健康診断や検診内容、病気に関しての最新の治療法を紹介し、アメリカの婦人科医とスムーズにコミュニケーションがとれるように、英語と日本語の対訳、英語の想定質問を掲載。

出産・子育てに関する本

『アメリカで赤ちゃんをうむとき』デブラ・J・マデュラ&福永玲子著[JETRO]1680円
妊娠前の準備から入り、妊娠してからでは遅すぎる種々の注意事項について述べ、
妊娠後は、母体に起こる変化と赤ちゃんの成長をフォローしながら、
妊娠中の異常と病気、持病をもつ妊婦が直面する問題、
アメリカのライフスタイルの中で妊娠中特に注意したい問題をとりあげている。
妊娠中に多い生理現象と異常に関しては、なぜ起こるのか、いつ起こりやすいのか、
どうすれば避けられるのか、どう治療すればよいかについて解説。
また、出産に関しては第一線で働くアメリカの産婦人科医が、アメリカで現在最も一般的に行われている
出産のプロセス、種々の検査、手術、無痛分娩について説明し、産後すぐの新生児のケアについても解説。

『ハワイで元気に赤ちゃんを産もう!』「ハワイで出産」研究会[英治出版]1575円
ハワイで出産すると、赤ちゃんは日本とアメリカの両方の国籍を取得、
22歳まで二重国籍なので、どちらの国も滞在自由、などメリットも多い。
ハワイでの過ごし方や出産後の手続き等、ハワイでの出産のさまざまな疑問に答える本。

『海外で安心して赤ちゃんを産む本』ノーラ・コーリ著[ジャパンタイムズ]1835円
20ヵ国以上の出産体験談データをもとに海外出産で知っておくべき情報を
国際医療ソーシャルワーカーのノーラ・コーリがまとめた。
妊娠経過にあわせた豊富な会話例と、産科用語の英和索引付き。

『海外で安心して子育てをする本』ノーラ・コーリ著[ジャパンタイムズ]2039円
『海外で安心して赤ちゃんを産む本』の続編の子育て編。
海外に滞在中または滞在経験のある親へのアンケート、インタビュー、著者自身の体験をもとにした本。
海外の育児情報と豊富な会話表現を収録。

子どものための教育関連本

『海外で安心して子どもが学校に通える本 アメリカ編』
渡辺道子&リビー・ナフィシー著[ジャパンタイムズ]2310円
幼稚園・学校選びに始まり、入学に必要な手続き、登園・登校での心構え、学校との連絡方法、パーティーの開き方、
課外活動やサマーキャンプでの心構え、病気やけがをした場合の対応方法など、
さまざまな状況における基本的な対応策や知識、知っておきたい英語表現例、
制度や習慣の違いでとまどわないためのアドバイスなどを満載。
実際にアメリカで子育てをした母親の体験と現場アメリカ教師の視点に基づいて紹介されている。

役立つ**情報**コラム 3

持っていると便利な**アメリカ情報本**

生活情報に関する本

『アメリカ暮らし すぐに使える常識集』[亜紀書房]1995円
「銀行には預金通帳がない」「携帯電話はエリア外では受信者にも料金がかかる」
「家賃や光熱費の支払いは小切手」「病院にかかるときには必ず予約を入れる」など、
初めてのアメリカ暮らしで困らないための常識が満載。

『デすまス帳』[UJP]
アメリカ現地にある日系出版社が編集したアメリカ生活ガイドブック。
日本で編集されたものとはひと味もふた味も違う。
保険・年金・税金、車、銀行の利用の仕方、住宅選び、子どもの教育、医療機関などについての情報を満載。
アメリカで出版された本のため、アメリカの日本語書店で買うほうが安く手に入る。

『地球の暮らし方 アメリカ』[ダイヤモンド社]2310円
『地球の暮らし方 ハワイ』[ダイヤモンド社]2310円
現地で暮らしたい人のために、住まいの探し方から、
余暇の楽しみ方、学校やショッピングの情報まで、長期滞在者に必要な情報を総合的に網羅したガイドブック。

『ロサンゼルス便利帳』[山と渓谷社]
『ニューヨーク便利帳』[山と渓谷社]
アメリカ現地にある日系出版社が編集した生活ガイドブック。
知る・見る・遊ぶ・楽しむ・食べる・買う・暮す・医す・学ぶ……の分野について、地域周辺の情報が網羅されている。
アメリカの日本語書店で購入する場合、発売元はAT Associates, Inc.となる。

『U.S.便利帳シリーズ』[Y's Publishing Co., Inc]
ニューヨーク便利帳、ボストン・ワシントンDC便利帳、シカゴ・デトロイト便利帳、
オハイオ・インディアナ・ケンタッキー便利帳、アトランタ・アラバマ・テネシー便利帳、
テキサス便利帳などの都市別便利帳のほか、
ニューヨーク就職便利帳、コドモ便利帳、帰国便利帳などの生活ガイドブックを出版している。

『帰国ガイド――到着から帰国まで』[JCM]1260円
着任時の諸情報、子どもの教育、帰国の準備、引越、空港、帰国時の諸情報の6部構成。

家庭医学に役立つ本

『外国で病気になった時あなたを救う本』[ジャパンタイムズ]1835円
1977年に発行されて以来、版を重ねてきたロングセラー。病名とその症状の説明の仕方や、
薬の名前のリストが掲載されている。出発前のチェックポイント、各国の医療事情の国別一覧、
FAXおよびパソコン通信で入手できる海外医療情報なども紹介されている。

『英語で話す「医療ハンドブック」』黒田基子著[講談社バイリンガル・ブックス]1365円
複雑なアメリカの医療システムを解説し、渡航前にすべきこと、着いたらすぐにすべきことを解説。
医者へのかかり方として、内科、小児科、婦人科、妊娠と出産、整形外科、皮膚科、
歯科、精神心理ケア、緊急医療、薬などの科目別に、
さまざまな症状を想定した「シミュレーション会話」と「ポイントとなる文章」を対訳形式で解説している。

『アメリカで小児科にかかるとき』Rハンネマン&福永玲子著[JETRO]1680円
アメリカで小児科にかかる時、すぐに役立つ病気に関する予備知識や、治療法、予約のとり方、

『英語日記ドリル』石原真弓著[アルク]980円
毎日少しずつ英語で日記を書きながら、
自分の気持ちや身の回りの出来事を表現するのに役立つフレーズや単語を覚えていける。
実際に手を動かして日記を書くうちに、伝えたいことを英語で表現する力が身に付き、
ライティング力だけでなく、スピーキング力も上がる。お手本日記付き。レベルは英語入門以上。

『英語日記表現辞典』[アルク]2514円
韓国で12万部を突破したベストセラーの日本版。
580ページもの分厚い本のなかに、日記に書きたくなる英語表現が約1万収録。
天気・季節、家族、家事、日常生活、年中行事、食生活……。
英作文に役立つ30の類型表現やサンプル日記のほか、
英語で日記を書くのに必要な語彙、状況別の表現などを紹介する。

『これでアメリカ人と仕事ができる』
ロッシェル・カップ/ローラ・クリスカ共著[PHP]Bargain Japan価格$29.95 日本販売価格¥3700
駐在員向けに、ビジネスシーンでの英語の使い方を英文入りで具体的に解説。
CD2枚付きでリスニングの勉強にもなる。

『おばかさんダリオの話すための英文法』ダリオ著[アルク]1680円
日本人が英語を話すためには『文法』と『脱文法』の2つのアプローチが必要だ——。
15歳から十数年間をアメリカで過ごし、
その後日本の企業で英会話トレーナーを務めてきた著者がたどり着いた結論だ。
これら2つの要素、つまり『話すために本当に必要な文法』と『会話力をアップさせるためのコツ』を
コミックに凝縮して、英語をやり直したい人、早く話せるようになりたい人に向けて書かれている。

『Penguin Readers Series』
英米文学の名作を易しく書き直したシリーズ。
シェークスピアや『嵐が丘』といった古典名作から、スティーブン・キングなど現代作品までそろっている。
1～6のレベルにわかれているため、自分にあったレベルで英語による読書が楽しめる。

マンガの英訳本
楽しみながら英語を勉強する方法として、日本の人気マンガの英訳本を読むという方法がある。
手塚治虫の作品、ドラえもん、はだしのゲンなどの作品から、新しい作品まで広範囲なマンガが英訳されている。
比較的新しい英訳マンガは以下のサイトで検索できる。▶http://eiyakumanga.seesaa.net/

アメリカ人とのコミュニケーションに役立つ本

『英語で遊ぶ「折り紙」』小林一夫著、ジャイルズ・マリ訳[講談社バイリンガル・ブックス]1155円
招待状、テーブル飾り、皿、箸置きといった実用的アイテムから、親子で遊べるユーモア溢れるものまで、
全45作品をわかりやすい折り図とともに紹介。

『マーシャの英語でカード』[中経出版]1200円
アメリカではちょっとしたお礼の気持ちを込めて、カードを書く機会が増える。
NHK英語会話でおなじみのマーシャ・クラッカワーさんが、カードに書くような短い英語のフレーズを紹介。
簡単な英語ながら、日本人には思いつかないような、気が利いた言いまわしが載っている。

『JAPAN ALMANAC』[朝日新聞社]1785円
英和対訳の図解年鑑。日本の多様な姿を、わかりやすい図表で多角的に浮き彫りにしている。
索引が充実しているので、必要なデータをすぐに検索できる。
「日本人の平均給料は？」「日本の住宅の広さは？」などアメリカ人がよく聞く事柄についても、
本書があれば対応できる。

『The World Almanac』[St. Martin's Press]
政治、経済に関する硬派のデータから、観客動員の多い映画、
視聴率の高いテレビ番組といった軟派のデータまでを英語で満載。
歴代の大統領、ノーベル賞受賞者、アカデミー賞受賞者のリスト、アメリカの歴史、世界の歴史、
アメリカの州・都市・世界各国の紹介など雑多な情報が、1000頁近い本のなかにびっしりと集められている。
毎年改訂版が出る。

役立つ情報コラム 3

持っていると便利なアメリカ情報本

『アメリカ駐在これで安心子供の教育ナビ』高橋純子著[時事通信出版局]2100円
アメリカに家族を連れて行く際、子どもが国際的に通用するバイリンガルとして、また思考力、学習能力、社会性を兼ね備えた人間として成長するには、どのような準備をし、現地でどのような過程を踏めばよいのか。また家庭ではどんなサポートをすればいいのか。在米現地教育コンサルタントが、在米日本人家庭から寄せられた切実な教育の悩みに答えたQ&A集。

『海外子女教育手帳』[文部科学省]1200円
アメリカの現地校で勉強する小・中学生とその親のために作成されたリングファイル形式の出版物。自分で書き込んでいく形式の、日英両語併記による『自己紹介ファイル』となっている。現地校の先生にこの手帳をみせることによって、生徒を理解してもらうというのがその趣旨なので、生徒自身が書き込むコーナー、親が書き込むコーナー、日本の先生に書いてもらうコーナー[財団で有料英訳サービスあり]のほか、先生に日本の教育制度、学校の仕組、日本文化などについて理解してもらうための、先生向けの英文資料も添付されている。帰国の際にも活用が可能。
問い合わせ▶http://www.joes.or.jp/

『子ども英語カタログ2009』[アルク]980円
自分たちに合った英語子育てのやり方を見つけてもらえるよう、さまざまな家庭のケース、100人以上の先輩ママたちの声を交えて、『ウチ流』の英語子育てを提案。教材やスクールの最新情報も満載。別冊付録として『気になる教材・グッズカタログ』あり。

『マルチ教育ガイド』[UJP]
子連れで渡航する人に向けて書かれた、子どものための教育ガイド。
子どもをアメリカの公教育機関へ通わせたい、全日制日本人学校や補習校に通わせたい、塾に通わせたい、サマーキャンプに通わせたいという人、自らがカルチャースクールに通いたいという人の手引き書になっている。帰国子女を受け入れている日本の学校もリストアップされている。数年に一度改訂版が発行される。

お金、税金に関する本

『海外預金口座の開設活用徹底ガイド』岩崎博充著[日本実業出版社]1680円
海外に預金口座を開設するための入門書。
海外留学や出向などのため、現地で口座が必要になる人はもちろん、資産運用、資産防衛のために口座を活用したい人向けに、海外口座開設の知識と手順をやさしく解説。

『米国個人所得税 申告の基礎知識』長澤則子著[清文社]2520円
アメリカでの就労者、アメリカに駐在員を派遣している企業の海外人事・総務・経理担当者、今後アメリカに進出を考えている企業などが備えておきたいアメリカ個人所得の基礎知識を豊富に収録。著者は税理士・米国公認会計士の資格あり。

『新Q&Aアメリカの税金百科[第2版]**』**KPMG LLP編[有斐閣]2520円
Q&A形式により、アメリカ税務の全般にわたる実務を簡潔明瞭に解説。
2004年度の大規模な税制改正を踏まえて新たに項目を加え、内容やデータの更新を施し、増補・改訂をおこなっている。

英語学習本

『アメリカで生活する英語表現集』長井千枝子著[ベレ出版]2940円、CD3枚付き
アメリカ暮らしに必要な〈生活情報〉と、日常生活で必要な〈英語表現〉を、まるごと一冊にまとめ、すべてのフレーズをCD3枚に収録。アメリカでの生活を安心してエンジョイするための本。

その他

『アメリカ渡航 応援BOOK』[亜紀書房]1995円
アメリカのビザや永住権の申請について解説。
入国を拒否されないための注意点、不法滞在にならないための注意点、
永住権を取り上げられないための注意点から、遊学、留学、結婚、抽選永住権まで情報満載。

『アメリカで働くためのQ&A100』[亜紀書房]1995円
アメリカンドリームの国で働きたい、キャリアアップしたい人のためのアメリカ就職ガイドの決定版。
ビザや永住権に関する質問のほかに、トラブルへの対処法、エイズ・ドラッグ・銃の問題にも即答。
留学、ビジネスにも必携のアメリカ暮らしのガイド。
ビザ取得、仕事探し、職場のトラブル対処法、資格取得などのノウハウを体験者の声を交えて解説。

『危険にあわないための海外安全ガイド』[KDDクリエイティブ]1200円
海外で生活するうえでの安全対策や治安上の注意点を紹介している。
緊急時に必要な英語表現も掲載されている。

『企業概況』[UJP]
全米の日系企業4500社を業種別[金融、商社、メーカー、建設・設計・不動産、マスコミ・制作・通信・エネルギー、
法律・会計事務所、運輸、流通・サービス、日系コミュニティ・教育・医療関連など]に紹介している。
人材募集をしている企業はその旨を明記しているため、
仕事探しをする人にとっては重宝な資料データ集となっている。毎年1月1日発行。

『海外に行く人のインターネット活用ガイド』[ぎょうせい]1800円
パソコン選びから外国への持込み、現地でのインターネット接続までを丁寧にガイド。
世界20カ国・地域別の最新インターネット事情を掲載。海外赴任、留学、旅行などあらゆる海外生活に対応。
2色刷りで写真・表が豊富なので、初心者にも分かりやすい。WindowsXP対応版。

『アメリカで車を運転するための完全ガイド』ジョセフキャップ監修/酒巻バレット有里著[三修社]1943円
アメリカでは車がなければ暮らせないと、免許取得を決意した著者が、
免許証や車をやっと手に入れたこと、アメリカの事情を知らずに失敗したこと、
日本との違いを痛感した数々の経験をもとに、一冊にまとめたものである。
車を運転するための必要情報のほか、友人、知人の貴重な体験談、異文化情報、場面別の英会話も掲載されている。

『改訂版 Japanese Names for Babies』[TV-FAN社]
世界でも通用する日本語の名前を紹介。1982年に英語で発行された本の改訂版。
日本人の名前が時代とともに移り変わったため、現在の時代にあわせて改訂された。
全76ページ。10ドル。アメリカの日系書店で入手可能。☎010-479-7803

5章 離婚と別離

もしも
離婚になった場合、
何をすればいい？

離婚後、
子どもを日本に
連れて帰るには？

アメリカのお葬式は
どういうもの？

1 アメリカで離婚するには、まず弁護士に依頼を

日米で違う離婚事情

日本では当人同士が合意に達していれば、「協議離婚」が可能で、当人と証人２人が離婚届に署名捺印をして、戸籍を提出するだけで離婚が成立します。日本の離婚の90％が、このような協議離婚だといわれています。

一方、アメリカには、日本のような「協議離婚」の概念はありません。たとえお互いが合意に達していたとしても、役所に様々な書類を提出しなければならないため、弁護士に依頼して手続きを進めていく必要があります。

離婚理由と提訴

日本の離婚理由として首位を占める「性格の不一致」はアメリカでは離婚理由にはならず、相当するものとして、「irreconcilable differences（和解しがたい不和）」が首位を占めているようです。

州によっては認められる離婚理由が違っているため、弁護士への依頼が必要になるという事情もあります。

日本では協議離婚できない場合は、調停を経て裁判所に提訴しますが、浮気などをした有責配偶者のほうから離婚を提訴することは認められていません。

一方、アメリカのほとんどの州は「無責主義」をとっています（１９７０年カリフォルニア州で初めて制定）。浮気などをした有責者でも、離婚を請求できます。アメリカの夫婦はいつなんどき、相手から離婚を言い渡されるかもしれないという不安のなかにいるといえます。子ども重視で家族生活が運営される日本と比べて、アメリカの家族生活は夫婦重視といえるでしょう。

簡易離婚

結婚と同じように、離婚も各州の法律にしたがって手続きが進められていきます。カリフォルニア州で書類を提出するには、当事者のどちらかがカリフォルニアに6ヵ月、提出する郡内に3ヵ月、継続して居住していなけ

ればなりません。ニュージャージー州では1年間居住していなければなりません。

ラスベガスやリノのあるネバダ州では、居住条件が厳しくなく、離婚の書類もすぐに提出できます。そのため「go to Reno」といえば、「離婚する」ことも意味し、Reno divorce といえば、パッと別れるすばやい離婚を意味します。

結婚年数が5年未満、子どもなし、貯金などの夫婦の共有財産が2万5,000ドル未満、負債4,000ドル未満の夫婦で、離婚と生活費受領権の放棄について合意に達していれば、「簡易離婚」の提訴ができます。

協議離婚書類の11項目に夫婦で書き込んで料金を払って提出します。この場合でも通常は弁護士に依頼して提出します。費用は300ドル前後ですむようです。

離婚における確認事項

簡易離婚の条件を満たしていない場合は、通常の離婚手続きが必要です。双方が調停者か弁護士を立てて、次の事項について取り決めをおこないます［詳細については118頁参照］。

●子どもの親権（法的親権、居住親権）と面会権
●子どもの養育費（child support）
●扶養手当（alimony）
●財産・負債の分配

夫婦間で合意に達している事項が多ければ、弁護士の手を煩わせることがなく、あまり費用をかけずに離婚することができます。子どもの親権に関しては、法的親権は夫婦共同、居住親権は母親、面会権は父親に与えられるのが一般的なようです。

アメリカの離婚率の推移
［人口1000人に対する1年間の離婚数］

1960	2.20
1965	2.50
1970	3.50
1975	4.80
1980	5.20
1985	5.00
1990	4.70
1995	4.40
2000	4.10
2005	3.60

参考データ：日本は2.08［2005年］
出典：U.S. National Center for Health Statistics

2 もしもDVの被害を受けたら

DVの被害にあったら

日本人同士の結婚であろうと、国際結婚であろうと、家庭内暴力（ＤＶ・domestic violence）で苦しむ妻は少なくありません。ＤＶは人種、民族、年齢、職業、学歴、収入などに関係がないため、いつ何どき被害者になるとも限りません。アメリカでは年間２００万人以上の女性がＤＶの深刻な被害を受け、毎日11人が命を失うと報告されています。

万が一夫が暴力をふるってきた時、または危害を加えられるかもしれない時は、すぐに警察（９１１）を呼ぶことです。

ＤＶや児童虐待に関して日米の違いがあるとすれば、警察の介入です。日本では「たかが夫婦喧嘩」「内輪の出来事」とみなして、警察はなかなか家庭内のことに介入しませんが、アメリカではＤＶがこれまでたどってきた社会的歴史性もあって、すぐに警察が介入します。近所の人も女性の叫び声や子どもの泣き声には敏感で、何かがあれば隣人のために、警察に連絡したりします。

アメリカではＤＶに関して、事件を未然に防ぐというスタンスがあるため、隣人に助けを求めることも恥ずかしいことではありません。

暴力にあって治療を受けた時は、その診断書や領収書を証拠として保管しておきます。傷や痣などができた場合は、証拠の写真を撮っておきます。

Restraining Order［接見禁止命令］

ＤＶの被害者であれば、さらなる虐待をやめさせるために、最寄りの裁判所にRestraining Order（ＲＯ・接見禁止命令）の嘆願書を提出することができます。最長で2週間有効なTemporary Orderと、最長で3年間有効なPermanent Orderの2種類あります。

ＲＯの命令が出されると、裁判所は加害者に対して命令を発令したことを知らせます。加害者が命令に違反した場合は、法廷侮辱罪として逮捕状が出され、刑罰を受けます。

もしDVで有罪になった場合、「重い軽罪（gross misdemeanor）」となり、1年の懲役か5,000ドルの罰金、または両方が科せられます。永住権保持者がこの有罪判決を受けると、国外退去処分の対象となります。ただし、7年間継続してアメリカに住み、5年以上永住権を保持していれば国外追放は免除されます。

ホットラインやシェルター

アメリカの電話帳の最初のほうのページに、DV関係のホットライン（電話番号）が掲載されていますので、それを利用して居住地の近くにある相談機関やシェルターを紹介してもらうといいでしょう。

英語に自信がなければ、「困った時の連絡先」【135頁参照】に掲載されている機関に連絡を取って、相談するといいでしょう。

全米各地には、DVを受けた女性と子どもをサポートするシェルターがあります。日本語でいえば、駆け込み寺に相当する機関です。

自分で相談にのってくれる機関やシェルターを探すには、インターネットの検索サイトで、shelter + domestic + violence + counseling + XX（都市名）と入力してください。

シェルターは夫の暴力から安全を確保し、自立して生きていく手助けをしてくれる機関です。期限付きで有料のところがほとんどです。シェルターによっては条件があって、夫のところに戻るのであれば、入れないこともあるようです。離婚をしたいと決意が固まっていれば、シェルターは様々な手助けをしてくれます。

条件付き永住権と離婚

結婚して2年以内の夫婦の場合、条件付き永住権しか発給されず、2年後に「条件解除」をして、正規の永住権を発給してもらうために、夫婦で手続きをしなければなりません。

アメリカ議会は、DVで苦しむ外国人配偶者を保護するためにViolence Against Women's Act（女性への暴力決議）を承認しました。これにより、DVが理由で離婚した場合は、単身での「条件解除」が認められることになりました。

3 養育費と生活費［扶養手当］は離婚の争点になる

離婚しようとする夫婦に子どもがいない場合は、今ある財産や負債を分けるだけなので、離婚の合意に達するまであまりこじれることはないようですが、夫婦に子どもがいる場合は、夫（あるいは妻）の収入から天引きして支払っていくため、合意に達するまで時間がかかるようです。

離婚で話しあう重要項目のなかに、養育費と生活費（扶養手当）があります。収入の高い者が、収入の低い者に支払うものなので、夫が妻に支払うというケースがほとんどです。

アメリカでは離婚した元夫婦が子どもを一緒に育てていくので、いい関係のままで離婚することが望ましく、収入の低い者はどこまで相手に要求していいのか、悩むところです。

お互いが合意に達しなければ、それぞれが弁護士を雇って話を詰めていきますが、信頼できる調停者（mediator）を雇うほうが夫婦の関係がこじれないで話がまとまるという声もあるようです。

養育費

子どもを養育する義務は両方の親にあります。居住親権を持つ親が一緒に生活して養育する義務を負うので、非居住親権の親が支払います。

養育費は原則として子どもが18歳になるまでですが、大学へ進学する場合などは、その後も支払が続きケースバイケースとなります。学費のほかにも、習い事や医療費などを含めて、取り決めておきます。

支払額については州によって違いますが、税金や医療などを差し引いた収入から20%前後となっているようです。通常は支払い者の給料から天引きされます。

養育費を支払わない場合、運転免許証やパスポートの更新ができなかったり、収監されたりすることもあります。

生活費［扶養手当］

日本では芸能人が離婚すれば、「慰謝料が××円」と大きく報道されますが、アメリカには日本のような一括払いの「慰謝料」という概念はなく、収入の多い者が少ない者に月々の「生活費（扶養手当）」を支払います。時には無責者が有責者に、妻が夫に支払うこともあります。

離婚にまつわる英語

custody●親権

child custody mediation●親権調停

conciliation court●調停裁判所

mediator●調停者

visitation rights●面会権

child support●養育費

deadbeat dad●養育費を払わない父

alimony●離婚後に夫または妻が元配偶者に支払う扶養手当

alimony drone●離婚後夫［妻］から扶養手当をもらい続けるために再婚しようとしない人。droneにはぐうたら者という意味がある。

Reno divorce●パッと別れるすばやい離婚

ex-husband、ex-wife●元夫、元妻
ex-は「元」の意味がある。ex-ex-husbandは元の元の夫。
同様にex-boyfriend は元カレ。ex-convictは前科者。

DWM●divorced white maleの略。離婚した白人男性のこと。
DWFは女性のこと。出会い系サイトなどで使用される。
ほかにもDAM［divorced Asian male］、
DHM［divorced Hispanic male］など。

支払い期間の目安としては、結婚10年未満ならその半分の年数ですが、10年以上なら終身（どちらかが死亡、再婚するまで）になることもあります。

離婚貧乏になって困窮する男性も少なくありません。筆者がサンフランシスコにいたころですが、養育費と扶養手当を捻出するために自分のアパート代が払えなくて、車のなかで生活している人がいました。別れた妻が再婚するというニュースを聞いて、喜んでいる男性もいました。

無責主義による生活のレベルダウン

一般的には離婚後、夫の生活レベルは上がり、妻の生活レベルは下がるといわれています。働く女性が増えたため、養育費や生活費（扶養手当）が低く設定されるようになったからです。

アメリカに離婚が多い要因のひとつは、無責者からの離婚申し立てを認めているからですが、男女平等思想のもとに改正された家族法が、皮肉にも女性のクビをしめ、男女の経済格差を生みだしています。

養育費や生活費の取り立てが厳しい割には、支払を怠る父親もかなりいて、女性の生活レベルを下げる要因となっています。

4 離婚すると、財産も負債も**共有財産**となる

夫婦が離婚をすると、共有の財産・負債は分けることになるので、普段から共有財産と個別財産の区別を明らかにしておきましょう。州によっては共有財産法があって、離婚時はこれにしたがって財産をみていきます。

個別財産とみなされるもの

結婚前に築いた財産は、個別財産となります。たとえば結婚前にキャッシュで購入したり、ローンが完済した家や車は個別財産となります。結婚前や結婚後に相続したり贈与されて発生した財産も、個別財産となります。相続した不動産収入（アパートの家賃など）から得られる収入も個別財産となります。

共有財産とみなされるもの

結婚後に築いた財産は夫婦共同のものとなります。誰が得た収入なのか、名義は誰なのかは関係ありません。たとえば、結婚後は夫のみが働き、妻が専業主婦であっても、その収入（夫が得た収入）は共有財産となります。

結婚前に夫が購入した家（夫名義）については、キャッシュで購入した場合は相手の財産ですが、結婚後ローンを払っていた場合、妻も家の価値の一部に対して共有財産を主張する権利があるので、払った期間分は共有財産となります。残ったローンは、共有の負債となります。

結婚後に夫が得た収入で家や車を購入し、夫名義とした場合、家や財産は共有財産となります。ローンが残っていれば、その負債も共有となります。

ただし、不動産購入の際には、業者が準備する書類として、妻の不動産権利放棄書に署名をさせられることもあるので、あらかじめ夫婦で話し合っておくことが大切です。

ほかにも離婚時にもめないように、結婚前にプレナップ［55頁参照］を交わすことがあるので、相手から求められたら、前向きに話し合いましょう。

5 離婚の際の**弁護士**の選び方

アメリカには１００万人を超す弁護士がいて、それぞれの専門分野を持って仕事をしています。その数は日本の約50倍といわれていますが、日本では税理士、社会保険労務士、弁理士、行政書士が担当する仕事も、アメリカでは弁護士が担当しているので、実質的にはアメリカの弁護士数は日本の3倍だといわれています。アメリカに訴訟が多いことは事実で、アメリカは世界一の訴訟大国といえるでしょう。

2年以内の離婚の場合

アメリカで結婚をする時には弁護士は必要ありませんが、離婚をする時には弁護士が必要です。

結婚年数が2年未満で「簡易離婚」【１１４頁参照】の条件を満たしていて、夫婦が離婚の合意に達していれば、「簡易離婚」となって、弁護士に払う費用も安くてすみます。しかし、国際結婚の夫婦の場合、「簡易離婚」だけではすまされない問題があります。

国際結婚で永住権を申請する外国人配偶者には、その結婚が2年以内であれば、正式の永住権ではなく条件付き永住権しか発給されません。グリーンカードの発行から2年後に夫婦そろって「条件付き」を解除する手続きをして、正規のグリーンカードを発行してもらいます。これは偽装結婚を防止するために設けられた制度です。国際結婚の夫婦の場合は、「条件付き」を解除する2年以内に離婚すると、移民局からその結婚が偽りのものであったと疑われて、グリーンカードを取り上げられてしまうことになりかねません。

例外としては、スポンサーである配偶者の死亡、配偶者による暴力、配偶者からの一法的な離婚の申し出などがありますが、いずれにしても書類を提出しなければなりません。

そのため2年以内に離婚する場合は、家族法だけではなく、移民法にも精通している弁護士に依頼します。

条件付き永住権の条件解除をして正規の永住権を保持

している場合、離婚しても永住権を取り上げられることはありませんので、純粋に離婚だけに焦点をしぼって弁護士に手続きを依頼します。

弁護士の選び方

弁護士の専門分野は細分化されているため、その道の専門家を選ぶことです。たとえば離婚の手続きを依頼するなら、家族法を専門にしている弁護士を選びます。

1●口コミで探す

自分が抱えている問題と同じような問題を解決したことのある弁護士を、紹介してもらいましょう。その場合でも直接会って自分の目で確かめることが大切です。

2●電話帳や新聞の広告で探す

アメリカで発行される日本語情報誌には弁護士の広告が掲載されているので、電話をかけてみるといいでしょう。たいていの場合、日本語を話すスタッフがいて、最初の相談は無料となっていることが多いです。

3●非営利団体に照会してもらう

地元の法律相談所や日本語が話せるスタッフのいる日本人関連のソーシャル・サービス機関【135頁参照】に連絡を取れば、照会してもらえる場合があります。

弁護士への支払い

大きく分けて、時間給、固定料金、成功報酬、と3通りの支払い方法があります。

弁護士の時間給は、1時間60～４００ドルと様々です。平均１００～２５０ドルと考えておけばいいでしょう。固定料金は、あらかじめ費用を予測して先に支払うものです。成功報酬は、交通事故や傷害事件などの訴訟で、示談成立や勝訴になった時にのみ支払うものです。

訴訟開始前に示談が成立した場合は、示談金額の3分の1、公判中の成立で4割、勝訴の場合で5割が一般的です。

弁護士に会う時の心構え

弁護士に会う時は資格を持っていることを確かめ、依頼したい内容をはっきりと述べます。そして、提供してくれるサービスの内容、料金、支払い方法などを確認します。

何人かの弁護士事務所を回ってみて、その中から信頼できそうなところを選びます。話をよく聞いてくれる、顧客を大事にしてくれる、料金がはっきりしている、などが選択基準になるでしょう。

何人かの弁護士を候補として選んだ段階で、もう一度信頼のおける友人や知りあいなど第三者の意見を求めるのも賢明な方法です。さらに念を入れる場合は、州の弁護士協会に問い合わせ、その弁護士がかつて訴えられたことがあるかどうかを調べるといいでしょう。

実際にサービスを受ける前に何らかの形で契約を交わしますが、その際、サービスの内容と料金、契約キャンセルの条件などをきちんと確認することも大事です。

弁護士は法律的な知識と経験を持っていますが、あくまでもサービス提供者です。顧客はお金を払ってサービスを受ける立場にあるのだということを、しっかりと認識する必要があります。弁護士に全面的に依存するのではなく、問題解決がどうなっているのかをそのつど確認するように心がけてください。専門的な言葉がわからなければ必ず聞き返し、わかりやすい言葉で説明してもらいましょう。

また、弁護士に払った料金の領収書などもきちんと保管し、何か問題があったときの証拠として使えるようにするのが賢明です。

被害にあったら

アメリカでは弁護士にだまされることも少なくありません。提出するはずの書類をなかなか提出しなかったり、いつの間にか相手側についていて、子どもの養育費などがほとんど取れなかったというケースもあり、弁護士ゆえに泣かされる顧客もいます。

もし被害にあったら、前述のソーシャル・サービス機関に相談しましょう。アドバイスをくれたり、次のような善後策を考えてくれたりします。

被害額によっては、Clients Security Fund といった機関に申請すれば、救済基金を出してくれる場合もあります。また、各州には弁護士が登録している法曹協会があります。もしある弁護士に対する苦情を受ければ、協会は調査をおこない、不正があったと判断すれば、弁護士の資格を剥奪することもできます。

次の被害者を出さないためにも、被害を拡大させないためにも、苦情申し立ては被害者が取るべきアクションといえるでしょう。

6 離婚すると**子ども**を日本に**連れて帰れない!?**

離婚家庭のいろいろ

　サンフランシスコ湾岸地域はリベラルな人が多く住んでいるせいか、離婚率は全米平均よりも高い地域です。夫の赴任にともなって同地域に移り住んだ日本人が子どもをデイケアーセンターに通わせたところ、実の父、実の母の両親のもとで暮らしている子どもは、彼女の子どものほかには、クラスに1人しかいませんでした。しかもその子どもの両親は韓国出身の移民で、アメリカ生まれのアメリカ人ではありませんでした。

　筆者がサンフランシスコに住んでいたころの話ですが、離婚したアメリカ人の父親と日本人の母親の間を、曜日を決めて行き来している子ども（5歳）がいました。

　これらはいかに離婚が多いかを物語るエピソードですが、ここまで離婚が多いと、離婚家庭ゆえに白い目でみられるといったことはなく、子どもは両親の離婚で傷つくことはあっても、そのことで劣等感を感じることはないでしょう。

実の両親が育てるのが基本

　離婚すると母親が子どもを引き取ることが多いのは日米共通ですが、日本では子どもは父親と没交渉になることが多いのに対して、アメリカでは子どもは日頃から父親とコンタクトをとって生活していきます。アメリカでは両方の親が子どもに接することをよしとする大前提があり、離婚した夫婦であっても、子どもが成人するまでは一緒に育てていこうという姿勢があるからです。

　そのため子どもがいる夫婦が離婚する際には、子どもの面会について合意に達している必要があります。たとえば父親は週末ごと、学期末ごと、長期の休みごとに会う……といった具合です。もし合意に達しなければ裁判となって、裁判官が決断を下すことになります。裁判では、子どもにとってどうするのが一番いいのかを基本に決断が下されます。

親権についても、両方の親が責任を持って子どもを育てられるようにと、共同親権とすることが多いようです。

このようにアメリカでは、離婚後も夫婦が一緒に子どもを育てていくという社会的合意があるため、日本人の親が離婚後に子どもを日本に連れて帰るというのは、容易ではないでしょう。

子どもを日本に連れて帰るには

裁判で争う前に、夫婦で話し合ってお互いの合意に達すれば、弁護士に支払う費用も安くてすみます。

子どもを日本に連れて帰る場合は、養育費、生活費（扶養手当）、面会についての取り決めが、合意ポイントとなります。

「養育費と生活費（扶養手当）はいらないから連れて帰るのを認めてほしい」「子どもを連れて帰るが、面会のために長期の休みには渡航させる」などが切り札になるかもしれません。

もし合意に達しなければ、裁判で争うことになります。なぜ子どもを日本に連れて帰るのかについて、裁判所で論理的で説得のある主張を展開しなければなりません。

子どもを日本で育てることのメリット、アメリカで育てることのデメリットなどを、あくまで子どもの観点から主張していきます。

日本は治安がよく、医療体制がよく、祖父母のサポートも得られ、日本語の修得もできるので、子どもにとっては日本で住むほうがいい環境だ……というように裁判官が客観的に納得できるように主張していきます。

面会についても、納得してもらえるだけの主張が必要となります。弁護士が日本を知っていれば、弁護する際にも力が入るので、日本をよく知っている弁護士を選ぶか、そうでない場合は、まず弁護士に日本のよさを知ってもらうことから始めなければなりません。

世界各国の離婚率
[人口1000人に対する1年間の離婚数]

1	ロシア	4.42
2	アメリカ	3.70
3	ウクライナ	3.66
4	チェコ	3.24
5	キューバ	3.17
6	ベルギー	3.02
7	ベラルーシ	2.97
8	デンマーク	2.92
9	韓国	2.90
10	イギリス	2.80
11	オーストラリア	2.67
12	ドイツ	2.59
13	フィンランド	2.53
14	ハンガリー	2.44
15	スイス	2.43
16	オーストリア	2.40
17	カナダ	2.24
18	スウェーデン	2.24
19	ポルトガル	2.22
20	カザフスタン	2.10
(21)	日本	2.08

出典：総務庁統計局
「世界の統計2008」
（各国の対象年次は
2003〜2005年）

7 家族が亡くなったら
＊＊＊アメリカでの葬儀

考えたくはありませんが、家族が亡くなれば葬式を挙げなければなりません。若いといっても、いつ何どき事故に巻き込まれるかもしれませんので、パートナーが信仰している宗教宗派（無宗教も含めて）や、どのような形で葬式を挙げたいのか、土葬にするか火葬にするか、お墓はどうするかを、日頃から話しあっておきましょう。

まず葬儀社に連絡を

家族が自宅で亡くなった場合、医師や看護師の診察や訪問治療を受けていれば、関連機関に連絡します。事故や急死であれば９１１にダイヤルします。死因によっては検死局が介入するケースになることもあります。家族が亡くなった場所が病院で、そのとき立ちあっていなければ、病院から遺族に連絡がいきます。

遺族は葬儀社に連絡を取って、遺体を引き取りにきてもらいます。葬儀社は24時間体制で待機しているので、遺族は葬儀社と葬式の日時と場所、段取りなどの打ち合わせをおこないます。

たいていの場合、遺体はいったん葬儀社で引き取られて、ドライアイスによる冷却かエンバーミング（遺体の洗浄、消毒を兼ねた保存処置）といった方法で処置されます。エンバーミングでは、整形して化粧を施されます。これは弔問客を迎えての別れの儀式にあたって、遺体にとってはベストの状態で臨ませてあげたいという遺族の願いからきています。

費用はエンバーミングのほうが高くなります。医師のサインが取れないなど葬式がすぐにできない場合は、かえって冷却のほうが高くなることもあります。

葬儀の進行はすべて葬儀社がおこないます。葬儀社は無法なごまかしや暴利を得ることがないよう、顧客の要望に応じて、各サービスの料金を公表しなければなりません。亡くなってから埋葬までの費用は、３，０００ドル～１万ドルになるかと思われます。

葬式に向けての準備

遺体が身につける衣服は、日本の仏前葬式の場合は白装束ですが（葬儀社が準備してくれる）、アメリカでは日常生活で身につけている衣服です。男性ならネクタイとスーツ、女性ならスーツか長袖ハイネックのドレスなどです。棺桶のなかに入れるメガネ、指輪などの装飾品、故人の愛用品などについては、許容範囲もあるので、葬儀社と打ち合わせをします。

遺族は、遺体が身に付ける衣服、棺桶の中に入れる愛用品、遺影として使用する顔写真などを準備します。

アメリカでは遺体の上半身を弔問客にみせるため、写真は必要ないようです。しかし、病気や事故などで顔が変わってしまって、遺族が遺体を公開したくない場合や、故人の遺言により火葬にした後、遺骨で葬式をおこなう場合などには、遺影のための顔写真を準備します。

葬儀の進行

打ち合わせが終わったら、葬儀社は遺族の名のもとに死亡通知を作成して、ローカルの新聞社に送ります。

葬式には公示しておこなうものと、家族だけでおこなう密葬とがあります。一般公示する場合は、事前に記事を載せ、家族だけの密葬の場合は、事後に記事が載るように手配します。一般公示する葬式の場合、教会か葬儀社はプログラムを準備することが多いようです。

かつて葬儀は自宅か教会でおこなわれましたが、現在では葬儀業者が経営する葬儀斎場でおこなわれることがほとんどです。葬儀斎場では、どのような宗教（無宗教

葬儀に関する**ボキャブラリー**

死亡記事● *obituary*

お悔やみのカード● *condolence card*

弔問客を迎えての別れの儀式● *viewing*

葬式● *funeral*　通夜● *wake/vigil*　告別式● *memorial service*

棺桶● *coffin*　霊安所● *mortuary*

遺体● *remains*
（後に残ったものの意、*corpse*は死骸という直接的な意味になるので使用しない）

亡くなる● *pass away*（*die*は直接的すぎるので使用しない）

遺族● *bereaved family*　喪主● *chief mourner*

会葬者● *mourner*　弔辞● *memorial address*

形見● *keepsake/memento/reminder*

墓● *grave*　墓地● *cemetery*

埋葬● *burial*　火葬● *cremation*　土葬● *burial in the ground*

死亡届● *obituary notice*　火葬許可証● *cremation permit*

遺言● *will*　遺産● *inheritance*

も含めて）にも対応しています。

土葬を選択した葬儀の場合は、弔問客を迎えての別れの儀式、葬式、棺桶を霊柩車で運んで埋葬、と進行していきます。

霊柩車とそれに続く家族、参列者の車は、白バイかパトカーに先導されて、信号に邪魔されることなく、墓地に向かいます。墓地ではすでに埋葬場所が掘られているので（深さ180センチ位）、棺桶を移して司祭のもとで埋葬式をおこないます。

火葬の場合は、棺桶を業者に渡したら、そこで葬儀が終了します。日本のように火葬に立ちあうわけではないので、家族は後日遺灰（高温で焼くため骨は残らない）が届けられるのを待ちます。

葬式後のお礼状

アメリカには花を贈る習慣はありますが、香典を送る習慣は特にありません。日本人の友人や知人から香典をもらった場合は、礼状を書くか、日本と同じように香典返しをおこないます。花を贈ってくれた人には、札状を送ります。

もし故人が花をもらうかわりに、非営利研究団体、慈善団体、世話になった宗教法人などへ寄付を送りたいという意向を生前に示していた場合、葬儀社に話して、死亡通知にその旨を付記します。

寄付をしてくれた人がいれば、機関から遺族のほうに連絡がきますので、寄付をしてくれた人には礼状を送ります。

また、故人の生前の意向があれば、弔問者から寄せられた香典などを、故人が希望した機関へ寄付という形で送ります。その場合は、その旨を記した文章を、お礼の手紙とともに送ります。

互助会的団体と葬儀保険

葬儀を安くおこなうために助け合うPeople's Memorial Association [http://www.peoplesmemorial.org/death.cfm] という互助会的団体があります。メンバーの80%は火葬を望んでいるようです。ほかにも葬儀なしでダイレクト火葬をする「テロフェーズ協会」、火葬後に海への散骨をする「ネプチューン協会」などがあります。

また、生前に契約して自らの葬儀を準備する葬儀保険が存在します。こういった団体や保険に加入して、まさかの時に備えておくのもひとつの方法でしょう。

8 葬式後に必要な手続き

死亡証明書など必要書類を取得する

出生証明書や結婚証明書と同じく、死亡証明書は永久保存の証明書となります。手続きは葬儀社が代行してくれます。

発行されたら、姓名や日付にタイプミスがないかどうか確認しましょう。相続のために銀行などに提出するので、10部ほどもらっておきましょう。

ほかにも葬儀の遂行に必要な「埋葬と遺体の運搬許可書」や「火葬許可書」なども葬儀社で取得してくれます。

日本の公的機関へ届ける

亡くなった家族が日本国籍を保持している場合は、死亡から3ヵ月以内（日本国内では7日以内）に、日本領事館へ死亡届を提出します。届出に必要な書類は次の通りです。

- 戸籍2通
- 死亡証明書2通
- 死亡証明書の和訳2通
- 死亡者のパスポート

公的援助の申請

アメリカの公的機関では、Social Security Death benefitが支給されます。故人のこれまでの支払い年数によって支給額が決まってきます。手続きは2年以内におこないます。もし故人がアメリカ軍に所属していた場合は、Veterans Administration Death Benefit が支給されます。申請のための必要な書類は次の通りです。

- 遺族の出生証明書
- 結婚証明書
- W-2 Form（Federal Income Tax Return）
- 軍籍証明（該当者のみ）
- 葬式にかかった実費の領収書

9 葬式に関する話あれこれ

死亡記事と寄付

地方紙の死亡記事欄で葬儀の日程が知らされますので、知人友人であれば、花やカードを送ったり、葬儀に参列したりします。カードには「With deepest sympathy from XX」と書きます。

ユダヤ教やカトリックの葬儀の場合、花を贈る習慣はありません。その場合はPlease omit flowers. と書かれています。

ほかにも、「花の代わりに、全米脳腫瘍協会か随意の機関に寄付をお送りください」と書かれていることがあります。その場合は、「This donation is sent in memory of Mr. John Smith, of XXXXX (address). といったふうに故人の姓名を記載する文章を添えて、当該機関に寄付をおこないます。寄付と奉仕の精神に富むアメリカでは、このような形の寄付も少なくありません。

エンバーミング［embalming］

遺体の消毒・防腐・復元・化粧の処置の総称をエンバーミングと呼び、アメリカでは一般的におこなわれています。遺体を綺麗にして遺族に返すために、南北戦争の時に開発された技術です。高度のエンバーミングになると、防腐するには血液を抜き、防腐剤を注入する薬事方法を施すといった特殊技術を要します。

アメリカで葬儀業を営むには葬儀ディレクターの資格とエンバーマーの資格の両方が要求されます。

葬儀と参列者の服装

葬儀に参列する場合、参列者は香典や品物を渡す習慣は特にありません。服装も地味なものであれば、喪服でなくてもかまいません。アメリカ人男性は黒の喪服を持っていない人もいて、葬儀で黒いスーツをみかけることはほとんどありません。

カトリックの葬儀では、神父（priest）の入場式の後、聖歌を歌い、ミサ、説教、儀式（棺に水をまき香をたく）と進み、続いておこなわれる告別式では、聖歌、故人の略歴や生前の人柄紹介、弔辞・弔電の朗読、喪主のあいさつ、参列者の献花、出棺と進行していきます。

プロテスタントの場合は、神父ではなく牧師(minister)が儀式をおこない、カトリックより簡素なものとなります。

ダイレクト火葬と追悼式

近年ではダイレクト火葬による追悼式もおこなわれています。伝統的な葬儀をせずに遺体を火葬にし、その遺骨（遺灰）の前で「追悼式」をおこなうというものです。いわば伝統的な葬儀ではなく、個人の葬儀といったもので、生前の故人の意向が反映された「葬儀」となります。

葬儀科学大学とドライブ・スルー斎場

かつて消費者運動は、地域の葬儀料金を取り上げ、料金の高い葬儀社を監視しました。葬儀業界はこれら消費者の洗礼を受けたことで、事業の近代化を余儀なくされてきました。現在では葬儀業界は生前からの顧客獲得をめざし、エンバーミングから、葬儀、埋葬までのトータルビジネスとして再編されています。

葬儀全体を科学的に学べる、シンシナティ葬儀科学大学（オハイオ州）が、葬儀エンジニアの養成学校として開校しています。

変わり種としては、車社会のアメリカならではというか、ドライブ・スルーの斎場も登場しています。車に乗ったままで記帳ができ、テレビモニターに映った遺体と対面することが可能なようです。

葬儀に関連する**英語表現**

弔問者が遺族に対して

My sympathy to you.
My sympathy to your mother
（father、husband など）
I'd like to offer my deepest condolences.
Please accept my sympathy.
Please accept my sincerest condolences.
I'm sorry.
（「すみませんの」のほかに、
「残念です」「お気の毒に」という意味がある。
シンプルだが一番使用される表現）
if there's anything I can do, please let me know.
（何かできることがあったら言ってください）

遺族が弔問者に対して

Thank you for coming.
Thank you for.
（the beautiful flowers 贈り物など）
John（故人の名）talked about you often.

10 土葬の国、アメリカの墓地事情

日本は火葬、アメリカは土葬

日本ではほぼ１００％といってもいいほどに火葬が行き渡っていますが、アメリカでは8割以上が土葬です。

キリスト教徒は最後の審判による復活を信じているので、遺体は保存すべきと考えてきましたが、１９６３年ローマ教皇が火葬を解禁にしました。これにともなって、土地の問題や衛生的で費用がかからないため、年々アメリカでも火葬が増加しています。１９８７年にはアラスカ、ハワイ、西海岸各州の3分の1が火葬となっています。

火葬では、遺骨（遺灰）を墓に埋葬する場合と、墓を作らずに遺灰を散骨（散布）する場合があります。現在では後者のほうが多いようです。

散骨の場合は、その場が設けられている墓地への散骨と、海上や船上からの散骨があります。１９６５年、カリフォルニア州で航空機から海上への散骨が、５年後には船上からの散骨が合法化されました。条件付きですが、山や有名公園でも散骨は可能です。住宅地での散骨は禁じられています。

遺骨ではなく遺灰に

日本では火葬の前に、お坊さんがお経を挙げて家族は遺体と最後のお別れをします。そして、火葬の後は、遺族が骨を拾います。

アメリカでは遺体とお別れをする儀式はなく、火葬の後、遺族が骨を拾うこともありません。高温で火葬にするため、骨ではなく灰の状態になることも理由のひとつかもしれません。そのため、棺桶に入った遺体を葬儀社に渡せば、そこで一連の葬儀は終わりとなります。遺族は後日遺灰が届けられるのを待ちます。

火葬場では遺体と遺灰の確認を厳重におこなっていますが、それでも間違いは発生するようで、間違いが確認されて裁判沙汰になることもあるようです。

火葬場経営者が１００体以上の遺体を、火葬にしないで屋外に放置していたのが発覚したというニュースが報道されたことがありました。火葬前に遺体と最後のお別れをして、火葬後に骨を拾う日本では、このようなことは起こり得ない事件でしょう。

アメリカの墓地の写真。整然と墓碑が並んでいる

墓地と墓参り

かつて墓地といえば、教会に付属した墓地のことを指していましたが、現在では葬儀業者の経営による公園墓地が増えています。この墓地内にある斎場で、葬儀をおこなうこともあるようです。

棺を土葬するかわりにコインロッカーのようになったスペースに収容する共同霊廟や、戦争で命を落とした軍人たちが眠る国立霊園（アーリントン墓地など）などもあります。

日本ではお盆やお彼岸に墓参りにいく習慣がありますが、アメリカでは墓参りにいく決まった日というものはありません。強いていえば、母の日に参拝者が多くなるということがあるようですが、アメリカでは墓地に足を運ぶ回数は、日本に比べてはるかに少ないようです。墓地に足を運ぶのは、埋葬の時だけということもあるようです。

墓参りとは別に、ワシントンDCにあるアーリントン国立墓地やロサンゼルスにあるフォレストローン霊園などの有名な墓地は、たくさんの観光客が訪れる地ともなっています。

日米ボランティア協会
US-JAPAN Volunteer Association
Japanese Clutural Center of Hawaii, #202 2456 South Beletania St. Honolulu, HI 96826
☎808-942-2023　夜間808-261-3722

ハワイ日系人援護会
Japanese Assistance Society
P.O.Box 90864 Honolulu, HI 96835 ☎808-637-4311

離婚を考える前に利用したいマリッジ・カウンセリング機関

日系ファミリーカウンセリングプログラム
Nikkei Family Counseling Program
231 E. 3rd. St., #G106, Los Angeles ☎213-473-1602

APCTC[Asian Pacific Counseling Treatment Center]
Main Office 520 S. Lafayette Park Pl., Los Angeles ☎213-252-2100
エリアによって最寄りのエージェンシーを紹介してくれる。

Coastal Asian Pacific Mental Health
14112 S. Kingsley Dr., Gardena, CA ☎310-217-7312[代]

WRAP Family Services [Western Region Asian American Project]
8616 La Tijera Blvd. #200, Los Angeles ☎310-337-1550

日本語で受けられるカウンセリング

無料で相談ができる機関

ニューヨーク・アジア人女性センター
New York Asian Women's Center 39 Bowery, PMB375 New York
☎1-888-888-7702、212-732-5230　平日9:00〜18:00
DVや性的暴行の被害にあった人のための支援団体。24時間ホットライン、緊急用シェルター、裁判支援あり。

ホワイトリースクール
Frank C. Whiteley School
4335 Haman Avenue, Hoffman Estates, Illinois ☎847-963-7206

ピアッツァなつき[スクールサイコロジスト]
e-mail usschooled@yahoo.com　http://www.angelfire.com/sc3/schoolil/

収入に応じた費用の支払いを受け入れるカウンセリング機関

日米カウンセリングセンター
Hamilton-Madison House,Japanese Clinic
253 South St. 3rd Fl, New York ☎212-720-4560[4561] 平日9:00〜17:00

ウイリアム・アランソン・ホワイト研究所・日本語臨床サービス
The William Alanson White Institute, Japanese Clinical Services
20 West 74th St., New York ☎212-873-0725 内線910 9:00〜21:00

マインドフル・プロフェッショナル・カウンセリング
Mindful Professional Counseling
1900 East Golf Road, Suite 950, Schaumburg, Illinois ☎847-899-3329

ファミリー・エンリッチメント・クリニック
Family Enrichment Clinic
7100 Regency Spuare, #136 Houston ☎713-780-2833

日系家庭カウンセリングセンター
Family Service Agency of San Francisco
1255 Post Street, Suite 600, San Francisco ☎415-474-7310 内線321 平日8:30〜17:00

役立つ**情報**コラム 4

困った時の連絡先

緊急時

緊急時●911[電話料は無料]
SOSの際に、警察[Police]、消防車[Fire Engine]、救急車[Ambulance]を呼べる。救急車は有料。

日本語のホットライン

日系ホットライン
☎1-800-645-5341 ☎212-473-1633
24時間受け付け。小東京サービスセンターが提供。訓練を受けたボランティアが応対。
南カリフォルニア地域の住民は無料で利用が可能。
アルファベット・ダイヤルを利用して1-800-NIKKEI-1と覚えておくと便利。

留学生ホットライン
☎213-473-1630
月～金曜、10:00～18:00まで受け付け。小東京サービスセンターが提供。
訓練を受けたボランティアが応対。ロサンゼルス地域に住む留学生が対象。
http://ryugakusei.ltsc.org/return.html

ワールドヘルプライン
日本人のための24時間ホットライン。アガペハウスが提供。
ハワイを含む全米から無料で利用が可能。電話番号は公開されていない。
あらかじめ以下のサイトの説明文を読んで、指示通りに登録をして、
ワールドヘルプラインのカード[無料]を発行してもらう必要がある。フリーダイヤルは、カードに記載されている。
http://www.jhelp.com/jpn/agape/index.html#2

日本語を話すスタッフがいるソーシャル・サービス機関

JASSI[通称・ジャシィ]
Japanese American Social Service Inc.
100 Gold Street, Lower Level New York, NY 10038 ☎212-442-1541
http://www.jassi.org/index_J.html

ニューヨーク日系人会
Japanese American Association.of NY,Inc.
15 W.44th St.,11th Fl. New York,NY 10036 ☎212-840-6942/6899
http://www.jaany.org/activities08jp.htm
健康・生活相談●毎月第2・4木曜・移民法の法律相談、毎月第3木曜・遺言の相談、
奇数月の第2木曜・一般の法律相談[遺言、移民以外]、偶数月の第2木曜

小東京サービスセンター [LTSC]
Little Tokyo Service Center
231 East 3rd St., #G106 Los Angeles CA 90013 ☎213-473-3030

のびる会[Nobiru-kai]
Japanese Newcomer Services
1840 Sutter Street, #207 San Francisco, CA 94115 ☎415-922-2033

日系関連グループ

日本語で海外健康相談

海外在住の日本人が無料で健康相談を受けられる窓口がある[渡米前の相談も可]。

在米中の健康について、渡米前の予防接種や母子手帳、カルテの準備、持病の管理や薬、伝染病についてなど相談できる。

OMCオーバーシーズ・メディカル・コンサルタンツ[電話相談など]
http://www.faminet.net/omc/to_omc.html

JOHAC海外勤務者のための総合健康管理施設
[海外勤務健康管理センター][ファックスとメールによる相談]
http://www.johac.rofuku.go.jp/inquiry/index.html
http://www.johac.rofuku.go.jp/index.html[ホーム]

その他

アップルキッズ
ニューヨーク近辺に住む幼児を持つ日本人家族が中心となり、
異文化のなかでの育児、健康、教育、日本文化の紹介などの情報交換と相互扶助を目的に活動をおこなっている。
前出のニューヨーク日系人の活動の一部。
http://www.applekidsnyc.org/index.asp

日本語による母乳グループ「ラ・レーチェ・リーグ」

ラ・レーチェとはスペイン語でミルクを意味する。グループの設立は1956年。

48カ国で約9000人の認定カウンセラーが母親の母乳育児を日本語でサポート。

☎425-869-5136 http://www.geocities.co.jp/llleastsidejp/

NY乳がんネットワーク
乳がんかもしれない、または乳がんと宣告されて悩んでいる人のための、
NYを拠点とした日本人のサポートグループ。
Japanese Cancer Support Group
http://www.nestny.org/

無料弁護士

Pro Bonoとはプロフェッショナルがボランティアで無料でサービスを提供すること。
下記のウェブサイトはAmerican Bar Associationの州ごとのPro Bonoリスト。
もし特定の分野の弁護士[移民法、離婚のための家族法など]を探すなら、
Pro Bono、Legal Service、州名、分野[immigration law、family law、custody、divorce など]を入力して検索するとよい。
Pro Bono &Public Service
http://www.abanet.org/legalservices/probono/directory.html

6章

子どもを産む前に知っておきたいこと

- 不妊治療はどういうものがある？
- アメリカでは盛んな養子縁組
- 性感染症に対する心構え

1 不妊治療の選択肢が多い国

不妊治療を考える時期

子どもができないのは不妊のせいなのかどうか悩む時期があると思います。女性の不妊の要因として、ストレスや不健康な食生活、極端な肥満や低体重、喫煙や飲酒の習慣、性感染症、冷え性などがあるといわれています。当てはまる場合には、まずそれを解決します。専門家にかかる時期は、年齢や状況でカップルごとにずいぶん違ってきます。生理はきちんとあるのか、排卵はあるのか、婦人科関係の病気をしたことがないか、避妊をやめてからどのくらいになるのかなどの条件を考慮します。

年齢的には35歳くらいまでは、まだチャンスがあるといわれますが、40歳に近くなると治療できるぎりぎりのところだといえます。もちろん妊娠の可能性はありますが、確率が年齢とともに下がるのです。

アメリカのほうが、不妊治療に関する規制が緩やかで、非配偶者の精液や卵子を使った人工授精、代理母による出産など選択肢が多いといえます。またカリフォルニアのように、代理母出産による法的整備が整った州もあります。

最初に手軽な検査をしてみる

「Fertell」というカップルで使える検査キットが市販されています。これは家で簡単に検査できるもので、90分で結果が出ます。男性側は、精子の数と活性度がわかり、女性側は卵巣の反応を調べるというものです。精度は95%といわれているので、まずこの検査キットで試してみるとよいでしょう。処方箋なしで買え、オンラインか大手の薬局で１００ドル前後で売られています。確かに高い検査ですが、これでよい結果が得られない場合にはすぐに医者にいき、相談するよい機会となります。

しかし、この検査でわかることは非常に限られているので、問題があった場合は不妊である確率が高いといえますが、よい結果が出たからといって不妊ではないといえません。妊娠しない場合は、別の理由があると考えられますから、時期をみて医者に相談をするほうがよいでしょう。

婦人科にかかる

最初から不妊クリニックにいきづらい場合は、婦人科にいくことになります。婦人科ではたいてい最初にクロミッド（Clomid）・チャレンジ・テストというホルモン検査をして、排卵がきちんとできている状態かどうかを確認します。

クロミッドは手軽で一番安い妊娠治療薬なので、最初に使われる薬です。普通の婦人科の医師でも使えますが、それ以上の検査や処置は専門家にかかることになります。

20代または30代前半ならば、まず婦人科に相談するのもよいですが、年齢が高くて少しでも早くから専門的な治療をしたい人は、最初から専門医にいくとよいでしょう。不妊の専門医のほうが、治療を早く進めてくれます。不妊もみますという婦人科でも、難しくなってくると結局、専門医にまわされます。

専門医での治療の流れ

まず最初のカウンセリングがあります。そして生理3日目の血液検査、超音波検査、卵管造影検査、生理から21日目の血液検査、男性の精子の検査と続きます。検査結果がすべて出た後で、方針を決めるカウンセリングをします。

治療方法は、クロミッドを処方され、排卵検査薬で排卵時期をねらうタイミング療法があります。排卵に問題がある場合は、排卵誘発剤を使います。

ラパロスコピー（Laparoscopy）と呼ばれる腹腔鏡という検査では、内膜症の検査・治療をします。日本では子宮内膜症の場合は、薬物療法をおこなう場合が多いようですが、アメリカでは不妊症の原因が内膜症である場合が多いので、この検査を進められることが多いようです。

この段階までは、婦人科医でもする場合がありますが、この次の段階である人工授精（IUI）は不妊治療専門医でおこなうことになります。条件や希望によっては、はじめから人工授精の段階にいくこともあります。アメリカでは卵巣刺激ホルモンや排卵誘発剤の注射は、講習を受けてから自宅で打つ場合もあります。

次の段階が体外受精（ＩＶＦ）になります。卵管が両方ともつまっている、精子の状態が悪いなどの条件の場合は最初から体外受精をすすめられます。採卵した翌日に受精したかどうか報告があり、その後、受精卵を戻します。医療機関によって、戻す受精卵の個数は2個～4個と違いますが、自分たちで希望することもできます。受精卵は凍結卵を作って、体の負担を減らすことも可能です。

体外受精の成功率は、よい結果を出している医療機関で、20～29歳で60％、31～39歳で50％、40歳以降は20％以下くらいです。

パートナーとの話し合い

不妊治療は経済的負担が大きく、また精神的にも強い意思がないと続けていけません。特に女性側は、人工授精や体外受精がうまくいったかどうか心配で、精神的に不安定になりやすくなります。それを乗り切るにはパートナーとの話し合いが大切で、どこまでの不妊治療をするかなどの方針も決めなくてはいけないなど、お互いの協力が欠かせません。

もちろん男性にも不妊の原因がないわけではありません。不妊の原因は男女半々くらいの割合だといわれ、女性側のほうにだけ問題が多いということはありません。しかし検査自体は簡単でも男性を専門家のところに連れていき、検査をすることを納得させるのは大変です。男性側に問題がなくても、不妊治療中は男性も何度かクリニックにいく必要が出てきます。

女性側でも男性側でもどちらかがクラミジアなどに感染している場合には、妊娠しにくくなります。ですから2人で検査を受ける必要もあります。

日本で治療を受ける

言葉の問題もあり、精神的に日本の医療機関のほうが何でも日本語で表現できるので気が楽だという人もいれば、アメリカでは妊娠しにくいとすぐにドナーをすすめる医者がいたり、治療費が高いなどの理由で、日本の治療を受ける人も多くいます。

アメリカでは1万ドルもする体外受精が、日本では30万円前後で受けられます。人工授精はアメリカでは2，000ドル前後ですが日本では3～5万円くらいです。2週間くらいの日本滞在で治療を受けることが可能です。アメリカと日本の不妊治療は、成功率が同じくらいだという人もいますから、費用がかかるドナーや代理母を考える前に、日本で治療を受けることも考えられます。

ただし、アメリカのほうが体外受精でも精子提供、卵子提供、受精した胚の提供がすべて体外受精でおこなうことができるなど、選択肢は多いです。

治療費と健康保険

最初の医師とのコンサルテーションが一時間で３００～４００ドル、精子の検査が2回で２００～３００ドル前後かかります。

最初に使われることの多い飲み薬のクロミッドは１００ドルくらいですが、治療中は、ほかにもいろいろな薬を服用します。それらを合計すると1,０００ドル前後になるようです。

ホルモン注射は3,０００～6,０００ドル、人工授精は2,０００ドル前後、体外受精の費用は1回1～2万ドル程度です。1度で成功するとは限らず、高い治療費となりますが、健康保険が効く場合があります。これは州によって規定が違いますので、州法を調べる必要があります。そしてどこまでカバーされるのか、必ず詳しい内容を調べます。検査しかカバーされない、人工授精はカバーされるけれども、体外受精は適用されない、1回目はカバーされるけれども2回目以降はカバーされない、年齢制限があるなど保険によって違います。

医療機関によってはShared Risk Programという支払い方法があり、決められた金額（2万ドルくらい）を先払いして、決められた回数の体外受精をしたにも拘わらず、成功しなかった場合には、払った費用を払い戻すという制度があります。

婦人科では不妊治療の検査などはカバーされるのに、不妊の専門医だと保険がきかない場合もあります。しかし、婦人科にかかっても不妊治療は保健適用外になることもあるので、そこをきちんと調べる必要があります。そして婦人科で適用外ならば、不妊症クリニックに始めからかかることも考えられます。

不妊治療の副作用などが出て、治療が必要になっても、健康保険はカバーしてくれないことがありますが、交渉しだいでカバーしてくれることもあるようです。

不妊症のクリニックには、ファイナンシャル・カウンセラーがいて、治療の計画とかかる費用、持っている保健のカバー範囲、支払いの仕方など、最初にカウンセリングでアドバイスしてくれるところが多いようです。

2 卵子提供、代理母を頼む場合のリスクと費用

卵子提供［Egg Donor］について

何らかの問題があって、卵巣が両方とも機能せず、卵子が必要な人もいます。そこで卵子を提供してくれる人の卵子と、夫の精子を体外受精させ、受精卵を妻の子宮に移植させる方法が、卵子提供方法です。アメリカでは60歳代でも提供卵子、提供精子で出産した人の例もあり、不妊治療での年齢制限が卵子提供により、高くなります。すべての不妊クリニックが卵子提供をおこなっているわけではないので、扱っている医療機関を探すことになります。

エージェンシーを通して申し込む場合には卵子提供者は、年齢、職業、家族構成、病歴、学歴、人種、目や肌、髪の色などを選べる場合もあります。

カップルと提供者の健康チェックなどが終わって、弁護士に契約書類の作成を依頼し、双方のスケジュールを調整し、体外受精、受精卵の移植という手順になります。移植に使わなかった受精卵を凍結保存しておくことも可能です。

卵子提供の費用

卵子提供者にかかる費用が1万ドル、医療機関にかかる費用が2万ドル、エージェンシーにかかる費用が2万ドルでざっと見積もると5万ドル近くかかることになります。卵子がたくさん取れる人と、まったく卵子が取れなかった人が、取れた卵子や費用をわけあうというエッグシェアというプログラムもあります。

代理母［Surrogate Mother］を決心する

子宮を摘出しているなど子宮が機能しない場合の選択肢として、代理母があります。これは出産経験のある健康な女性に、妻の卵子と夫の精子を体外受精して、受精卵を代理母の子宮に移植して代わりに出産してもらうことです。この方法だと、夫婦の遺伝子を１００％受け継

ぐことが可能です。

法の整備が進んでいるカリフォルニア

すべての州で代理母が合法ではないので、調べる必要があります。カリフォルニア州とオレゴン州は代理母が合法で、数少ない代理母を扱っている弁護士もいます。特にカリフォルニア州では、弁護士が契約書を作ると、生まれた子どもの出生届に直接、代理母を依頼した妻の名が記載されます。またカリフォルニア州では、州内で出産した代理母は、母親としての権利を認めないという法律があるなど、代理母出産における法の整備が整っています。ほかの州では、いったん代理母が母親として登録され、その後、養子縁組の手続きをするところが多いようです。

エージェンシーを利用する

個人で代理母を探し、弁護士と法的に契約を整え、代理母が他州にいる場合は、その医療機関を探したり、妊娠出産中の保険に入るなど、大変面倒で複雑なプロセスがあります。そこでカリフォルニア州やオレゴン州の代理母のプログラムを持っている機関と契約をする人が多いようです。

代理母になる人の条件

まず代理母になる人は、十分なカウンセリングを受けます。本人の健康状態、家族の病歴、住んでいる場所や収入、借金の有無、代理母になる動機など、質問項目も多くあります。代理母の大きな条件のひとつは、問題のない出産経験があるということです。そして家族ともうまくいき、経済的にも精神的にも安定している人が選ばれます。最終的には、カップルで面接して決めることができます。

代理母の費用

不妊治療のなかで、子どもをどうしても持ちたい場合、一番経済的な負担が大きいのは、代理母を選択することでしょう。医療費1～2万ドル、代理母にかかる費用8万ドル以上、そのほか弁護士やエージェンシーなどに払う費用を考えると10万ドルを超えてしまうこともあります。エージェンシーを通さないで、自分たちで代理母を探す人もいますが、いろいろなリスクがあることを覚悟しなくてはいけません。

3 アメリカではポピュラーな養子縁組

子どもを持つという選択肢

不妊治療でよい結果が得られない場合もあります。また代理母を頼む場合に、提供卵子、提供精子を使えば、夫婦の遺伝子は含まれないことになり、養子という選択肢も考えられます。海外から養子をとる場合には、費用は1～2万ドルくらいで、卵子提供や代理母の選択よりは費用がかかりません。また卵子提供を受けても、確実に子どもを持てるとは限りません。そこで養子縁組も大きな選択のひとつになるのです。

アメリカでの養子縁組の現状

もともとアメリカでは養子縁組が一般的におこなわれてきて、養子縁組に対する偏見も少なく、子どもがいるカップルでも養子縁組をすることもあります。また人種や血縁についてこだわりが少ないので、複数の養子が、みんなちがう人種の子どもであったり、海外からの養子縁組もさかんなようです。子どもが養子であることや、自分が養子であることを隠すような習慣はないようです。

養子として迎えられた子どもに、養父母は「あなたは選ばれて私たちの大切な子になった。私たちに幸せをもたらしてくれた」というようにプラスイメージを小さいころから与えるようです。

日本から養子を迎える

アメリカ国内のエージェンシーのなかには、日本からの国際養子縁組を扱っているところもあります。日本からもあまり知られていませんが、国外に出ている養子がたくさんいるのです。

しかし、出産してから養子に出したいという人と契約すると、日本の法律では、生まれてから1ヵ月は、産んだ母親が親権を取り戻せる期間として定められていることや、ビザの関係でアメリカに入国するまで半年以上かかる場合もあるようです。

片方の親が日本国籍を持っていれば、日本人の子どもは日本国籍をキープすることも可能です。

手続きのプロセス

アメリカ国内での養子縁組は、希望している人が多いので競争率が高く、お金も時間もかかります。申し込んでから半年から1年くらいは待たされます。そこで海外から養子を迎える人も多くいます。多いのは、中国、ロシア、ウクライナ、韓国、南米ということです。海外の養子縁組を取り扱っているエージェンシーは国や州の公共の機関がやっているものから私的な企業まで多く、新聞の広告などにも普通に載っています。養子縁組は手続きが複雑なためにこうしたエージェンシーを利用する人が多くなっています。

海外からの養子縁組には、夫婦どちらかがアメリカ国籍を持っていることが条件です。そして普通は厳しいバックグランドチェックがあります。夫婦の病歴、経済状態などを提出します。特にうつ病などの病気に対しては、厳しくチェックされます。

しかし国によっては、養子手続きが簡単な貧しい国も多くあるようです。書類の記入とパスポートをみせるだけで、家庭裁判所で簡単に養子縁組の許可を得ることができる国もあるので、個人で養子を迎えにいく人もいるようです。

養子縁組には、普通縁組と特別縁組があります。普通縁組は、子どもの親と連絡を取ることができますが、特別縁組はその後、親とは一切かかわりを持たないというものです。妊娠中に生まれたら子どもを養子に出したいという人と契約を結ぶと、名前を自分たちでつけることができます。

中国の場合は、アメリカから団体旅行のように、たくさんの夫婦が入国し、書類関係の手続きをした後に、子どもをもらって帰ってくることが多いようです。しかし、最近は中国からの養子が増えすぎたために、規制がだんだん厳しくなっています。過去10年間で5万人以上もの中国人の子どもが養子として海外に出て、そのうちの80%がアメリカに引き取られています。

外国人が中国人の子どもを養子とするためには、年齢が30～50歳、既婚の夫婦であること、肥満やうつ病ではないこと、初婚では2年以上経過、再婚では5年以上経過していること、一定以上の収入があることなどの中国側の条件もあります。

4 性感染症を防ぐために

性感染症の種類

アメリカでは性感染症は、一般的にＳＴＤ（Sexually Transmitted Diseases）と呼ばれ、いろいろな種類があります。そのなかでも一番多いのはクラミジア（Chlamydia）で、最近増えてきた病気です。次に多いのは淋病（Gonorrhea）で、梅毒（Syphilis）と続きます。

アメリカでは思春期の女性の10人に1人がクラミジアに感染しているといわれ、25歳以下の人は毎年検査をしたほうがよいといわれています。

そのほかにもＳＴＤと呼ばれるものには、子宮頸がんと関わりのある性器のイボ、そしてＢ型肝炎、ヘルペス、エイズなどがあります。

症状

クラミジアは女性に症状が出にくいのが特徴です。不正出血や排尿時の痛み、分泌物が多くなるなどが症状ですが、クラミジアに感染したことを自覚していない女性も多くいます。男性は白か黄色っぽい分泌物が性器から出たり、尿道に痛みが出ることがありますから、パートナーの異常から自分のクラミジアがわかる場合もあります。

性器の周辺にイボや水泡ができたり、いつもと違うおりものなどの異常が出た時にはＳＴＤであることを疑います。Ｂ型肝炎の場合は、クラミジアと同様にこれといった症状がない場合もあります。性感染症は男性に比べて、女性のほうが感染しやすいといわれています。

治療

クラミジアなどは抗生物質で治療します。イボは薬品で取りますが、市販薬では性感染症は治療できませんから、必ずパートナーと一緒に医者にいき、治療を始める必要があります。

日本で知りあい、結婚して渡米

JG［26歳・プリスクール勤務］

福島県出身。JETプログラムで働いていたアメリカ人と日本で知りあって日本で結婚。２００７年11月渡米。オレゴン州ユージーンにて夫（30歳）と2人暮らし。

友人カップルと住まいをシェア

＊＊結婚前に渡米したことはありますか

3回あります。うち2回は主人と一緒に渡米し、家族に会いにいきました。

＊＊ユージーンはどのような町ですか

国際空港があるポートランドから、車で南に2時間ほどのところにあります。2つの都市の中間地点に州都のセイラムがあります。人口は15万人弱で、白人が88%、アジア系は4%です。ユージーン(Eugene)にはオレゴン大学が、45分ほど車で移動したCorvallisにはオレゴン州立大学があり、日本人留学生も沢山通っています。

＊＊ユージーンに住もうと思ったのは

主人の故郷がオレゴン州で、かつ主人が将来、大学院への進学を希望しているので、その大学がある町ということで選びました。

＊＊いまのご主人のお仕事は

渡米してからしばらく仕事がみつからず困っていましたが、やっと大学の総務の仕事を得て、大学で働いています。

＊＊地域での友達作りやネットワーク作りは

趣味のコーラスを続けようと、町の教会のコーラスグループで歌っています。特に教会員でなくてもコーラスに参加できるので入りました。そこで趣味を通じて色々な年代の方と交流中です。

＊＊現在お住まいの住居は

地下付き2階建ての1軒家をアメリカ人のカップルと共にシェアしています。レントは１，２００ドルで、1カップル６００ドル、光熱費は折半です。

＊＊シェアをしているカップルとは、どのようにして知りあいましたか

もともとカップルの男性のほうと主人が大の親友で、私たちが引っ越す予定だった２００６年夏に彼らも家を探しており、一緒に住もうという話になりました。アメリカではハウスシェア、ルームシェアがとても盛んで、シェアの相手を、インターネット上で募集する人もいます。私たちの場合は友人同士だし、お互いにプライバシーも保てる広さで、生活費も節約できるので、助かっています。

出会いはJETプログラム

＊＊ご主人との出会いは

福島県で、JETプログラム【19頁参照】で来日した外国人のための日本語講座があり、私がボランティアとして参加しており、2002年に来日したばかりの主人と出会いました。

＊＊日本語を教えていたのですか

はい、そもそも、大学の専攻は日本語学でした。勉強をしているうちに、外国語のほうに興味が移り、資格等を取らないまま卒業して、日本語教師ではない職業に就きましたが……。

＊＊ご主人がJETプログラムで福島県に来られたいきさつは

主人が生まれた育った町はオレゴン州の田舎町で、人口800人という小さな村です。大学時代にアムステルダムに1年間留学の経験があります。大学時代に沢山の日本人と接したことから、日本や日本文化への興味がつのり、JETプログラムを申し込もうと決心したそうです。

＊＊ご主人の日本滞在期間は

総計5年間滞在しました。ATL(Assistant Language Teacher)として3年間、英会話学校に1年間、その後地元の町の教育委員会付きのALTとして1年間働きました。

＊＊赴任地は自分で選べるのですか

赴任希望地を3つまで記入できるそうですが、ほとんどの人が「札幌、京都、横浜」などの主要な地名を書くため、人気がある市町村を希望した人は、全く別の場所に派遣されることもあるようです。実際、主人は上記の3都市を記入したにも拘わらず、東北の人口1万にも満たない村に派遣されました（笑）。

国際結婚について

＊＊双方の家族から反対されましたか

夫の家族からは、恋人時代からとっても歓迎され、結婚することが決まって、本当に喜んでくれました。一方、私の日本の家族は、田舎育ちで多少保守的で、彼のこと、アメリカという国について、理解してもらうのに少し時間はかかりましたが、最終的には、結婚を心から祝福してくれました。私の渡米に関しては、寂しいという気持ちはまだ抜けていないようですが（苦笑）。

＊＊日本で結婚をして、アメリカで生活することに対して、迷いやためらいはありましたか

付き合い始めた5年前ほどから、主人はいつかアメリカに帰るとのことだったので、「結婚を決心する＝渡米する」ということでした。なので、渡米というよりは、結婚を決めることに対しては、2人で、そして家族を交えて何度も何度も話し合いをしました。お互い、そして家族が納得するまでは、かなり時間を要しましたね。

迷いがなかった、といえば嘘になりますが、長い時間をかけて考えた末、2人で決めたことですので、ビザの準備等始めた時には、ためらいはありませんでした。

＊＊相談した人や参考にした本はありましたか

私の場合、地元では、外国人の友人と一

緒に遊ぶことが多く、仲良しのイギリス人の女性に、価値観の違いや考えの食い違いがあった時には相談することができたので、それはラッキーだったと思います。参考にした本等はそれほどありませんが、価値観の違いを受け入れるということで薦められて読んだのは、ジョン・グレイの『男は火星人女は金星人』という本です。

＊＊国際結婚をうまく乗り切っていくために工夫していることはありますか

国際結婚だけにいえることではありませんが、2人が2人とも、「違うバックグラウンドを持っている」ことを前提に、お互いがどれだけ相手に近づこう、理解しよう、といった努力する力が強いかということに尽きると思います。相手が何かをして、自分が納得いかないことでも、片っ端から拒否したり、否定したりする前に、あなたはこう、私はこういうやり方をするんだけれど、じゃあ私〝たち〟はどうしよう? というように、話し合いを沢山持つようにします。

妥協したり、許しあったり、ゆずりあったりする心の柔軟さは、必要かな、と思います。

プリスクールで仕事を開始

＊＊お仕事はされていますか

市内にある非営利団体のプリスクール【211頁参照】で働いています。公立の学校ですと、その州に定められた法律にのっとって資格が必要なのですが、私立の学校（主にデイケアや Pre-school、Lan-guage school など）は、資格があればお給料も上がりますが、なくても経験さえあれば雇ってくれることもあるようです。

私はもちろんアメリカでの教職はとっていませんが、日本での経験を活かしてということで、仕事を得ることができました。午前11時半から午後4時半まで働いています。

＊＊日本ではどんなお仕事をされていましたか

塾の講師をしていました。幼稚園児や小学生には英会話を、中学生には教科書を元にした文法の授業をしていました。

＊＊アメリカでの仕事はどのようにして探しましたか

電話帳の Pre-school の欄を見て、かたっぱしから電話をかけました。

＊＊面接ではどのようなことを聞かれましたか

日本でどのような仕事をしてきたか、など主に職業経験に関するもの、あとは学校の方針についてどう思うか、などでした。その後、実際に子どもたちのなかに1時間入って、その様子を校長先生がみているという時もありました。

＊＊子どもたちは何歳くらいですか

私のクラスはプリスクールでも最年少のクラスで、2～3歳児のまだトイレ教育ができていない子供です。主に白人の子供ですが、中国系アメリカ人の子供が2名います。

＊＊お仕事の内容は

学校の1日の時間割にそって、おやつの準備をしたり、おむつを替えたり、遊ぶ時間は子供に話しかけて、色んな単語を子供たちから引き出しています。

＊＊＊同僚は何人ですか

スタッフ、アルバイトを含めて20人弱で、ほとんどが白人です。結婚などでオレゴンに引っ越してきた人たちが多いです。

＊＊＊英語についてはいかがですか

今のところ英語に関して、特に不自由は感じていません。英語は昔から大好きな教科で、もとはといえば、学校に派遣されていたＡＬＴのイギリス人女性と、もっと仲良くなりたい、もっと話したいという気持ちから、英語の勉強しました。

高校時代は英会話学校に3年間通いましたし、大学時代、念願叶ってカナダに3週間留学もしましたが、それより何よりも、主人や外国出身の友人がいつも周りにいましたので、彼らとよりうまくコミュニケーションを図りたい、もっとわかってあげたい、そんな気持ちが、英語力向上につながったんじゃないかと思います。

アメリカに来て思うこと

＊＊＊渡航前と渡航後で、アメリカに対する考えで変わったことはありますか

治安に関しては少し心配していた部分もあったのですが、もちろん場所によりますが、自分が少し気をつけることによって、安全でいられるということがわかりました。また、日本人という理由で、歓迎されていると感じることが、思ったよりあることでしょうか。

＊＊＊具体的に例をあげていただけますか

アメリカで生活をしていると、日系だけでなく、色々な民族に出会います。アメリカ人にとっては、アジア人はほとんど見分けがつかなく、「どこから来たの？」と尋ねられることも多いのですが、「日本」と答えると、「おー、ジャパニーズ！」と握手をされたり、ハグをされたりすることがありました。それだけ日本への関心や、旅行にいかれる方が多いのかな、と思いました。

＊＊＊アメリカに来て思うことは

アメリカでは、本当に色々な民族がおり、そして色々なライフスタイルがあります。生活しているとわかるのは、アメリカは「違っていてよい」という考えが根本的にあるということでしょうか。一人ひとりのバックグラウンドが違う、食べ物の好き嫌いが違う、価値観が違う、それが当たり前、という考えです。その考えがあるから、自分がアジア人だからといって、優遇されるわけでもないし、バスのなかでジロジロとみられることもありません。

その考えが、日本、日本人のなかにもう少しあったらなぁ、と考えることがたまにあります。日本にいる外国人にも、「アウトサイダー」と感じて欲しくありません。そのためには、どうすればいいのか、どんなことができるのか、アメリカで「外国人」として過ごしながら、そんなことを考えています。

〔『グローバル」通信』2008年2・3月号より抜粋・加筆修正あり〕

＊＊＊2008年10月現在、夫の進学の関係でワイオミング州に居住。

7章 妊娠と出産

アメリカと日本の
出産はどこが違うの？

妊娠・出産プランを
しっかりたてる

子どもの名前は
どうつける？

1 妊娠をコントロールする方法と費用

日本ではまだ認可されていない避妊方法もあるので、アメリカのほうがバースコントロールの選択肢は多いです。日本と同じように、コンドームは一般的で、薬局や大きなスーパーならどこにでもあります。それ以外の避妊方法は、医師の処方せんが必要になります。

ピルの種類とその他の選択肢

一番手軽なのはピル（経口避妊薬）ですが、一口にピルといっても、種類が驚くほど多くあります。毎日1錠ずつ飲むものがほとんどですが、生理の間隔が、3ヵ月に1度になるもの、最近は年に1度になるものまであります。ピルを飲むと、ひどい生理痛が改善されるために、治療目的で低用量ピルを飲んでいる人もいます。

ピル以外では、パッチを皮膚に貼るタイプのもの、膣内に避妊具を入れるもの、ホルモン注射をするもの、皮下にカプセルを埋め込むなどの方法があります。避妊率が高いのは、ホルモン注射です。これにも1ヵ月に1度注射をするものや、3ヵ月に1度のものなど何種類かあります。いずれを選択するかは、婦人科医と相談したうえで、決めることになります。

気になる費用

家庭医でもピルを処方してくれる場合がありますが、これから妊娠・出産を計画している人は、産科も扱っている婦人科医の検診を受けたほうがよいでしょう。いずれにしても、内診をしてからということになります。避妊の薬を使用しても大丈夫かどうか検査することが必要だからです。ピルは、低容量になってきて、副作用も少なくなってきていますが、種類がとても多いので、合わない時は別のものに変えてもらえます。

避妊用の薬は、かかる費用もそれぞれに違います。健康保険ですべてのタイプがカバーされるわけではありません。通常、婦人科検診1回につき、健康保険なしだと１００ドルくらいかかります。入っている健康保険によって、年に1度の検診は無料の場合もあります。ピルも保険でカバーされる場合があり、一番安い場合は、月に15ドル程度です。学生の持つ健康保険では、避妊はカバーされないこともあります。

全米各地で中絶に関する医療サポートやサービスをおこなっている団体、Planned Parenthood【**http://www.plannedparenthood.org/**】では、避妊や性病予防に関する性教育や簡単な婦人科の医療サービスを実施しています。ここで避妊ピルを無料または安く配布しているところもあります。

アメリカの病院は何科でもそうなのですが、最初の検診の予約に1ヵ月以上待たされることもよくあるので、アメリカに着いた当初の避妊薬は日本から用意しておくか、コンドームを用いることになります。

最後に避妊をしなかった場合に、プランB（モーニングアフターピル・緊急避妊薬）と呼ばれるものがあります。18歳以上であれば、処方箋なしで大きなチェーンのファーマシーなどで入手できます。事後72時間以内に飲めば、避妊に有効であるといわれています。一般の棚にない場合は、薬剤師に聞きます。プランBは、50ドル前後する高い薬ですが、処方薬として扱ってもらえる場合もあり、その場合は、保険のカバー率に応じて安くなります。保険を使いたい場合は、薬局からでも自分の医師に電話をして事情を話せば、すぐに手続きをしてくれる場合があります。

避妊薬の費用の比較

医師に処方してもらうもの

ピル●15〜40ドル[1ヵ月あたり]
避妊パッチ●30〜40ドル[1ヵ月あたり]
膣内ホルモンリング●30〜50ドル[1ヵ月あたり]
ホルモン注射●100ドル〜[3ヵ月に一度]

薬局で買える緊急避妊薬

プランB●50ドル〜[1回分]

2 産婦人科を選ぶ際の条件

かかりつけ医選び

ピルなどのホルモン剤を使って避妊をする時も、妊娠を希望する場合でも、婦人科にかかることは必要です。日本では、妊娠して初めて産婦人科にいく人も多いですが、アメリカでは出産を考えたら安心して妊娠できるように、まず婦人科で検診を受けることが一般的なようです。直接婦人科にいくことのできる場合もありますが、保険によっては、まずかかりつけ医を決め、その紹介状がないと専門医にかかれない場合があります。

健康保険には、その保険が使用できる医者のリストがあるので、そのなかから選びます。クチコミがいいといっても、保険が違えば、かかれない場合が出てきます。保険カードの裏側に書いてあるカスタマーサービスに電話をして、自分の保険が使える近くの医者や病院を教えてもらったり、医者のリストを送ってもらったりします。またオンラインで検索することも可能です。保険会社のホームページでは、どんな場合に何パーセントカバーされるかなど、保険の内容が詳しく書かれていて、医者の出身大学、使える言語、専門など、多くの情報を得ることができる場合があります。

アメリカの医師は、どの科もそうですが、初診患者を受け付けていないことが多くあります。ですから、医者探しにはみな苦労します。初診を受け付けていない場合でも、その医者にかかっている知人の紹介があれば、受け付けてくれることもあります。最初の予約は1ヵ月以上先を覚悟していたほうがよいでしょう。しかし、一度でも医師に会って患者になれば、急な時にはすぐにみてもらえるので安心です。なるべく早くかかりつけ医と婦人科医を探して、乳がん検診や、子宮がん検診などの定期健診を受けておくことが大切です。

産婦人科選び

婦人科では、産科を扱わないところもあるので、妊娠・出産を希望しているのであれば、産婦人科を選びます。また、アメリカの産婦人科は、通常の検診や診察は医師のオフィスでおこなっても、医療機器を使っての検査や出産は、医師が所属する病院でします。その医師がどの病院を使っているかもあわせて考えなくてはいけません。

出産をしたい病院を先に決めてから、そこの病院を使っている医師を探すこともできます。出産を扱う病院では、無料の病院見学ツアーがあり、出産に使う部屋や回復室、新生児室などをみせてもらえます。インターネットで、病院の名前を入れて検索すると、たいていの病院は、ホームページに見学ツアーの情報などが出ています。

自宅から便利な場所に医師のオフィスや病院があるか、女医がいいかどうか、自分の健康保険が使えるか、初診を受け付けているかなどの条件を考えたら、それほど多くの選択肢はないかもしれません。

子どもが欲しいと思ったら

まず、産婦人科医に日常生活などで、どんなことに注意したらよいかを聞きます。避妊用のピルは最低2ヵ月前には使用を止めます。カフェインや、飲酒の摂取量に気をつけましょう。服用中の薬があれば、妊娠しても大丈夫な薬か医師に確かめておきます。積極的に妊娠を希望する場合は、日本では基礎体温を測りますが、アメリカでは婦人体温計を売っているところは少ないです。排卵日を知る方法としては、排卵測定キット（Ovulation Test Kit）が、普通のスーパーや薬局で売られています。入っている試薬の数にもよりますが、20ドル前後で買えます。

妊娠の判定

妊娠を判定するキット（Pregnancy Test Kit）が、2セット入りで、約20ドルで薬局で売られています。妊娠したと思ったら、まずそのキットで検査してみる人が多いようです。アメリカでは妊娠した時の初診が10週前後になるので、早く妊娠したかどうかを知るためには、この検査キットは便利です。妊娠反応が出たら、ほとんどの場合は妊娠していると思ってよいのですが、妊娠反応が出なかった時でも、ごくまれに妊娠している可能性があります。妊娠反応が出たら、すぐに産婦人科医の予約を取りますが、出なくても疑わしい場合は、産婦人科医に確かめてもらったほうがよいでしょう。

3 日本とアメリカ、ここまで違う出産スケジュール

最初の検診は10週目以降

妊娠がわかると、日本では7週くらいで検診を受ける人も多いですが、アメリカでは10週から12週くらいまで検診をしない医師が多いようです。自分の妊娠が正常かどうかと、早く検診してほしいと思う人もいるでしょう。しかし、異常がわかるのは、12週以降なので、それまでは心配してもしかたがないのです。

妊娠の経過を表すのに、アメリカでは週数を使います。月数の数え方も日本とは少し違います。日本では、最終月経が始まった日から0週と数え、最初の4週間を妊娠1ヵ月目とします。アメリカでは、日本の妊娠1ヵ月目を妊娠0ヵ月目と数えます。ですから、日本では妊娠10ヵ月の最後の週が39週目となり、翌週40週目の最初の日が予定日です。アメリカでは、9ヵ月目が終わった次の日が予定日となります。

体重増加に寛大なアメリカ

妊娠すると、ほとんどのアメリカの医師が、妊婦用のビタミン剤を処方します。これは保険を持っていれば適用になるので、薬局にいって、処方箋を渡して買います。超音波検査で胎児をみる回数は、日本より少ないです。保険の制約もあるし、医療費が高いので、無用な検査はしないのです。もちろん異常が疑われ、必要があれば、何度でも検査します。

妊娠中の体重増加は、日本では8キロ前後がよいとされていますが、アメリカでは、13キロから20キロまでは許容範囲とされています。日本では、「小さく産んで、大きく育てる」ということがいわれていますが、アメリカでは、新生児が大きいと、健康上の問題が少ないという研究があり、日本より体重増加が多めでもよいとされているようです。

いざ出産

出産に麻酔を使う人は日本よりずっと多いです。多くの医師が麻酔をすすめるし、出産には必ず専門の麻酔科医がいますから、安心して麻酔を使うことができます。もちろん、自然分娩も望めば選択できますし、分娩の途中から、プランを変えて、麻酔を使うことも可能です。麻酔の種類などは、出産前の医師とよく相談しておき、妊婦自身が選ぶことが可能です。

出産後の入院日数は日本よりずっと短く、普通分娩の場合は2日から3日間、帝王切開の場合でも、3日から5日間で退院します。病院によっては、病院に入ってから24時間で退院するコースもあります。健康保険による制約と、病院のプランによって違ってきます。

アメリカでは、産婦人科に夫がいくこともよくあります。特に超音波の画像を一緒にみたり、心音を一緒に聞いたりします。また出産用のクラスも夫が参加する人がほとんどです。そして、出産には夫が立ちあうことが、基本だと考えられています。

出産費用は日本より高いですが、アメリカの健康保険は、通常分娩であっても、その費用をカバーすることが多いです。

アメリカと日本の月数の数え方

週	アメリカ[月数]	日本[月数]
1	1	1
2		
3		
4		
5		2
6		
7	2	
8		
9		3
10		
11	3	
12		
13		4
14		
15	4	
16		
17		5
18		
19	5	
20		
21		6
22		
23	6	
24		
25		7
26		
27	7	
28		
29		8
30		
31	8	
32		
33		9
34		
35	9	
36		
37		10
38		
39		
40		

4 出産までの検診内容とプロセス

以下は一般的な検診の内容と妊娠の経過、しておいたほうがよいことの流れです。検診の回数や内容は妊婦の年齢や状態によって差があります。

初診［10週から12週］

妊娠だと思ったら、まず産婦人科に予約を入れます。出血などの問題が特にない場合は、初診は10週から12週くらいの間におこなわれます。初診日には、保険カードを持って診察所にいきます。

初診の内容は日本と似ています。まず、問診で妊婦の病歴、妊娠歴、避妊法、服用中の薬、家族の病歴などを聞かれます。身長、体重、血圧測定、尿検査（糖分やタンパクが出ていないかを調べるため）、血液検査（妊娠反応、ホルモン量、血液型を調べるため）をします。血液検査は、検査所に血液を送って調べることが多く、数日内に医師のオフィスから電話がかかってきて結果を知らされることもあります。内診では、子宮癌検査（Pap Smear）をする場合もあります。

妊娠だとわかると、医師から妊婦用のビタミン剤やカルシウム剤を処方されます。

最初の超音波診断の予約を取ります。超音波診断装置は、病院や検査所のものを使うので、別に予約を取らなくてはいけません。自分の健康保険が効くか確認をしてから予約を取りましょう。最初の超音波検査では、内診や心音だけでは確認できない子宮外妊娠、胞状奇胎などの異常、双子などを調べます。健康保険の多くは、この1回目の超音波検査はカバーしています。

アメリカでは12週を過ぎると、安定期に入ったと考えられています。28週目までは4週に一度の検診があります。

診療所や病院によっては簡単な記録ノートのようなものをくれる場合がありますが、アメリカでは日本の母子手帳にあたるものはありません。

妊娠だとわかったら、日本の母子手帳を申し込むこともできます。日本の各市町村で取り扱っている母子手帳のなかには、英語併記のものもありますので、問い合わせてみるとよいでしょう。母子保健事業団［http://www.mcfh.co.jp/］では、英語併記の母子健康手帳を扱っています。

そのほかにアメリカにも妊娠中からの記録を残すための日記のようなものが売られていますので、母子手帳の代わりに使うこともできます。

15週から18週目

高齢出産者（35歳以上）の妊婦を対象にダウン症や先天性の異常を調べるための検査をします。

このころは日本の5ヵ月にあたり、戌の日に神社で安産祈願をし、さらしの腹帯を巻く風習が日本にはあります。安定感があるからと、腹帯の代わりにコルセットタイプのものを使う人もいます。

出産準備リスト

リストは必須ではなく、
あったら便利だというものも列記しました。

出産のための準備

新生児用［退院時用］
下着、おくるみ、おむつ（病院でもらえる場合もある）、
退院時のチャイルドシート（高いが病院でレンタルも可能）、
寒い場合は毛布

新生児用［退院時用］
病院で着るもの、退院する時の服

入院時あったらよいもの
枕、洗面具、
部屋が寒いかもしれないのでカーディガンのようなもの、
ラノリンクリーム（授乳のために乳首が痛くなった時にぬる）、
携帯電話（分娩の部屋では使えないが、出産後は使える場合がある）

病院側が用意するもの
ガウン（診察がしやすくなっていて、何度か取り換えてくれる）、
産後ショーツ（網目状の伸縮する下着で何枚かもらえる）、
悪露用のナプキン（出産専用のもの）、
入院中の新生児のおむつ、服、おくるみ

その他
カメラ、ビデオカメラ

家での新生児用の準備

衣類
下着、ベビー服、パジャマ、よだれかけ、靴下、おくるみ（4枚くらい）、
ミトン（赤ちゃんが自分をひっかくのを予防する）、
おむつ（新生児用からサイズ2まで）
＊衣類は、出産前に一度洗濯しておくとよい

日用品
おしりふき、哺乳瓶と粉ミルク（母乳が出なかった時に備えて）、
オムツかぶれ用クリーム、ベビーバス、温度計（湯の温度を計る）、
ベビーシャンプー、ローション、体温計、爪きり、くし、ブラシ

家具
赤ちゃん用家具
（ベビーベット、たんす、着替え用台がセットになったものもある）、
赤ちゃん用寝具、ベビーポジショナー
（新生児突然死を避けるために、横向きで寝かせるためのクッション）、
ベビーモニター（ベビーベットの横にひとつおき、
母親のいるところにもうひとつをおいておく。赤ちゃんの様子を聞いたり、
話しかけたりするトランシーバー）、加湿器（乾燥する冬は必要）、
カーシート、ストローラー（アメリカではトラベルシステムという
ベビー用カーシートをそのまま乗せられる物を使っている人が多い）

母親の準備

生理用ナプキン（出産後に悪露が続くため多めに用意する）、
授乳用ブラジャー、マザーズバッグ（赤ちゃんと外出する時に便利）

18週から20週

二度目の超音波検査をします。

出産用クラス（Birth Education Class）や、育児用クラス（Infant Care Class）、母乳で育てるためのクラス（Breast Feeding Class）などの申し込みをします。出産に備えて、歯の検診もして、悪いところはなるべく早く治しておくようにします。

トリプルマーカーテストをして、ダウン症や二分脊椎の可能性を調べます。このテストで異常があった場合か、妊婦が35歳以上の場合は、もっと詳しいＣＶＳ検査や羊水検査をします。

28週

28週から34週までの検診は、2週間に1度となります。28週からは飛行機に乗る場合、医師の診断書が必要になります。この時期に、妊娠糖尿病テストをします。1度目のテストで陽性になると、詳しく調べるため、3時間程度をかけた検査を受けます。2度目の検査でも陽性が出たら、栄養士の指導を受けた食事をし、1日に4回、血糖値を自分で測り、管理をします。生まれてきた赤ちゃんも、血液検査で糖尿病を調べます。

３Ｄや４Ｄの超音波を撮り、写真やＤＶＤとして記念に残す人もいます。保険によってカバーされることは少なく、自費だと１２０ドルから１５０ドルくらいかかります。ただ、胎盤に邪魔をされて、うまく撮れない人もいますが、はっきりみえるまで、続けてもらうように頼みます。うまく撮れると、生まれた時とほとんど顔がそっくりだったという人もいます。

30週

体重、血圧の測定、尿検査、子宮底測定、胎児心拍ドップラー検査、問診など通常の検診がおこなわれます。

このあたりで、病院ツアーの申し込みをします。夜間用の入り口、出産用の部屋、新生児治療室（ＮＩＣＵ）などを見学する無料のツアーです。なるべく夫婦そろって参加します。

入院用の登録もこのころにすませておくと安心です。出産前には、病院に提出するレジストリーと呼ばれる入院登録用の書類があります。健康保険の詳細、緊急の連絡先などを記入して、直接病院に持っていくか、郵送しておきます。しかし、実際に入院する時は、もっと詳しいことを書く入院用の書類に記入しなくてはいけません。内容は、初診の時の問診とよく似ているものと、緊急時の処置の仕方の承諾書などです。

36週

血液検査によって貧血を調べます。また、この時期には、内診で子宮組織を取り、ベータ・ストラップテストをおこないます。これは産道に細菌がいるかどうかの検査で、この細菌がいると、出産時に新生児に感染することが多いために、細菌がいたらペニシリンを用いて、分娩をします。

36週くらいから出てくる症状としては、むくんだり、妊娠線が出てきたり、胸焼けをすることがあります。またトイレが近くなるために、夜、よく眠れない人や痔になる人もいます。多かれ少なかれ、こういった症状は妊娠中なのでしかたがないのですが、むくみや痔は、ひどくなったらすぐに医師に連絡をします。

40週●いよいよ出産

指示されている出産の兆候がみられたら、医師に連絡して病院にいく時間を聞きます。病院に着いたら、スタッフの指示にしたがいます。通常の分娩であれば、24時間から2日ほどで退院します。

出産準備のための**クラス**

次のクラスは、病院によって提供している内容や値段が違い、健康保険で割引がある場合もある。
働いている妊婦や夫が参加しやすいように、夜の講座や週末集中講座、泊りがけの集中講座もあり、
夫婦で参加が基本。日本で有名なラマーズ法のほかにも、いろいろな呼吸法、自然分娩用のクラスがあり、
学ぶ内容が重なっている場合も多く、なかにはまったくクラスをとらない人も。
日本人の多いところでは、日本語による出産用クラスがある。

出産用クラス［Birth Education Class, parents Class, Prepared Childbirthなどの名称がついている］
これが一般的に多くの人がとるクラスで、費用は100ドルから150ドルほど。
妊婦の体の変化、出産の流れ、出産時の呼吸法、パートナーによるマッサージ法、新生児の体の説明などがある。
また出産時の麻酔の説明もある。ビデオを見て、みなで話し合う。病院のツアーが含まれている場合が多い。

その他
病院によっていろいろなクラスがある。
●育児を学ぶクラス
●母乳で育てるためのクラス
●自然分娩をするためのクラス
●帝王切開のためのクラス
●父親の育児のためのクラス
●兄弟のためのクラス
●祖父母のためのクラス
●乳児マッサージを学ぶクラス
●栄養を勉強するクラス
●幼児用人工呼吸法のクラス

5 病院か助産師か…出産プランを選ぶ

病院での出産

出産する場所は、総合病院、大学病院、産婦人科専門病院、助産院、自宅などがあります。健康保険が効くか、主治医がどこの病院を使っているか、自宅から近いかなどを考慮して決めます。

大学病院は、新生児集中管理室があり、ほかの病院から難度の高い患者が搬送されてくる施設です。妊婦に合併症がある場合や、困難な出産が予想される場合には、いろいろな科がそろっている大学病院を選びます。ただし、検診や分娩に研修医が立ち会うこともあります。総合病院も大学病院と同様なので、リスクがある人に適しています。

最近では、ほとんどの病院がＬＤＲスタイルになっています。これは、陣痛（Labor）、分娩（Delivery）、回復（Recovery）すべて同じ部屋を使うことです。トイレ、洗面台はもちろん、テレビや冷蔵庫まであるような広々とした個室をゆったりと使え、リラックスできます。

診療所は、出産方法やそのほかのサービスに特徴を持たせているところが多くあり、出産後に新生児と母親が同じ部屋で過ごせるところもあります。入院患者が少ないので、ゆったりとしており、いろいろな面で融通がきく場合があります。

助産師による出産

助産師のほうが、医師よりも時間をかけて診察をしてくれ、出産も一人ひとりの妊婦に合わせた方法を共に考えて、自然な出産をめざしています。すぐに帝王切開にしてしまう病院に対する不信感から助産師を希望する人は増えています。

助産師とは検診日以外にも簡単に連絡が取れるので安心できます。助産師による出産も、助産院を使う場合と自宅出産の場合があります。助産院（Birth Center）は助産師が診療と運営をおこなっています。数はそれほど多くはありませんが、都市部にはいくつかあります。アクティブ・バース、水中出産を取り入れているところもあり、母子同室や母乳育児を積極的にすすめています。異常出産になってしまった場合には、病院に搬送されます。

助産師が自宅に出向き、出産を扱う場合もあります。初産よりも第二子以降の人が利用する場合が多いようです。自宅なので、家族のなかで安心してゆったりとした気持ちでいられます。しかし、自宅に出向いてくれる助産師は、みつけるのが大変です。また州によっては自宅出産ができないところもあります。出産時は提携病院の産科病棟を使う助産師がほとんどです。

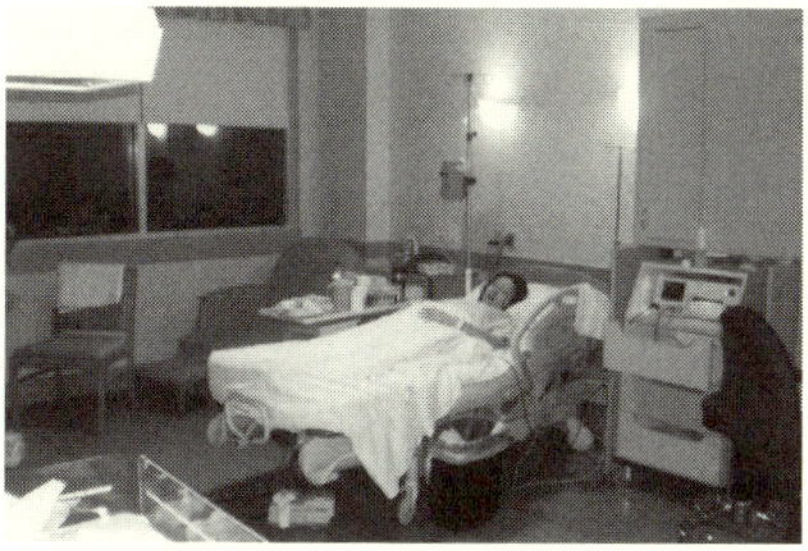

最近、多くの病院でとりいれている
LDRスタイルの病室。
陣痛の時から分娩、回復までここで過ごす。
テレビや家族用のソファーまで置いてある
ゆったりした部屋。

アメリカの助産師は、妊娠の診断、簡単な婦人科の病気の治療、処方箋も出せ、産前、産後の検診もおこないます。保険も医師にかかるのと同じように使えます。検診の内容は医師と同じです。血液検査や、羊水検査、超音波診断なども病院の施設を利用します。

出産のスタイル

出産方法も選択できます。最近は、アクティブ・バースといって、自分で出産プランを立てる人も増えています。出産を病院まかせにするのではなく、自分主体の出産にしようというものです。たとえば、出産時にどのようなスタイルで産みたいかなどを決めます。都市部の病院では、このような新しい出産の方法を取り入れているところもあります。

水中出産、気功式出産などもアクティブ・バースといえます。水中出産は病院でも取り入れるところが多くなっています。

専門のインストラクターから指導を受けなくてはいけ

ませんが、催眠出産（Hypnobirthing）という出産法は、自己催眠で体をリラックスさせ、自然の出産をめざします。同様に催眠法を利用したものに、イメージェリー（Imagery Birth）もあります。

そのほかにも、精神的な安定をめざす、ソフロロジー（Sophrology）やヨガを取り入れたものなどがあります。

出産時の麻酔

出産時に麻酔を希望する妊婦は多くいますし、すすめる医師も多いです。ただ、麻酔をする場合は、妊婦自身が麻酔の種類を決め、書類にサインをする必要があります。

麻酔には局所麻酔と全身麻酔があります。エピデュラル（Epidural）と呼ばれる局所麻酔は、背骨の隙間から細いチューブを使い、麻酔薬を注入します。分娩中には意識があります。そのために、出産の経過がわかり、自分で押し出している感覚も体感でき、産声も聞くことができます。エピデュラルの場合は、自分で麻酔のスイッチを持ち、自分で麻酔の量をコントロールできるようにする場合もあります。

下半身だけを麻痺させる腰椎麻酔も、局所麻酔として使われます。脊椎に直接、麻酔薬を入れるので少量ですみます。

全身麻酔は、緊急時や局所麻酔が使えない場合などに使用します。この場合は、意識がなくなります。全身麻酔にも吸入式や、点滴を通すものなどがあります。

ほかにも麻酔の種類はありますが、どのタイプの麻酔を使うかは、長所と短所を医師と事前に話しあい、医師からもらう麻酔についての説明のパンフレットをよく読んで、自分で決めます。健康保険で麻酔の種類が制限される場合があります。麻酔を使わないと決めていても、途中で変更して使わなくてはいけない場合も出てくるので、医師のアドバイスを受け、できれば自分で決めておきます。

出産時に一番よく使われているのは、エピデュラルだといわれています。よくわからない場合は、医師に任せてもよいですが、使って欲しくない麻酔があれば、それだけでも伝えておきます。

6 アメリカでは**帝王切開**が一般的

子宮外妊娠

子宮外妊娠は、受精卵が卵巣や卵管の子宮外の位置に着床してしまうために起こります。正常な位置でないと、受精卵が成長することができないので、妊娠を中断しなくてはいけません。

子宮外妊娠は、超音波検査で確かめることができない場合もあります。卵管破裂を起こして急激な症状が出た時は判断が容易ですが、診断が困難な時もあります。しかし、妊娠全体の１％とめったに起こることではありません。処置としては、開腹手術や腹腔鏡手術があり、薬物で妊娠を自然に中止する方法もあります。

流産と早産

妊娠22週までに、妊娠が中断してしまうことを流産といいます。12週未満は早期流産、12週以降22週未満は後期流産といいます。アメリカでは12週になると、妊娠が安定したと考えられています。

12週までは、アメリカではたとえ出血していても、診察をしてくれない場合があり、対応が日本とずいぶん違います。日本だったら、入院するような場合も、自宅で安静にしていなさいとだけいわれることもあります。

切迫流産の場合も、日本では25週以前でも出血したら入院しますが、アメリカでは特に処置しない場合が多いようです。

正規産は、38週から42週までです。日本では、22週目以降、37週未満に出産してしまうことを早産といいますが、アメリカでは20週目から37週目までの出産を早産といいます。

帝王切開になる場合

アメリカで帝王切開をする人は増加傾向にあり、都市部では３人に１人が帝王切開しています。本来は、自然分娩をおこなっているうちに、母体または胎児に危険がある場合に適用されますが、帝王切開のほうが出産によるリスクが少ないので、アメリカの医師たちは、すぐに帝王切開にしてしまうようです。

出産時に異常があった場合に医師が訴えられるケースが増加していることも、帝王切開が増えている原因です。たとえば、逆子で初産の場合でも、日本ではなるべく自然分娩にしようとしますが、アメリカでは帝王切開になる確率が高いです。

帝王切開になるのは、前回の出産時に帝王切開だった、胎児が仮死状態である、胎児の位置が異常、前置胎盤、42週を過ぎた過期妊娠、高齢出産、胎児が大きすぎるなどの理由があります。

帝王切開で５人以上の子どもを産むことも可能です。一度、帝王切開になった場合でも、条件がありますが、次回は自然分娩を選ぶこともできます。

帝王切開手術

手術自体は盲腸の手術と同様に簡単な手術だといわれ、問題がなければ1時間弱で終わります。帝王切開の場合も、夫が手術室に入り、希望すれば取り出した赤ちゃんのへその緒を切り、すぐに抱かせてもらえます。切開はビキニラインに沿って横向きに切開し、ビキニも着られる位置が多いようです。この方法だと傷口が小さく、治りが早いといわれています。帝王切開をした後は、翌日すぐにシャワーを浴びて、３泊４日で退院する場合が多いです。

中絶

なんらかの理由で中絶をしなければいけない場合は、まず、産婦人科医に相談しますが、アメリカで中絶を扱っている医師は、それほど多くありません。アメリカ全土に組織があるプランド・ペアレントフッド・フェデレーション・オブ・アメリカ（Planned Parenthood Federation of America）では、女性の健康と権利を守るため、望まない妊娠をしないように、避妊の教育や、安い値段でピルの普及などをし、中絶も扱っています。生理から9週目までは、中絶ピル（Abortion Pill）という薬によって、中絶をおこなっています。

保険が効く場合もありますが、費用は、３００～９００ドルくらいです。また、この組織では、レイプの被害にあった場合も警察への届け出などを援助しています。

7 健康保険によって変わる**出産の費用**

出産にかかる費用

アメリカの病院で出産した場合、普通分娩で2日間入院すると4，000～1万5，000ドル、帝王切開は、5日間の入院で、1万3，000～2万ドル以上かかります。通常、健康保険に入っていれば、妊娠・出産費用の大部分はカバーされます。平均的には、全体の費用の2割ほどの負担になるために、1，500ドルくらいの自己負担があります。ただし、持っている保険により条件が違いますから、まず、出産を予定しているのであれば、妊娠前から自分の保険がどういうものか調べておく必要があります。

妊娠がわかると、病院では定期健診の費用、出産の費用、保険がどれくらいカバーするか教えてくれます。この時に、アメリカでは帝王切開になる場合が多いので、帝王切開の場合の費用も確認しておきます。

自宅出産や助産師に頼んで出産すると、費用は半分から3分の1程度になりますが、緊急事態になった場合は病院に送られ、その費用は普通の出産費用や帝王切開の費用と同じになります。

勤務先の健康保険に入る場合

アメリカで民間の健康保険に加入するには、勤務する会社を通すか個人で加入するか選択します。日本と違って、会社は健康保険を社員に提供しなくてもよい州もあります。医療費が高くなるにつれて、健康保険を提供しない企業が増えてきています。会社側が提供しても、会社側の負担が少なく、家族加入の毎月の保険料が500ドルを超えることも珍しくありません。

会社を通じて健康保険に入れるのは、年に1度、会社で定めた期間だけです。また勤め始めて1年間は健康保険に入れなかったり、本人は加入できても家族が入れない場合もあります。健康保険は、勤めている会社により、条件が千差万別です。会社が提供する健康保険も何種類かあり、家族の健康状態を考慮して決めなくてはいけません。

個人加入の健康保険

個人で健康保険に入る場合、大体の目安は子どもが2人いれば６００〜８００ドルくらいです。民間の保険会社はたくさんあり、またその内容も多岐に渡ります。保険料の安さにひかれて入ると、実際に病気になった時のカバー率が悪かったり、使える医療機関が少なかったりするので、注意が必要です。掛け金が比較的安いのは、ＨＭＯのプランです。受診できる範囲が広いことから、ＰＰＯに入っていた人も、近年の保険料金の値上がりで、ＨＭＯに変える人が多くなっています。

健康保険に入る時のチェック項目

年間の保険料が決まっていても、だんだん値上がりしてしまうことが多いので、値上がり率は必ず調べます。ホームドクターにかかる時と、専門医にかかる時の診察料金は違いますから、1回にどれくらいかかるかを確認します。緊急の場合のカバー率、たとえば救急車の費用は高いので、どれくらい保険から出るのかは重要なチェック項目です。血液検査やレントゲン、ＣＴスキャンなどは医師の診療所や病院ではなく、ラボと呼ばれる検査機関でしますが、これも保険が適用されるか調べる必要があります。処方薬についても保険が適用されないと高額な負担になってしまいます。

車の保険と同様に、健康保険にも自己免責額（Deductible）がある場合があります。自分で決めた免責額までは全額自己負担をして、それを超えた場合に10〜30%を負担することになります。免責額が高ければ、保険料は安くなります。

そして、妊娠を希望しているのであれば、妊娠・出産における条件とそれにかかる費用を調べます。

学生の場合

フルタイムの学生の場合は、大学の健康保険に入ることを義務付けていることがあります。大学の健康保険は個人で入るより割安なので、もし健康保険を持ってない場合には、大学の保険プランに入ります。家族も入れる場合があります。

学生のための大学構内にある診療所にいけば、診察料と処方薬が無料になる場合がありますが、歯科や産科はカバーされない場合が多いです。大学によっては、オプションで追加して入ることができます。しかし、なかには妊娠、出産、新生児の異常の場合もカバーしてくれる健康保険を持つ大学もあります。大学によって条件が違うので、きちんと確かめましょう。

日本の健康保険

学生でも、海外旅行保険に入っている人がいますが、クレジットカードについてくる保険では、妊娠、出産に関わる費用は負担されません。

国民健康保険を払い続けていれば、海外での治療費も負担されます。しかし、渡航目的が観光であり、1年未満に限られます。実際は日本の治療費をもとにしてカバーされるために、アメリカの高額な医療費には足りません。国民健康保険は、普通分娩の場合は保険が使えませんが、30万円程度の出産一時金が支払われます。海外の出産でも支払われるので、住民票のある役所で手続きをします。

帝王切開の場合は、国民健康保険で負担されますが、日本を基準にするために、40～50万円程度が支払われます。ただし、アメリカでの帝王切開は、保険がないと200万円以上かかる場合もありますし、新生児に問題があった場合の医療費は莫大になる場合もあるので、アメリカで出産を計画している場合は、アメリカの健康保

健康保険の種類、用語

Indemnity Plan[Fee-for-Service Plans]
自由に医療機関を選べ、
かかりつけ医の紹介状もいらない。
しかし、保険料が非常に高額である。

HMO[Health Maintenance Organaizetions]
PCP[Primary Care Physician]と呼ばれる
医者のなかから主治医を選び、
その医師からの紹介状がないと、
専門医にはかかれない。
保険料、医療費は安くなるが、制約が多い。

PPO[Preferred Provider Organizations]
HMOより、選べる医者が多い。
専門医には紹介状がなくても直接かかれる。
また、ネットワーク内の医者よりは
高くなるが、ネットワーク外の医者も
保険でカバーされる。

POS[Point of Service]
HMOとPPOをあわせたようなプラン。
かかりつけ医は決めなくてはいけないが、
ネットワーク外の医者にも
割高だがかかることができる。

COBRA[The Consolidated Omnibus Budget Reconsiliation Act]
職を失った人が、条件を満たせば、
36ヵ月までの健康保険延長ができる
システム。

Medicare
メディケアは、連邦政府による
高齢者と身体障害者を
対照にした健康保険制度で、
65歳以上の人、
または身体障害者に適用される。

Medicaid
メディケイドは、
低所得者層を対象とした健康保険だが、
州政府が運営しているために、
州ごとに内容が異なる。

BluecrossとBlueShied
どちらも民間の非営利保険組織で、
ブルークロスは病院保障保険、
ブルーシールドは診察用の保険である。
最近は、この2つがほとんど合併され、
ブルーズと呼ばれている。

険に入る必要があります。

健康保険に入らないうちに妊娠がわかった時

保険なしで妊娠出産をアメリカですることは、お勧めできません。通常分娩であれば、1万5，000ドルほどかかると見積もることはできますが、出産にはリスクがつきものです。妊婦に問題があっても、新生児に問題があっても、1週間入院するだけで、何万ドルも請求される場合があるのです。複雑な手術があった場合、何十万ドルになるケースもアメリカではよくあることです。

しかし、妊娠してから入れる保険というのは限られています。妊娠12週あたりまでは、入れる保険もありますから、なるべく早く健康保険を探します。

民間の健康保険でどうしてもみつからなかったら、いろいろな機関に問い合わせてみます。地元の母子センターWIC（Women, Infant, Children Center）、メディケア（所得が低い場合）は公的機関です。

Maternity Advantageや、AmeriPlanは、医療費のディスカウントプログラムで、50〜60％ディスカウントされ、妊娠後にも入れます。

病院で保険なしで出産するというと、保証金として5，000ドル前後払う場合が多いですが、現金で支払いをすると、医療費は割引になります。病院によっては、分割払いができるところもあるので、病院の支払い窓口で相談をします。地元の助産院(Birthing Center)で産むと、問題がなければ、病院の半額から3分の1の金額になります。

州によってはカリフォルニアのように、Medicalという制度があり、保険なしでも妊娠中の検診から出産まで無料でサービスを受けることができる場合もあります。

日本に帰国して出産する場合、妊娠後期になると、移動が難しくなるので、計画を立てて帰国するようにします。

費用の内訳

初診		300ドル前後
初診以降の定期健診一括		2,000〜3,000ドル
ウルトラサウンド		1回150〜200ドル
血液検査		50〜200ドル
トリプルマーカー検査［ダウン症、遺伝子異常］		250ドル前後
細菌検査［クラミジア、淋菌］		100ドル前後
妊娠糖尿病検査		100ドル前後
通常分娩［二日間入院］		4,000〜15,000ドル
帝王切開［5日間入院］		1,300〜20,000ドル以上
新生児集中治療室 1日につき		1,000〜3,000ドル
麻酔の値段	脊椎麻酔	［1.5時間まで］500ドル前後
		［4時間］700ドル
	硬膜外麻酔	［1.5時間まで］300ドル

8 日本とアメリカで**出生の手続き**をしよう

子どもがアメリカで生まれたら、アメリカの市民権を得ることができます。そのために出生証明書（Birth Certificate）とソーシャル・セキュリティ・ナンバー（Social Security Number　以下ＳＳナンバー）の手続きがあります。また、両親ともに日本人であるか、父親か母親か一方でも日本人であれば、日本国籍を得ることができます。

子どもの名前

妊娠中に子どもの名前を考えておきます。ただでさえ、子どもの名前をつけることは難しいのに、アメリカではミドル・ネームもあるし、日本国籍を取る場合には、日本名も考えなくてはいけません。

まず、アメリカのファースト・ネームは、夫婦でよく相談して決めます。ファースト・ネームを日本名にする人もたくさんいます。英語名にする場合は、夫婦どちらかの家系の系統に合わせた名前にする場合もあります。ファースト・ネームを英語名にしてミドル・ネームを日本名にしたり、ミドル・ネームは母方の姓にしたり、それぞれでこれといった決まりはありません。またアメリカでは、ファースト・ネームではなく、ミドル・ネームを呼び名として使う人もいるので、日本より名前については柔軟性があります。

日本とアメリカ、どちらにも通用する国際的な名前をつける人もいます。ソーシャル・セキュリティの政府のホームページ［http://www.ssa.gov/OACT/babynames/］では、毎年つけられる名前のトップ１，０００まで閲覧でき、過去１００年間ものリストがあります。命名の傾向の説明もあって参考になります。

病院内での手続き

退院するまでに、出生証明書とＳＳナンバーの手続きをします。書類は入院中に病院で用意してくれるので、必要事項（両親の名前、連絡先住所、ＳＳナンバーなど）

を記入し、間違いがないかどうかよく確認してから病院に提出します。

その後の手続きは病院側でしてくれ、出生証明書は1週間程度、ＳＳナンバーは3週間ほどで郵送されてきます。

パスポートを作るために出生証明書を急ぐ場合には、病院で場所を聞いて自分の住むカウンティのオフィスに取りにいくこともできます。出生証明書発行の費用は10～20ドルです。

出生証明書に書かれた名前が、アメリカのパスポートなどの公文書に記されるアメリカでの正式な名前になります。

日本への出生届け

生まれた日を含めて3ヵ月以内に日本国籍留保の届けと出生届をすると、子どもはアメリカと日本の重国籍になります。3ヵ月を過ぎてしまうと、日本国籍は喪失してしまうので、期限を守るようにします。

必要書類は大使館や領事館の窓口で手に入りますが、郵送もしてくれます。届け出は、領事館の領事部宛、または本籍地の市町村役場に郵送することも可能です。

国際結婚の場合は、夫婦別姓も可能なので、夫婦別姓の場合は、子どもは日本の姓か外国の姓か選択することになります。日本人の親の戸籍と同じ姓ならば、日本人の親と同じ戸籍に入ります。すでに外国人の姓に戸籍を変えている場合は、子どもの姓もそのまま外国姓になります。母親が日本の姓でも父親の外国姓に変更したい場合は、外国の姓にすることもできます。ただし、子どもに単独の外国姓の戸籍を持たせたい場合は、日本人の親の戸籍に出生が記載されてから、家庭裁判所に氏変更の申し立てをしなくてはいけません。

在留届けの提出

日本への出生届けを出す時に、子どもの在留届けも忘れずにしておきます。在留届は、管轄の領事館のホームページから届け用紙をダウンロードして郵送することもできますが、外務省の「在留届電子提出システム」[http://ezairyu.mofa.go.jp/] を利用すれば、日本国外のどこに住んでいても、簡単に在留届をすることができます。

アメリカでのパスポート申請

出生証明書発行後に、アメリカのパスポートの申請が

日本への**出生届**の**必要書類**

●出生届2通[窓口で入手しますが、郵送してもらうことも可能]
●出生登録証明書、または立ち会い医師が作成した出生証明書1通とそのコピー2通
[ただし、父または母が戸籍の筆頭者でない場合、
また母の以前の本籍と異なる市町村に本籍を設ける場合は各3通ずつ]
●出生証明書の抄訳文に翻訳者を明記したもの2通

出生登録証明等に必要な事項

●子どもの名前、性別
●出生の年月日と時間[現地時間で]
●出生の場所[病院で出産の場合は病院名と住所]
●父母の名前

アメリカの**パスポート申請**に必要なもの

●申請用紙[郵便局にもあるが、郵便局のホームページからダウンロード可]
●出生証明書[原本]
●パスポートサイズの写真2枚[郵便局でも撮影可]
●申請料金

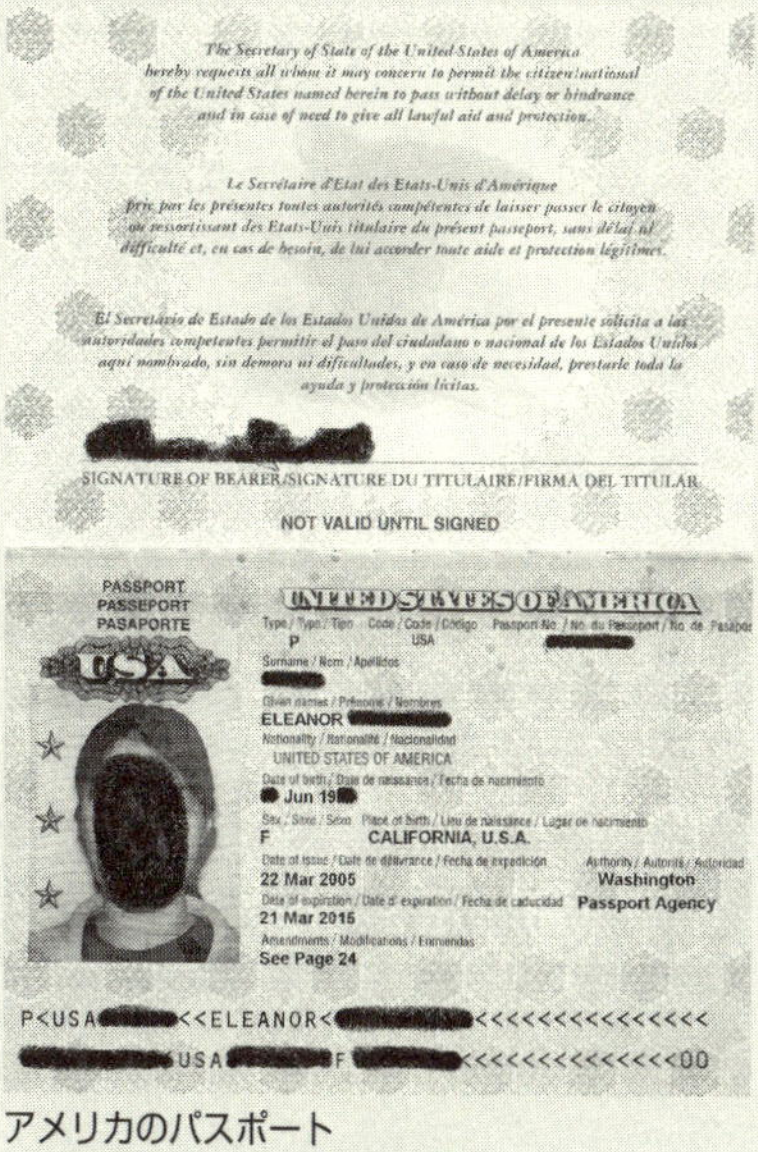

アメリカのパスポート

日本の**パスポート申請**に必要なもの

●旅券発給申請書1通[領事館備え付けのもの]
●写真1枚[タテ4.5センチ×ヨコ3.5センチ、白黒またはカラー]
●戸籍謄(抄)本1通 6ヵ以内に月発行されたもの]
●出生証明書

アメリカと日本のパスポート比較

できます。申請はパスポート申請を扱っている郵便局でします。

16歳未満の子どものパスポート申請には、両親の同意が必要です。少なくとも1名の親が窓口まで同伴して申請しなくてはいけません。年々、子どものパスポート申請書類や条件は、国外に勝手に子どもを連れ出すような犯罪の関係から厳しくなってきているので、必ず、最新情報をチェックしてから申請するようにします。

できあがったパスポートは、1ヵ月ほどで郵送されてきます。急ぐ場合は追加料金が必要になりますが、スピード申請もできます。

日本のパスポート申請

日本での出生届を終え、戸籍ができてから日本のパスポートの申請ができるようになります。戸籍ができるまで時間がかかるので、パスポート発行までは出生後、早くても5ヵ月程度はかかってしまいます。

20歳未満の子どもは5年用のパスポートで、新生児であっても親のパスポートとは別の単独のパスポートを取ります。

申請書は領事館のホームページからダウンロードして、郵送で請求することが可能です。コピーは不可です。申請書は、領事館ホームページの例を参考にして記入します。乳幼児の場合は、親がサインします。

申請も受領も郵送では受け付けていませんから、管轄の大使館または領事館窓口までいく必要があります。申請は代理人でもよいですが、たとえ新生児であっても、6ヵ月以内に子どもを連れて、窓口までパスポートを取りにいく必要があります。

重国籍は22歳まで

アメリカは積極的には多重国籍を認めていませんが、アメリカ以外の国籍を持ち続けることは可能です。しかし、政府高官や軍などの特別な職に就く場合には、重国籍は認められない場合もあります。その時は、アメリカの市民権以外の国籍は放棄しなければいけません。日本の国籍法は重国籍を認めていないので、法的には22歳までに国籍の選択をしなければいけないことになっています。

9 出産の手伝いを日本の親に頼む場合

出産は夫婦の一大イベント

アメリカでは日本のように里帰りして出産する人は少なく、出産は夫婦共同でする一大イベントだと考えられ、夫も1週間以上会社を休む人が多いです。妻が出産したら休んで当然と考えられ、みなそうしているので、周囲の理解もあるのです。

実際、生まれたての乳児は、母子共に健康であればたとえ帝王切開になっても、それほど手がかかりません。夫婦2人で十分に乗り切ることができます。

しかし、出産に問題があることがわかっていたり、夫の手助けが十分に得られないことがわかっていたら、親の手伝いを頼むことも考えられます。また、親も生まれたての孫の顔をみたいので、それを口実に手伝いたいと思っている場合も多いのです。

親たちが手伝いに来ると、乳児の世話をしてくれるのはいいのですが、夫婦と乳児の楽しい時間を取られてしまうということもあるようです。

日本にいる親に来てもらう

日本では実家に戻って出産する人も多いことでしょう。最初の出産は、特に日本の親が手伝ってくれたら安心だと思う人は、実家の親に来てもらうことになりますが、タイミングが難しくなります。予定日前後少なくとも2週間以内はいつ出産してもおかしくありませんが、もっと前に生まれてしまったり、予定日をずいぶん過ぎてからもなかなか生まれない場合もあるのです。

一番手伝いが欲しいのは、出産後自宅に戻ってきてから1ヵ月くらいです。状況が許せば、母親には日本で待機してもらって、出産が始まったら出立して、退院後3日くらいに来てもらうのが一番よさそうです。

もし、親が初めての渡米で、英語ができない場合は、入国審査の時に困らないように、渡米理由と連絡先などを書いた英文の書類を用意しておくとよいでしょう。

自分の親だからといっても、出産後はホルモンバランスが崩れていて、気分のアップダウンも激しく、親がいることがストレスになる人もいます。英語と車の運転ができないと、親の世話にも追われることになりますので、よく考えてから決めるとよいでしょう。

日本の母親に持たせる英文例

To whom it may concern,
My mother/mother in law,
母親の名前 , is coming to help our family
for our newborn baby.
She is staying at our house/hotel nearby 滞在先住所
from 年月日 to 年月日
Please note that she is unable to speak
or understand English.
If you have any questions, please contact us:
Cell phone 名前と携帯電話の番号
Home phone 自宅の名前と電話番号
Sincerely yours,
サイン
タイプした名前

夫の親に手伝ってもらう

夫の母親のなかには、出産後を手伝って当然と考えている人もいます。こればかりは、義母とのそれまでの関係が大きく左右する問題ですが、どうしても断れない場合も出てきます。

アメリカ人の義母たちは、生まれたての赤ちゃんの世話を楽しみにやってきて、それ以外の家事をしてくれない人も多くいます。もともと家事が苦手な女性も多いからです。

その場合、手伝って欲しい内容をしっかり伝えることがうまくいくコツです。たとえば「食事は私が作るので、食べられなかったら自分のものは自分で作ってください」「赤ちゃんの世話は私がなるべくしたいです。時々、抱っこをしてやってください」などと具体的にいったほうがよい場合があります。どちらかというと、夫の世話を頼むとうまくいくようです。

乳児の検診などは一緒にいってもらうと助かるので、ぜひ頼みます。

子連れ留学から再婚へ

コギンス由紀［48歳・不動産業］

1999年、2人の子どもを連れてカレッジに留学。後にアメリカ人と知り合い再婚。

2008年1月、不動産セールスパーソンの資格を取得。家族構成は夫（47歳）、長女（19歳）、長男（16歳）。

離婚から子連れ留学へ

＊＊なぜ渡航しようと思いましたか

20年来の夢でした。日本人の夫との離婚を考え始めたのをきっかけに、夢を叶えてみようと思いました。それに離婚をすることで、子どもたちがいじめられたり、親御さんたちに変な目でみられることも嫌でした。この点においては正解だったようです。やはり日本はまだ保守的ですから、世間から疎まれます。カリフォルニアでは、子どもの友達にも離婚家族が多かったので、子どもたちに負い目がありませんでした。

＊＊カレッジでの専攻は何でしたか

シティカレッジ（2年制大学）でしたので、特に学部というのはないのですが、初期の専攻は、パラリーガル（法律事務専門職コース）でした。日本の大学は法学部を卒業しましたので、アメリカでも弁護士秘書の仕事がいいのではないかと思ったからです。まず、英語がついていけないので、最初のセメスター（学期）は英語だけを勉強していましたが、その間に主人と知り合い、パラリーガルになることをあきらめ、音楽にメジャーを変えて、特に作曲の専攻に変えました。英語の授業に重きを置きながら、2年間カレッジで過ごしましたが、結婚したので、卒業はしていません。

＊＊留学するまで日本で英語はどのように勉強しましたか

カレッジ入学に向けてＴＯＥＦＬを受けなければならなかったので、当時やっていたＷＯＷＷＯＷのＴＯＥＦＬ講座をビデオに入れて、何回も勉強しました。あとは映画をみたり、ＢＳ放送のＣＮＮニュースやＡＢＣニュースをみていました。でも当時30代後半でしたから、記憶力も劣っていたし、限度がありました。いまだに若い方のように、柔軟には英語に馴染めません。

子どもたちの様子

＊＊渡米時の子どもさんの年齢は

渡米当時、上の娘が10歳。下の息子は7歳でした。現在、息子は16歳で10年生です。娘は19歳でコミュニティカレッジへ通っています。娘はCPA（公認会計士）を目指していますので、3年生から4年制の大学へトランスファー（編入）する予定です。

＊＊＊子どもさんたちは、英語と日本語とどちらが得意ですか

娘は日本語です。息子は英語ですが、日本語もちゃんとしたイントネーションでしゃべれます。日系人特有の話し方ではありません。

＊＊＊子どもさん同士ではどちらの言葉を話しますか

日本人同士（私、娘、息子）は日本語で話します。娘はすでに10歳になって渡米しましたので、日本語は完璧でした。幸い日本人の友達もでき、日本語で交換ノートなどを書いて、日本語を忘れないように使っていましたから、今でも会話はもちろん、読み書きも流暢にできます。

息子は、カタカナを習い始めの時に渡米したので、日本語を書けなくなりました。日本語補習校へは入れませんでしたので（金銭上の問題）、ひらがなやカタカナを忘れて、自分の名前も書けなくなってしまいました。

ただ、普通に会話したり読んだりすることはできます。日本のマンガを読んだり、日本のゲームをしてゲーム上の文字を読んでいたせいで、読むことに関しては、難しい漢字以外は読めます。それでも不思議なことに書けないんです。これを知った時は、ショックでした。でも、無理に教えようとはしていません。本人も日本語を勉強したがりませんから……。パソコンを使えば遅いですが書けるので、それでよしとしています。

＊＊＊子どもさんたちは、渡米することに対して、どのような意見でしたか

何が何だかわからなかったと思います。特別に意見はありませんでした。ひたすらお母さんに付いていくしかない、と覚悟を決めていたようです。アメリカといっても、ピンとこなかったようです。ただ、言葉の心配をしていました。

＊＊＊子どもさんたちはどのようにして環境に慣れましたか

幸い日本人の多い地域でしたので、息子は同じクラスの日本人とすぐ友達になりました。それに小さかったせいもあって、すぐにほかの人種の子どもたちとも仲良くなりました。彼の環境への対応は早かったと思います。英語も徐々に慣れていき、本人の努力と担任の先生の協力もあって、今では英語が母国語と間違われるほどになりました。

娘は数年英語で苦労していました。日本の文化が大好きだったので、日本人と一緒にいたがりました。日本を恋しがって、私を困らせることもしばしばでした。中学まで友達関係などでも苦労したようですが、大きくなるにつれてたくさん友達もでき、同じ趣味の子どもたちと遊ぶようになり、日本に帰りたいとあまりいわなくなりました。

面白いことに、私たちが初めて住んだアパートは、シングルマザーや、シングルファーザーの集まりでした。色々な人種の子どもたちがいましたが、うちの子どもたちと同じ年齢の子どもたちが多く、日本からきたといったら、「ポケモンカードを持っているか?」と聞いてきました。ポケモン狂いの我が子どもたちは、日本からたくさんのカードを持ってきていたので、いつのまにやら、私たちの部屋に同じアパートや近所の子どもたちがひっきりなしにやってきて、ポケモンカードのトレイドがおこなわれるようになりました。

うちの子どもたちも大喜びで、同じアパートの子どもたちとゲームをやったり、外で遊んだりしていました。最初の環境が子どもたちによかったと思います。特に息子には……。子どもにはよかったのですが、最初に私の住んだエリアには、日本企業の駐在の方々が多く、私のような人間を中傷する人も多々いて、私自身はここでは日本人との付き合いはほとんどしませんでした。

アメリカ人と再婚

＊＊ご主人との出会いから結婚までのいきさつは

主人と知り合ったのは、渡米して4ヵ月経った頃です。私はロックやフュージョンが大好きなんです。17歳の頃からＴＯＴＯ（１９７６年にロサンゼルスで結成されたロックバンド）が大好きで、来日コンサートにも全部いくほどでした。渡米前にいった最後のコンサートもＴＯＴＯでした。そのバンドのギタリストのSteve Lukatherが関係しているスタジオがNorth Hollywoodにあることは、ファンなら周知の事実でしたから、一度いってみたいと思っていました。見学させてくれるかなという甘い考えで、見学依頼のメールを打ちました。

その時、返事をしてくれたのが今の主人です。主人はサウンド・エンジニアで、スタジオの経営者でもありました。見学してもよいといわれて、スタジオで会ったのが最初です。その後、1年半つき合って結婚しました。主人はスコットランド系アメリカ人で、初婚です。

＊＊再婚に関して、子どもさんたちの意見はどうでしたか

自然に結婚へ持っていった感じなので、結婚したいといっても反対はしませんでした。反対のしようがなかったのかもしれませんが……。

＊＊国際結婚をうまく乗り切っていくために気をつけていることや、工夫していることはありますか

日本語のできる旦那様だと問題はないのですが、英語での会話で、私が堪能じゃないのでよく勘違いして喧嘩になります。習慣の違いもありますし、わからないことは、とことん聞いて誤解のないようにすることが必要だと思います。私の周りにも、国際結婚の友達がたくさんいます。皆、言葉の問題をいいますね。うちは子どもたちは日本人なので、親子の間ではいつも日本語を話します。ですが日本語のわからない主人が可哀想なので、主人が側にいる時は英語で話すようにしています。

不動産セールスパーソンの資格取得

＊＊今年の始めにカリフォルニア州の不

動産セールスパーソン［Salesperson］の資格を取られましたね。なぜ資格を取ろうと思いましたか

私自身も興味がありましたし、主人の義理の親戚に台湾の方がいて、ハワイで不動産ブローカーを45歳過ぎてから始めました。彼女が成功したのをみて、私に薦めたのがきっかけです。英語が苦手でも大丈夫なようです。今後、主人も資格を取って、不動産の仕事を一緒にやる予定です。

＊＊ご主人の音楽ビジネスは、どうされるおつもりですか

音楽は趣味なので、スタジオを売らない限り続けると思います。仕事自体はお金になりませんが、ハワイの不動産屋の親戚が出資していますので、潰れることはありません。

＊＊資格取得のために、どのような勉強をしましたか

アメリカの大学を出ていない人が試験を受けるためには、カレッジで3科目の授業を取らなければなりません。もちろんパスしなければいけませんよ。以前はReal Estate Principles だけ取っていれば試験を受けられ、仮の免許を取り、18ヵ月の間にほかの2教科を取ればよかったのですが、去年の10月に法律が変わって、Real Estate Principles、Real Estate Practice の選択肢の中から一教科を取らないと、試験を受けることができなくなりました。ちなみに資格を取るためにはグリーンカード以上の身分が必要です。

＊＊セールスパーソンはどのような仕事をするのですか

アメリカはご存知のように、各州で法律が違います。不動産法も同じで、州のセールスパーソンの資格を取ると、ブローカーの下でカリフォルニア州の不動産売買ができます。不動産が売れた場合、ブローカーは売り主から、セールスパーソンはブローカーからコミッションをもらいます。ブローカーになるためには、ブローカーの元で2年間インターンをして、決められた8教科を取得して、やっとブローカーの試験が受けられます。カリフォルニアで4年制の大学を出ている人は、すぐにブローカー試験を受けることができます。

ほかにも、不動産セールスパーソンの免許を持っていると、モルゲージやローンのファイナンシャルの仕事ができるようになります。また、不動産売買のほかに、不動産を扱った商売ができます。たとえば、不動産投資やレンタル物件のマネージメントなどです。

＊＊ブローカーの資格にも挑戦される予定ですか

はい、近くにあるコミュニティカレッジに週1回通って勉強を始めています。暇なので、いまのうちに……というわけです。生き残れる不動産業者は全体の20％です。そのうちの数％がミリオネアーです。結局、どのように生き残るかは、資格所持者のビジネスセンスに寄るところが多いのです。私と主人の考えは、企業秘密ですからお教えできませんが、みんなと同じことをやっていては生き残れないということです。

いまの仕事、これまでの仕事

＊＊現在、セールスパーソンとしてどのような仕事をしていますか

私の場合、ロサンゼルス一帯の不動産物件を扱っています。特には今開発が進んでいるアンテロープバレーとヴァレンシアを担当しています。ヴァレンシアは日本人もどんどん増え、5番フリーウェイも走り、ロス中心部からも30分という便利なところです。私がいっているのは、不動産売買で、レンタル物件は扱っていません。もし不動産について問い合わせをされたい場合は、yuki@steakhousestudio.com までメールをくださいね。

＊＊そのほかにも仕事をしていますか

コミュニティ冊子に出ていた募集に応募して、日本語補習校で司書の仕事をしています。今年で5年目になります。不動産の仕事がほとんどないので、辞められません。日本でも話題になっているサブプライムローンなどの影響で不動産業界は大ダメージを受け、私の住む地域でも4,000人の不動産エージェントのうち2,800人が、1年間まったく仕事がない状態です。

＊＊それまでに、アメリカでどのような仕事をしましたか

グリーンカードを取ってからは、インターナショナル・ミュージック・コーディネーターの仕事をしていました。これは、主人のレコーディングスタジオに日本からミュージシャンを呼んで、こちらで有名なミュージシャンをアレンジし、レコーディングするというものです。今は、話があればする程度です。そのほかにも、友達の紹介でお昼だけのウエイトレスも1ヵ月だけしました。でも、私には合いませんでした。その後、当時、近くにあった日系スーパーでバイトをしたことがあります。そこは引っ越しのために辞めました。

＊＊渡航前、日本ではどんな仕事をしていましたか

最初の結婚後、13年間専業主婦でした。ただ、渡米を決めてから、ビザを取るために1年間ホームセンターでバイトをしました。学生ビザを取得するため、その会社から源泉徴収票をもらい、在職証明書を書いてもらいました。

経験した差別

＊＊渡航前と渡航後で、アメリカに対する考えで変わったことがありますか

初めて18歳でカリフォルニアへ1ヵ月だけの遊学できた時、アメリカは自由の国で、アメリカ人はいい人ばかりと感じたのですが、今のように住み始めますと、差別がとても気になります。主人は慣れろといいますが、いまだに慣れません。今まで嫌な目に何度もあってきました。この経験は、日本に住む日本人にはなかなか理解できないと思います。

＊＊もう少し具体的に教えてください

たくさんありますが、いまでも思い出すと頭にくることを紹介します。ガソリンスタンドでお金を払う時、受付のラティーノの中年男性が、私の前のラティーノにはとてもにこやかにしていたのに、私の番になっておつりをもらおうと手を差し出したにもかかわらず、無言でおつりをバラバラと投げつけ、フン！といったのです。私の後ろにいたラティーノのお客には勿論よい顔をしていました。

ほかにも、スーパーのレジで、私の前の白人のお客にはにこにこしていたのに、私の番になるとムスっとして挨拶もせず、私のうしろの白人のお客に話しかけるといったこともありました。私の英語に対して、バカにして向かいのレジの人間と大声で笑うといったこともありました。サンタバーバラへいく途中のレストランでは、主人と食事をしようと座っていたら、向かいに座っていた5歳位の男の子が振り返り、椅子の背に顎をのせて、私をじーっとみているんです。その子の親は目を伏せていましたが、それに気づいた主人が、席を替えようといってくれました。

私は思わず、以前日系の冊子で読んだ記事を思い出してしまいました。50年位前にアメリカ人との結婚で渡米し、アジア人のいない地域へ移り住んだ日本人女性に対し、幼い白人の子どもが「あの変な物は何？」と親に聞いたというのです。今の世の中にもこういうことがあるのです。

＊＊戦争や政治が絡んで、気分を重くさせられたこともあったようですね

クラスメートの中国人に「なんだ！あなた日本人なの！」と吐き捨てるようにいわれたこともあります。カレッジのブックストアーには南京大虐殺の本が、どこかのクラスのテキストとして売られていました。このようなことを気にしない中国本土からきた人もいて、そういう人たちとは友達になりましたが……。また、この当時、ベトナム人の若い子たちが私とクラスメートの数人の日本人を嫌っていました。ベトナム戦争で協力しなかったからかな？と思いましたが、原因はわかりません。

＊＊日本人ということで、特別視されることはありますか

こちらの人の中には、日本人はほかのアジア人とは違うと考える人もいるのか、「私は日本人です」というと、途端に態度がよいほうへ変わる人も多いです。しかし、第2次世界大戦経験者の中には、日本人恐怖症の人もいるのだそうです。これは、差別とは関係ないかもしれませんが、一度アルメニア系のクラスメートに「日本人女性が世界で一番奥さんに適しているって本当？」と聞かれたことがあります。「そんなことはないでしょう。特に今の時代は」と答えましたが、多くの人が日本人女性は男性とすぐ寝るし、男性に尽くす「さゆり」タイプであると思っているようです。

『グローバルJ通信』
2008年6・7月号より抜粋・加筆修正あり

8章

新生児を育てる準備から幼児期まで

小児科を選ぶ時のコツは？

定期健診は日本と一緒？

ベビーシャワーでお祝い

1 割礼の習慣は減ってきている

割礼の歴史

日本にはない習慣に、男児が生まれた時の割礼があります。割礼は、生まれた男児のペニスの包皮をすべて切り取る手術のことをいい、退院する前におこなわれます。これは、ユダヤ教、イスラム教、アフリカの諸民族など宗教的な理由から手術する場合と、衛生の面を考えて手術する場合があります。

アメリカの場合は、衛生上の理由が多く、特に第二次世界大戦後は、性病や陰茎ガンの予防に効果があるともいわれて普及してきました。１９９０年代までは、出生した男児の多くがこの包皮切除手術を施術されていましたが、最近、小児科学会では包皮切除を積極的にすすめない方針となり、手術を受ける男児はだんだん減ってきて、現在では約6割程度が手術を受けているといわれています。

割礼によるデメリット

割礼の手術は生まれたばかりの新生児には負担が大きい手術なので、出血、感染症、手術による傷が残るなどの心配から、割礼を受けさせない親が多くなってきました。包皮切除手術が本当に必要な人は大変少なく、大人になってからでも間にあう場合が多いうえ、健康保険が適用されます。乳児は保険がきかない場合が多く、費用は２００ドル程度です。

最終決定は親

宗教上の理由で割礼をする人も減っていますが、今でも割礼を希望する人々は根強くいます。家族のバックグラウンドを考えて、夫婦でよく話し合い、出産前の余裕のある時期に、医師とも相談して決めておいたほうがよいでしょう。

2 子どもの将来のために〝臍《さい》帯《たい》血《けつ》〟を保存しよう

臍帯血［Cord Blood］とは何か

へその緒（臍帯《さいたい》）に含まれる血液のことを臍帯血といいます。臍帯血には健康な血液を作り出すための細胞があり、骨髄と同様の働きがあります。白血病をはじめ、再生不良貧血、免疫不全症や遺伝病などの血液の難病の治療に効果があります。この臍帯血を保存しておけば、将来、子どもが難病にかかった時に利用できたり、寄付をして難病の人の治療に役立てることもできます。

民間バンクに登録する

アメリカには、臍帯血を保存する民間のバンクがたくさんあり、その数も年々増えつつあります。子どもが万が一、血液の難病にかかったことを考えて登録する親も増えています。

臍帯血保存の費用は、最初に５００～２，０００ドルを払い、その後保管料として年間１００ドル程度かかります。バンクによって、費用やサービスが違いますので、事前によく調べておきます。現時点では、治療には細胞数が足りない場合があったり、成人患者には適応する率が低いなど問題点もありますが、将来の可能性は広がるといわれています。難病にかかる割合は20万分の１～１万分の１と低いですが、家族の病歴から考えて可能性の高い場合は登録することも考えられます。

臍帯血の寄付をする

寄付は無料で簡単にできるようになっています。妊娠32週くらいまでに臍帯血バンクに寄付の書類を提出します。少量の血液を取り、臍帯血の寄付ができるかどうかを調べるだけです。臍帯血のバンクは限られているので、産婦人科医や病院で情報を得ます。

3 かかりつけの小児科医選びのポイント

新生児は小児科医がみる

小児科医には、生まれてすぐにかかることになります。退院までは産婦人科医が新生児の世話をする日本と違って、アメリカでは出産後からは小児科医が新生児をみるからです。まだ決まっていない場合には、病院にいる小児科が新生児の健康診断をしますが、できればこの時までに小児科医を決めて、最初からみてもらったほうがよいでしょう。小児科医は、時間が許せば病院にいって新生児をきちんと診察してくれますから、出産したら連絡をします。

小児科を探す

小児科医もほかの科の医師と同様に新患を受け付けていないところもあるので、いざという時のためには、早めに探しておきます。ファミリードクターのなかには、小児科もみる医師がいるので、まずは自分のファミリードクターに聞いてみましょう。産婦人科の医師におすすめの小児科医を聞くこともできます。出産2ヵ月前くらいの余裕のある期間に決めておきます。

まず、自分の保健が使えるかどうかを確認します。電話をして、出産したあとの子どもの担当医になってほしいことを告げます。どこの病院で出産するか、予定日、産婦人科医が誰であるか、健康保険は何かなどの打ち合わせをかねて、一度小児科医に会う予約をします。

小児科選びのポイント

健康診断や予防接種などで小児科医にいく機会が多いので、家から近いことが重要です。複数の医師がグループで開業しているオフィスは、お互いに休日や時間外の診療をカバーしている場合もあります。

アメリカの小児科医は、母親と育児の方針を話し合ってくれるので、感じのよさそうな医師に決めます。

4 新生児から6歳までの**予防接種**

日米間での予防接種の違い

日本と違い、移民が多く集まっているアメリカでは、感染症の種類も多いことから、子どもが受ける予防接種の種類が日本よりずっと多くなります。生後2ヵ月から1ヵ月おきに連続して太ももと肩に一度に4～5種類もの予防接種を受けることもあります。

これは何度も通院するよりは便利ですが、日本では1本ずつ受けるので、心配になります。医学的には、一度にたくさんの予防接種を受けても副作用の危険が高まることはないそうです。多少の熱があっても、予防接種をしてしまうところも日本とは違います。

また日本ではポリオは経口生ワクチンですが、アメリカでは副作用の少ない注射タイプを使用しています。入学時までに、B型肝炎を始め、日本では予防接種の対象外の注射を数本受けます。

予防医学はアメリカのほうが進んでおり、予防接種もアメリカのほうが安全なものが多いようです。日本では問題があったＭＭＲ（はしか・おたふく・風疹の混合ワクチン）もアメリカで開発されたものは、副作用が出る割合がとても低く、安全です。

定期健診と予防接種

定期健診では、体重、身長、胸囲を測ります。そして医師の診察があり、心配事の相談などをします。最後にスケジュールにのっとった予防接種を射たれます。検診は、出産2週間後、2ヵ月、4ヵ月、6ヵ月、9ヵ月、12ヵ月、というようにだんだん間隔があいていきます。最初の検診から3歳になるまではたくさんの予防接種があります。通常の予防接種のほかにインフルエンザの予防接種もしたほうがよいとされています。ＢＣＧと日本脳炎の予防接種はアメリカではしません。

子どもの予防接種は、たいてい健康保険が効き、無料の場合が多いのですが、健康保険が効かない場合は、予防接種1本につき30～150ドルくらいします。値段は予防接種の種類、医療機関によります。州の保健所(Health Department)では、無料か格安で予防接種をしてくれます。

子どもの福祉を考えて、州によっては健康保険に入っていない子どもが入れる健康保険プランを用意しているところもあります。

予防接種による重い副作用などには公的な保障制度(National Vaccine Injury Compensation Program of Center for Disease Control)があります。

病気になった時

子どもが急に発熱したり、下痢など体調が悪くなった時は、まず小児科医に連絡をします。小児科医には、緊急の場合の連絡先を聞いておきます。

アメリカでは、38度を超える熱が2、3日続いても、普段健康な子どもなら、市販の解熱剤を飲んで、自宅で寝かせておきなさいという指示をする場合もあります。軽い病気の場合は、医師ではなく、処方箋を出すことのできる医療アシスタントがみてくれる場合があります。

年齢別にみる、アメリカ小児一般に奨励されている予防接種スケジュール

予防接種/年齢	誕生	1カ月	2カ月	4カ月	6カ月	12カ月	15カ月	18カ月	24カ月	4-6歳	11-12歳	13-18歳
B型肝炎 [HepB]	HepB #1		HepB #2									
三種混合 [DTaP]						DTaP				DTaP	(破傷風のみ10年毎に摂取)	
不活化ポリオ [IVP]			IVP	IVP		IVP				IVP		
B型インフルエンザ菌 [Hib]			Hib	Hib	Hib	Hib						
混合ワクチン [MMR]						MMR#1				MMR#2(4歳～6歳)		
水痘 [Varicella]						Varicella#1						
肺炎球菌 [PCV]			PCV	PCV	PCV	PCV						

5 増えてきている母乳育児

母乳育児の推奨

母乳は乳児を感染症や下痢、乳児の死亡から守ると考えられているので、アメリカ小児学会は、母乳育児を少なくとも6ヵ月になるまで、できれば1歳になるまで続けることを奨励するようになりました。

病院でも、退院前に積極的に母乳育児をすすめるので、増加傾向にはありますが、まだまだ完全に母乳で育てている人は10%と少ないです。アメリカでは働く女性が多いので、母乳育児を続けるのが難しいことが理由のひとつです。

しかし、最近は働いている女性も、母乳育児中は会社に搾乳ポンプを持っていって搾乳したり、会社近くの託児所に乳児を預けている場合は、昼などに抜け出して授乳するという光景もみられるようになりました。

病院によっては退院時に搾乳機がもらえたり、電動の搾乳機をレンタルできるところもあります。

公共での授乳場所

ショッピングセンターのような場所では、試着室を利用する人もたくさんいます。車で移動している場合は、車に戻って授乳する人もいます。

べべオレ（Bebe au lait）のような授乳用のケープや、授乳していることがわからないように上着をかけるなどすれば、空港やレストランでも、人目につかずに授乳することができます。

州によっては、公共の場での授乳の権利を、母乳育児奨励のために法律で定めているところもあります。しかし、たとえ公共での授乳は法律では禁止されていなくても、カバーをせずに不用意に人前で胸をはだけると、注意を受けることがあります。

母乳育児を助けてくれる機関

まず、出産前に病院で母乳育児を含めた両親学級があります。それに参加して、母乳育児について学ぶことができます。

　アメリカでは、母乳育児を助けてくれる全米規模の団体がいくつかあります。シカゴの母親たちが１９５０年代に立ち上げたラ・レーチェ（La Leche League）という母乳を支援する非営利の団体は、世界規模でも最大の団体です。ここでは、実際に母乳経験のある母親からのサポートを受けたり、毎月のミーティングで勉強できたり、団体の資格を持っている人に電話相談もできます。育児や母乳に関する図書の貸し出しもしています。シアトル、サンフランシスコ、ロサンゼルスには、ラ・レーチェの日本人組織もありますので、そこでは、日本語での相談ができ、集会があります。

　そのほかにも母乳を支援する全米組織の団体（Breast-feeding Support Group）があるので、病院などで情報を得るとよいでしょう。

粉ミルクで育てる

　いろいろな事情により、粉ミルク（Formula）で育てる人もたくさんいることと思います。粉ミルクも哺乳瓶もスーパーマーケットや薬局で多くの種類が売られていますので、使いやすいものを選びます。

　便利なのは、プラスチック製の哺乳瓶でも消毒できる30ドル前後の哺乳瓶消毒セット（Microwave Steam Sterilizer）です。いちいち煮沸消毒したり、薬品で消毒しなくてすみます。使い捨てタイプの哺乳瓶もあり、外出時に利用することもできます。

公的支援

　アメリカにはＷＩＣ(Women, Infant, Children Program)という、妊婦や小さい子の食料援助、健康管理をする低所得者用の支援プログラムがあります。規定の収入以下の人が登録すれば、母親は妊娠中と産後半年まで、子どもは5歳になるまで、ミルク、ジュース、野菜、卵などのフードチケットがもらえます。

　母乳育児用と粉ミルク育児用でもらえる内容が違い、粉ミルクは、乳児の月齢によってもらえる缶の量が違います。これらの券は、商品としか交換できず、現金化はできません。

6 布オムツと紙オムツ、それぞれの利点

使い捨ての紙オムツを使っている人が圧倒的に多いアメリカですが、最近は布オムツを選ぶ人が増えてきました。2000年くらいまでは布オムツを探すのが難しく、布オムツといえば、四角に折った布の両脇を安全ピンで留め、ビニールのカバーをかぶせるというイメージでしたが、最近はオムツライナーやカバーごと洗える便利なものも出てきました。布オムツを扱っている店も増えたようです。

日本のオムツとの違い

アメリカのオムツより、日本のもののほうが使いやすいという人もいます。日本のものは長方形で輪になるように縫ってあるものが多いのに対して、アメリカのオムツは、正方形が多いからです。

布オムツには乾燥しにくいものがありますが、アメリカでは乾燥機を使うので、天気や時間に左右されず、洗濯して乾かすという一番大変な作業がとても楽です。

布オムツの利点

紙オムツを作るために、毎年何十万本もの木が切られていますが、布オムツは繰り返し使うことが可能なため、ごみを出さずにすむので、環境によいという利点があります。次に紙オムツには、何十種類もの化学物質が使用されているために、皮膚に炎症やアレルギー反応を引き起こすこともあります。この点、布オムツのほうがかぶれにくいようです。自分で洗濯する場合は、紙オムツを使うより節約にもなります。

布オムツの種類

布オムツはガーバー（Gerber）を始め、いろいろなメーカーが出しています。ベビー用品を扱うところで簡単にみつかります。布といっても、吸収力もよく、汚れがつきにくい加工をしてあるものや、オーガニックのものがあります。

ダイパーライナー（Diaper Liner）を布オムツのなかに敷くことで、吸収力を高め、布オムツの汚れを少なくすることができます。ダイパーライナーにはいろいろな種類があり、トイレに汚れと一緒に流せるタイプが便利なようです。

また、カバーごと洗うことができるオール・イン・ワン（All-In-One Cloth Diaper）は、かわいい柄のものがたくさんあります。

なかには、古着で手作りオムツを作る人もいます。裁縫が得意な人にとっては、オムツ作りは簡単でしょう。

布オムツの使い方

布オムツは、紙オムツより頻繁に変える必要があります。使うのは大変なので、産後すぐの時は紙オムツを使用して、体力が回復してから布オムツを使うことも考えられます。また、布オムツだけ使うのではなく、夜や外出時は紙オムツにするなど、臨機応変にしている人も多いようです。

ダイパーサービス［Diaper Service］

布オムツの宅配業者を利用することも考えられます。1週間に一度、布オムツの配達と回収をしてくれます。汚れたオムツは宅配業者で用意した蓋付き容器に入れておきます。業者のなかには、布オムツの洗濯に環境や肌に考慮した自然石鹸を使っているところもあります。

金額は1ヵ月70ドル前後で、紙オムツと比べると、ほとんど同じくらいかかります。業者を利用した場合は、あまり節約ということにはなりません。

紙オムツ

紙オムツは日本とほぼ同様の種類や品質です。柄や吸収性などは日本のほうがすぐれているという人もいますが、アメリカのものでも、問題はありません。

アメリカのオムツのサイズはP（小さい新生児用）、N(新生児用)、サイズ1〜6まであります。そのほかに、はかせるタイプ（Pull Up Type）や、プールで使えるオムツもあります。プールで使えるものは、水のなかでオムツのジェルが膨らみすぎないものを使っています。

夜用のオムツやトレーニングパンツなどもあるので、成長に応じて種類を選んでいきます。

7 3歳までの子育て、日米の違い

新生児の寝かせ方と乳児突然死症候群

乳児突然死症候群（ＳＩＤＳ）の原因のひとつとしてうつぶせ寝があることから、小児科医や病院では乳児が寝返りをするようになるまで、うつぶせ寝と横向け寝をさせないように指導しています。

ベビーベッドには、やわらかい枕、ぬいぐるみ、タオルなど窒息する危険のあるものはおかないようにします。

アメリカ小児学会では、乳幼児が寝ている時に、おしゃぶりをしていると乳児突然死症候群の予防になるという研究結果を出しています。おしゃぶりは歯並びを悪くするといわれていますが、1歳までは問題がないそうです。

最初の外出

アメリカ人は、乳児を生後早い時期から外出させます。たとえば新生児の黄疸が消えるまで入院させる日本の病院と違い、アメリカでは多少の問題があっても通院できる場合は、母親と一緒に2泊くらいで一緒に退院させてしまいます。その後、検査に毎日病院に通うなど、生後3日目でも治療や検査のために外出させることもあるからです。

また、産後は夫婦だけで乗り切る場合もあるために、連れ出さなくてはならない場合も出てきます。外出といっても、乳児を車に乗せていくことが多く、電車やバスなどの人ごみにさらすこともないので、わりと外出しやすいのでしょう。

生後2週間ぐらいでも預かってくれるデイケアなどの施設があり、新生児を預けて働き出す母親も多いし、教会のミサの間にほかの多くの子どもと一緒に預けることにも抵抗がないようです。

外出はいつごろから始めるかは、母親の回復や乳児の状態などはそれぞれなので、医師と相談して決めます。

離乳食

離乳食は英語では、Baby's First FoodやSolid Foodなどといわれています。離乳食の時期はアメリカのほうが日本より遅めといえます。

6ヵ月までは母乳やミルクだけで十分という小児科医もいますし、1歳まで離乳食は必要ないという医師もいますが、子どもの様子をみながら、医師と相談して始める時期を決めます。

アメリカではたいていライスシリアルから始め、野菜、果物、肉の順になります。アレルギーがないかどうか1種類ずつ確認して与えるようにいわれます。

早くから母乳以外の味を覚えさせる目的でジュースを飲ませる日本と違い、ジュースは1歳過ぎまで飲ませる必要はないと考えられています。

アメリカの離乳食は手軽です。離乳食を手作りする日本と違って、粉末を使ったり、種類が多い瓶詰めのベビーフードを手軽に使う人が多いです。市販のベビーフードは、無添加でよい素材をそのまま使っているものがほとんどです。

大人用のシリアルですがCherriosは、アメリカのベビーフードによく使われています。砂糖が使われていないし、幼児が指でつまんで食べる練習にもなります。

トイレット・トレーニング

アメリカのトイレット・トレーニングは日本と比べると遅めです。日本では1歳半くらいから始める家庭もありますが、アメリカでは3歳過ぎてから始める家庭が多いようです。

それは早くから始めても、かえってきちんとオムツが取れるまでに時間がかかるという研究もあるからです。またあまり小さいうちにオムツを取ると、まだ小さくてトイレが近い子と外出した時に、不便だという人もいます。

子どもの成長は一人ひとり違います。親子ともに納得がいく時期に始めればよいでしょう。

デイケアに通っている子どもは、デイケアのシッターさんがアドバイスをくれ、トイレット・トレーニングを手伝ってくれます。

ベビーシッター

中学生になると、希望者には学校やコミュニティでベビーシッターの訓練をするなど、中高生にベビーシッターを頼むことがアメリカではとても一般的です。タウン誌などには、「ベビーシッターします」の広告をみつけることができますし、逆に「ベビーシッター募集」の広告を出すこともあります。高校生に頼んだ場合の時給は5ドルから10ドルくらいが相場のようです。

仕事などで、よくベビーシッターを頼む場合は、数人のベビーシッターを確保しておく必要があります。

乳幼児の安全対策

乳幼児のいる家では、常に部屋の安全を心がける必要があります。のどに詰まらせる可能性のあるようなものは、子どもの手が届かないところにしまっておきます。

安全対策として便利なものに、ゲートがあります。このゲートで子どもの行動範囲を限定することができます。コンセントの差込み口をふさぐプラグカバーは、いろいろな種類があり、ピンなどをコンセントに入れて感電することを防ぎます。

そのほかに引き出しや戸棚の扉が開かないようにする留め具（Cabinet Latch）、テーブルや家具のとがったコーナーなどでの怪我を防ぐために、ゴムでできたコーナーガードがあります。

部屋のなかに置く植物も毒性が強いものがあるので、安全性を確認しておきます。危険性の高いものは、子どもの手の届かないところにおきます。

ペットのいる家庭では、ペットの種類や性質によってどのようにしたら乳幼児の安全が保てるか、事前に調べて用意しておく必要があります。

乳幼児を連れての旅行

旅行をする時は、事前にいろいろな準備をする必要があります。ホテルなどの宿泊施設を予約する時に、ベビー用のベッド（Crib）を頼んでおきます。たいていは無料です。

レンタカーを借りる時は、チャイルドシートも予約します。無料で貸し出してくれます。長距離ドライブになる時は、ＤＶＤプレイヤーがあると、子どもが飽きずに助かる場合もあります。

着替え、オムツ、離乳食などは多めに持っていくようにするとよいでしょう。

飛行機は、2歳までは席を取らずにすみますが、長時間の場合は、親も疲れてしまうので、子どもの席を確保したほうがよいこともあります。最近の飛行機は、共同運航になる場合もあり、空き席をなるべく作らないようにしているので、空き席を期待することはあまりできないようです。

子どもがいる場合は、通路側に席を取ると便利なことが多いようです。また乳幼児の時期はバシネット（壁に取り付ける乳幼児専用ベッド）を利用することも可能ですが、カーシートを持ち込んで飛行機に取り付けられることもありますから、航空会社に確認します。

機内食に、離乳食もリクエストできる航空会社もありますが、子どもが食べられるかどうかわからないので、自分でも用意しておいたほうがよいでしょう。

そのほかの日米の違い

根本的な違いは、乳児の立場になって子育てを考えるのが日本式で、アメリカでは親がどうしたら便利に子育てできるかというところに重点を置いていることが多いことです。たとえばアメリカでは粉ミルクも作りたてを飲ませずに、数時間経ったものでも与えたり、電子レンジで温め直したりします。また、乳児が少し大きくなると、泣いても夜中の授乳はしないことにしている母親もいますし、母親がよく寝られるように別室のベビーベッドに寝かし、泣いてもそのままにしておく人も多いようです。

新生児用の服は、着物式に前合わせのものを着せる日本に対して、アメリカは頭からかぶせる下着や服を着せます。オールインワンというのですが、慣れてしまうと、便利です。

乳児の抱き方では、日本では首がすわるまでは横抱きにしますが、アメリカでは始めから縦に抱く人が多いようです。おしゃぶりも日本より多くの子どもが使っています。

母乳の場合の断乳は、アメリカのほうが遅い時期におこなうといわれています。

新生児の外見

日本人だったら、黒い髪に茶色い（黒い）目ですが、国際カップルの場合は、どんな子が生まれてくるか楽しみです。相手が白人であれば、目がブルーの子もいるようです。髪の毛の色や状態にもバラエティがあります。

髪も目の色も変わらずに大きくなる日本人と違って、西洋人は、目の色も髪の色も大きくなるにつれて変わっていく子が多いようです。

8 出産前に**ベビーシャワー**でお祝い

ベビーシャワー

日本では、出産後にお祝いを贈りますが、アメリカでは出産前にベビーシャワーで贈る習慣があります。ベビーシャワーとは、出産予定の女性に、友達や親戚がプレゼントを贈る女性だけのパーティです。妊婦と親しい人が開いてくれることが多いようです。まるでシャワーのようにプレゼントをもらえるので、このような名前になっているとか、生まれてくる赤ちゃんに、みんながシャワーのような愛情を注ぐから、だともいわれています。

かわいい飾り付けをして、お茶やお菓子と共に女性だけでおしゃべりをする楽しいひと時です。ベビーシャワーは原則として第一子のみです。

ベビーシャワーの時期

出産後は、母親は新生児の世話に追われ、忙しくなります。産後で母親がきちんと回復していない時期よりも、安定期におこわれることが多いようです。しかし、ケースバイケースで、出産後に赤ちゃんのお披露目をかねる場合もあります。

プレゼント

妊婦が欲しいものをお店に登録（Shower Registry）していれば、出席者はそこからプレゼントの品物を選ぶこともできます。本当に必要なものが贈れるし、ほかの人と重ならなくてもよいという利点があります。もちろん、登録したもの以外を贈る人もいます。

贈り物は、赤ちゃんに使えるものなら何でもいいので、衣類、おもちゃはもちろんのこと、バスタブ、寝具、アルバムから、爪切り、体温計の小物までいろいろなものがあります。

パーティの出席者が全員集まったら、妊婦は一つひとつ出席者からの贈り物を開け、お礼と感想をいいます。

9 プレイグループに参加して育児交流を図る

育児のストレス

頼れる親兄弟や親しい友達がいないところでの孤軍奮闘の子育てで、ストレスを感じる人も多くいます。家のなかで乳児とばかり向き合っている状態が続くと、どうにかしなければと思うようになることもあります。そんな時、多くの先輩ママたちは、乳児を連れての外出は大変であっても、外に出よう、というアドバイスをしています。またほかの母親たちとの交流は、似たような悩みがあるので、それを分かちあうだけでもずいぶん違ってきます。

まだほかの子と遊べないような乳幼児でも、子どもが遊んでいるところをみるだけで喜びます。

アメリカ人の母親たちは、産後すぐに仕事に復帰する人も多く、ただ子どもを遊ばせるという状況の人は少ないので、積極的に自分で探さないと、ほかの母親との交流は難しいかもしれません。

プレイグループに参加する

アメリカでは同じ年齢の幼児を持つ母親が、プレイグループを作って子どもを一緒に遊ばせます。外は暑かったり寒かったり、また危険なこともあるので、持ちまわりでお互いの家で子どもを遊ばせることが多いですが、みんなでピクニックをしたり、外で活動することもあります。

日本人が多い地域なら、日本語のプレイグループもあります。バイリンガルにしたいと思っているなら、日本語のプレイグループはとても効果があるようです。日本食スーパーなどの掲示板に、プレイグループの情報が載っていることがあります。日系新聞のクラシファイドに自分から無料広告を出したり、インターネットで探す人もいます。

教会を利用する

　教会には、ＭＯＰＳ（Moms of Preschoolers）という母親と就学前の子どものためのグループがあります。それぞれのグループによって活動内容は違いますが、月に2回くらい集まりがあり、子どもはベビーシッターに別の部屋でみてもらい、母親はクラフト製作やお茶を飲んで話をしたりと、のんびりした時間が持てます。

　クリスチャンでなくても気軽に参加できるグループです。

図書館や書店の子ども向けイベントに参加する

　図書館や大手チェーン書店（Barns & Noble）では、就学前の子ども向けに本の読み聞かせ（Storytime）をしています。たとえまだ乳児でも、一緒に参加して楽しいという母親もいます。

　図書館の掲示板には、プレイグループ参加者募集のお知らせがあることもあります。

　そのほか、コミュニティカレッジでの乳幼児と母親向けのクラス（Mama and Meなど）、市や町の公園課（Park and Recreation）でのアクティビティ、幼児洋品店（Gymboree）などで新生児から参加できる音楽関係のプログラムなどがあります。

プレイグループの作り方

1●参加者

母親と就学前の乳幼児

2●場所

持ち回りが基本。誰かの家に固定してする場合もある。
簡単に借りられるスペースを利用する

3●時間

だいたい月に2〜4回くらいのペース。
時間は参加する子どもの年齢にもよるが、2時間くらい。
ランチを出す場合もある

4●費用

会員制にして会費をとる場合もある。会費をとらず、
持ちまわりで当番の人がお茶やおやつを準備する場合もある

5●内容

子どもの年齢に応じた活動を考える。
ダンス、歌、読み聞かせ、折り紙、工作など

6●注意点

会場となる家は、危険なものや貴重品を片付けておく。
各親が自分の家の子どもの行動をきちんと監視して
その責任をとる。アレルギーのある子などを事前に把握しておく

アメリカ人と国際結婚をした人々

高峰譲吉［1854〜1922］

加賀藩の御典医の長男として生まれ、藩に選ばれて長崎に留学し、明治になると後の東大を卒業して、１８８０年英国留学を経て農商務省に入省。１８８４年、ニューオーリンズで開かれた万博に派遣された時に、12歳年下のキャロライン・ヒッチと出会い、閉幕まぎわに結婚を申し込み、１８８７年に結婚。日本人とアメリカ人の結婚としては、記録に残る最初のものとなった。

東京にて、１８８３年に長男が、１８９０年に次男が誕生。１８９０年、アメリカに永住渡航。アメリカにおける、アドレナリンの結晶化とタカジアスターゼの発見で、世界の医学・薬学に大きく貢献し、山共製薬初代社長となる。研究開発が産業と結びつけば、巨大な富を生むことを実証してみせた。今のベンチャービジネスの先駆者であり、当時のお金で約6兆円にのぼる個人遺産を残した。日本人の独創的な研究成果がまず海外で評価され、逆輸入として日本に入ってくるというパターンの先駆けとなった人でもある。

１９２２年、アメリカで亡くなった。のち妻は再婚し、１９５４年死去。

鈴木大拙［1870〜1966］

１８９７年哲学者ポーラ・ケーラスの助手として渡米し、12年間を過ごす。アメリカで知り合った8歳年下のベアトリス・レインを日本に迎えて、１９１１年に結婚。戦前は日本と欧米を行き来しながら日本の大学などで研究生活を送り、１９５０年から58年はアメリカの各大学で仏教思想に関する講義をおこなった。日本の禅についての本を英語で書き、禅文化を海外に広めた。１００冊ある著書のうち、23冊が英語で書かれている。哲学者の西田幾多郎は生涯の友である。

妻も禅の研究者で、大学で英語を教えるが、１９３９年鎌倉で死去。享年69歳。

野口英世［1876〜1928］

1歳の時に囲炉裏に落ちて左手を火傷するが、医師にかかることができず癒着してしまう。15歳の時、同級生たちの募金により手術を受ける。20歳で医師免許を取得して、病院助手、医科学院の講師を経て、北里柴三郎研究所に勤める。１９００年、北里の紹介状を持って渡米し、ペンシルバニア大学で助手の職を得て、１９０４年にはロックフェラー医学研究所に勤める。１９１１年、梅毒スピロヘータの純粋培養に成功して、一躍その名前を世界に知られることとなった。

この年、1歳年上のメリー・ロレッタ・ダージスと結婚。メリーの父や弟たちは炭坑で働いており、メリーは10年前にニューヨークに働きにきていた。

ガーナのアクラで黄熱病源を研究中に、自身も感染して死去。1，000円札の肖像としても知られる。妻メリーは、1947年に71歳で亡くなった。

新渡戸稲造［1862〜1933］

私費でアメリカに留学している時に知り合ったメリー・エルキントンと知り合い、1891年結婚。帰国して教育者となり、国際舞台でも活躍する。

カナダで開かれた太平洋調査会会議に日本代表団団長として出席するために渡航。会議終了後カナダで客死した。カリフォルニアでの転地療用中に英文で書かれた『Bushido: The Soul of Japan（武士道）』（1900年）は各国語に訳された。旧5，000円札の肖像としても知られる。

モルガン雪［1881〜1963］

京都で芸妓をしていた時、モルガン財閥の御曹司ジョージ・モルガンに見初められて、1904年正式に結婚して渡米。雪には恋人がいたため、必ずしも望んで結婚したわけではなかった。当時、4万円という莫大な身請け金が支払われた。10年後、夫が亡くなり、一族との裁判に勝って莫大な財産を得て、ヨーロッパで悠々自適の生活を送った。

第2次世界大戦勃発のため帰国し、京都で生涯を終えた。財産はヨーロッパ滞在中の恋人の研究に寄付して、ほとんど残っていなかった。再婚をすると、遺産を夫の遺族に没収される可能性があったため、再婚はままならなかった。その半生は小説やミュージカルになっている。

石垣栄太郎［1893〜1958］

1909年、移民として渡米していた父を頼って16歳の時に渡米。西海岸で給仕、掃除人として働きながら、英語や絵画を学ぶ。美術の世界へと手ほどきをしてくれた15歳年上の彫刻家ガートルド・ボイルと駆け落ちしてニューヨークへいくが、別の女性ヘーゼルと結婚。1925年、「鞭打つ」で画家として注目され、後にはアメリカ美術家会議の創立準備委員となる。

1929年、離婚して、綾子（のち評論家となる）と再婚。グリニッジ・ビレッジで夫婦そろって、芸術家や反戦活動家と交流する。1951年、FBIより「好ましからざる外国人」として追放され、栄太郎42年ぶり、綾子25年ぶりに帰国。

故郷の太地町（和歌山県）にある「石垣記念館」には、絵画や記念の品が展示されている。

国吉康雄［1889〜1953］

1906年、17歳の時に西海岸に渡航。働きながら美術学校で学ぶうちに画家になりたいと考えるようになり、1910年ニューヨークへ移住。1916年アート・スチューデンツ・リーグに入学して、アーティストとして成長していく。

１９１９年に学友のキャサリン・シュミットと結婚。生活のため商業写真家として働き始める。１９３２年離婚。１９３５年サラ・マゾと再婚。１９２０年代に画家として注目され、30年代には地位を築き、40年代にはアメリカを代表する画家となる。作品は全米の美術館に収蔵されている。戦争中は、アメリカ政府の戦時情報局の要請により、日本人向け短波放送の原稿を書く。戦後は美術家組合の初代会長となってアーティストの地位向上に尽力する。

戦後、日本人の市民権取得が可能になって準備を始めるが、取得前にニューヨークで亡くなった。

寺崎英成［1900〜1951］

外交官としてアメリカに滞在していた時、ワシントンの日本大使館で開かれたパーティでグエン・ハロルドと出会い、１９３１年結婚。上海の総領事館勤務の時に一人娘マリコが生まれ、太平洋戦争前夜の１９４０年、ワシントン勤務を命じられて一家は再びアメリカで暮らすこととなった。同じく外交官であった兄との電話で「マリコ」は暗号名として使われた。アメリカ側の反応がよければ「マリコは元気」、悪ければ「マリコは病気」といった具合だ。寺崎は和平工作につくすが、戦争が勃発して一家で日本に帰国。この時妻に「マリコと共にアメリカに残れ」といったが、妻は聞き入れなかった。

戦後、寺崎は昭和天皇の御用係となりマッカーサーとの間の通訳を務める。マリコの教育のため、妻子は渡米する。その間に寺崎は日本で病死する。グエンはアメリカで『太陽に架ける橋』を出版。映画化もされた。日本では、１９８０年代に柳田邦男著『マリコ』が出版され、一家は有名になる。

ナンシー梅木［1929〜2007］

兄が進駐軍の通訳をしていた関係で、米軍キャンプでジャズを歌うようになった。１９４８年に北海道から上京して活躍、１９５５年渡米。アメリカのタレント・スカウト番組で最高得点で優勝し、全米の注目を浴びた。１９５７年、映画『ＳＡＹＯＮＡＲＡ』でマーロン・ブランドと共演してアカデミー助演女優賞を受賞し、東洋人初のオスカー女優となった。受賞が決まった時は、同世代の「戦争花嫁」たちも我がことのように喜んだという。その後、ミュージカル「フラワー・ドラム・ソング」の主役を、ブロードウェイの舞台と映画で演じた。１９５８年にＮＢＣのディレクター、ウィンフィールド・オピーと結婚したが、後に離婚した。１９６８年、ディレクター、ランドール・フードと再婚するも、１９７６年に先立たれた。

70年代に引退して、マスコミには姿をみせなくなり、近くに住む息子一家たちと静かな余生を過ごした。２００７年ミズーリ州の養老施設で亡くなった。

秋吉敏子［1929〜］

満州で生まれて、敗戦後日本に引き揚げた。大分の米軍キャンプでジャズピアニストとして演奏。1948年に上京して、カルテットを結成。1956年、バークリー音楽院で学ぶ日本人初の留学生（奨学生）となった。1959年、アルト・サックス奏者のチャーリー・マリアーノと結婚した。1963年長女が生まれるが、1965年離婚。1967年にフルート、テナーサックス奏者のルー・タバキンと出会い、1969年に再婚。以来、夫と組んでバンドを結成し、世界的に名声を博している。長女・秋吉満ちる（Monday 満ちる）はシンガーソングライター。

オノ・ヨーコ［1933〜］

1953年に銀行家の父とともに、ニューヨークのスカースデールに移り住み、1956年、現地で知り合った日本人作曲家の一柳慧と結婚したが、1962年に離婚。同年ジャズミュージシャンで映画製作者のアンソニー・コックスと結婚するが、翌年3月離婚して、6月に同人物と再婚した。8月に子どもが誕生しているが、結局は1969年2月に離婚した。1960年代始めから前衛芸術を始め、活動の場をロンドンに移して、1966年ジョン・レノンと知り合い、1969年に結婚した。結婚後はアメリカで暮らした。

1975年に生まれた長男の子育てのためにジョンが主夫になった数年の間、彼女は不動産取引やそのほかの投資活動で、資産を倍にした。ちなみに母方の曾祖父は安田財閥の創業者で、学習院時代は平成天皇のお后候補の1人だった。

ホキ徳田

日本人の海外渡航が珍しかった時代にカナダに音楽留学し、帰国後は歌手として活躍。歌手として5年契約で渡米し、公演やテレビ出演などをはたす。滞在中に『北回帰線』『南回帰線』などの作品で有名な作家ヘンリー・ミラー（1891〜1980）と知り合い、1967年結婚。45歳の年の差結婚で、ミラーにとっては、5度目の結婚だった。夫が死去した後、東京とロサンゼルスでナイトクラブを経営し、芸能活動から引退。アメリカで長い間暮らしていたが、現在は帰国して、東京でピアノの弾き語りなどを再開している。

アメリカ人と結婚した芸能人・有名人

相原勇、有森裕子、井上怜奈、川崎麻世、佐藤有香、清水美沙、ショー・コスギ、高見知佳、野沢直子、服部真湖、広瀬香美、八神純子、吉本多香美、綾戸智恵（離婚）、家田荘子（離婚）、尾崎紀世彦（離婚）、斉藤こず恵（離婚）、千昌夫（離婚）、水沢アキ（離婚）、水谷豊（離婚）、布施明（離婚）、雪村いづみ（離婚）

国際結婚に関する小説・ノンフィクション・漫画

小説

『遠来の客』［文学界新人賞受賞作］
『過ぎ越しの祭り』［岩波書店］
米谷ふみ子＊著

『遠来の客』は施設に入れた脳障害の子どもが一時滞在で家に帰ってきたことをめぐる、夫婦同士のいざこざを描いている。文学界新人賞受賞作品。『過ぎ越しの祭り』はユダヤ系アメリカ人である夫の家族の儀式に出席した時の、親族に対する憂鬱感と束縛からの解放を描いている。新潮新人賞と第94回芥川賞（１９８５年）を同時に受賞。

著者は男尊女卑の日本社会をきらって、30歳の時に絵を描くための奨学金を得て渡米。留学先の芸術家村でユダヤ系アメリカ人（脚本家・作家）と結婚して息子2人を出産。次男に脳障害があって絵と子育てとの両立ができず、物を書くようになった。家庭における異文化の衝突、脳障害の子どもなど、自らの体験をベースにした小説を書いている。ロサンゼルス在住。

『モッキングバードのいる町』［新潮社］
森禮子＊著

アメリカ中部の田舎町を舞台に、軍人と国際結婚をした中年の日本人女性たちの寂寥感や愛と孤独を描いている。息子から「ジャップ」と侮られ、誤って息子を殺してしまう女性の姿は、異国での悲哀と孤独を表していて身につまされる。第82回芥川賞受賞作品（１９８０年）。著者はクリスチャンで独身だが、国際結婚した姉が住むアメリカの町に1カ月滞在した時に見聞きしたことをベースに、同作品を書き上げた。

『ヨモギ・アイス』［集英社］
『アンダーソン家のヨメ』［福武書店］
『チョコレット・オーガズム』［集英社］
『なつやすみ』［集英社］
野中柊＊著

『ヨモギ・アイス』では日本でアメリカ人と結婚して渡米した日本人女性の新婚生活を描いている。新婚のアメリカ人夫とともにアメリカの空港に着いたところから、新郎の家での結婚披露パーティの様子までを描いた『アンダーソン家のヨメ』、アメリカ留学中の日本人女性と、その友人の日本人女性の対称的な生き方を描いた『チョコレット・オーガズム』、カタログ販売結婚により再婚した日本人女性の連れ子の少女の視点から、アメリカ生活への違和感と、アメリカ人の深層意識にある差別を描く『なつやすみ』など著書多数。

著者は、大学卒業後に渡米して、ニューヨーク滞在中に『ヨモギ・アイス』で海燕文学新人賞を受賞して作家デビュー。アメリカ人との結婚を通してみたアメリカ社会やそこで暮らす日本人女性が、独特のタッチで描かれている。のち著者は離婚し、現在は日本人と再婚して日本で暮らしている。

ノンフィクション

『花嫁のアメリカ』［集英社］

江成常夫＊著

太平洋戦争、朝鮮戦争、ベトナム戦争などの戦争のもとで出会って結婚し、母国を離れてアメリカに住むようになった「戦争花嫁」たちを、写真家・江成常夫が一人ひとり訪ねて撮った写真集&フォト・ドキュメント。写真とともに、本人が語った短い独白が付けられていて、その内容が味わい深い。続編『花嫁のアメリカ　歳月の風景1978〜1998』は、20年後の花嫁とその家族たちの姿をとらえている。

『レポート国際結婚 笑いと涙のグリーンカード取得』［光文社］

パターソン林屋晶子＊著

アメリカ人と国際結婚をしている日本人女性の間で絶大なアクセス数を誇る『ぱたのうち』の主宰者が書いた体験記。誰もが頭を悩ますグリーンカード取得の問題を、体験談として綴って、次に続く人に対して道を示している。1章●国際結婚予備軍　2章●移民局初体験　3章●日本へ婚約報告に　4章●怒涛のビザ取得　5章●いよいよ結婚です　6章●移民局アゲイン　7章●結婚した後は、8章●エピローグ楽しい結婚　といった構成になっている。

『「運命のヒト」は海の向こうにいた 幸せをつかむ国際結婚のススメ』［日経BP社］

小沢裕子・白河桃子＊共著

小沢裕子は結婚情報センター「デスティナ・ジャパン」の代表取締役社長、白河桃子はノンフィクションライター。欧米人男性にとって、日本人女性は結婚対象として根強い人気がある。日本人女性とアメリカ人男性との出会いを中心に、国際派の出会いをコーディネートする結婚情報センターが明かす、国際結婚のためのユニークなガイドブック。

『国際結婚〈危険な話〉』［洋泉新書］

関陽子＊著

アメリカに滞在した経験があり、93年よりカナダのモントリオールに在住している著者（フリーライター）が、国際結婚について否定も肯定もせず、危険な話のいくつかを紹介している。国を越えてこじれた離婚話、わが子を誘拐する話、財産を取られてしまった話、国際結婚斡旋ビジネスの話などが紹介されている。「結婚する前は相手を両眼でみつめ、結婚したら片目をつぶれ」というが、国際結婚をする時は、しっかりと両眼でみつめてほしいと著者はアドバイスする。

漫画

『ダーリンは外国人』シリーズ

［メディアファクトリー］

小栗左多里＊作

２００２年に第1巻が発売されて、ベストセラーになった自伝的エッセイ漫画。ハンガリーとイタリアの血を受け継いだアメリカ人ジャーナリスト、トニー・ラズロ（１９８５年来日・日本在住）との、日常レベルにおける面白おかしい異文化の衝突が描かれている。「ある、ある、こんなこと」と、読者の共感と笑いと支持を受けている。１巻で恋人同士だった２人は、２巻で結婚し、『ダーリンは外国人ｗｉｔｈ　ＢＡＢＹ』（メディアファクトリー）では息子が生まれている。この漫画のタイトルの成功以来『ダーリンは××人』といった類似本やブログが数多く登場している。関連作品として夫との共著『ダーリンの頭ン中』（メディアファクトリー）がある。

『結婚国際のすすめ これが私たちのラブライフ』［講談社］

コンノナナエ＊作

アメリカ人男性と日本人女性の国際結婚で、みんなが気になる質問を掲載し、それに対してユーモラスに本音で回答する形で書かれている。ここで取り上げられている質問は以下の通り。外国人との出会いってどこにある、外国人の彼とラブラブするには、外国人との結婚って大変なの、外国人は『日本の文化』をどう思ってるの、アメリカの結婚式ってどんな感じ、外国人が好きな日本食は、外国人のアソコって……、外国で主婦するのは大変ですかｅｔｃ。

国際結婚をした作家

青木富貴子

１９８４年から3年間『ニューズウィーク日本版』のニューヨーク支局長を務めた。アメリカの著名なコラムニストであるピート・ハミルと結婚して、ニューヨークに住んでいる。

作品には、『「風と共に去りぬ」のアメリカ――南部と人種問題』（岩波書店）、『デンバーの青い闇――日本人学生はなぜ襲われたのか』（新潮社）、『目撃アメリカ崩壊』（文藝春秋）などの硬派なノンフィクションから、『たまらなく日本人』（文春文庫）、『ガボものがたり　ハミル家の愛犬日記』（新潮社）などのエッセイまで多岐に渡っている。代表作は『ライカでグッバイ――カメラマン沢田教一が撃たれた日』（文藝春秋）。

ドウス昌代

日米とアメリカの関係や、その狭間で生きた人物を描くノンフィクションで知られる。１９９７年『東京ローズ』（文藝春秋）でデビューし、『日本の陰謀――ハワイオアフ島大ストライキの光』（文藝春秋）で大家壮一ノンフィクション賞を受賞した。エッセイに『私が帰る二つの国』（文藝春秋）がある。日本近代史研究者のスタンフォード大学名誉教授と結婚して、サンフランシスコ湾岸エリアに住んでいる。

9章

入園・生活の際に気をつけたいこと

- プリスクールってなに？
- バースデーパーティを開こう！
- 夏休みにはサマーキャンプ

1 デイケア［託児所］で子どもを預かってもらう

デイケア［Day Care］

　デイケアと呼ばれるところは、日本の託児所のようなところにあたります。生後2週間から預けることができ、営業時間は施設によってまちまちですが、朝6〜7時、夜は7時くらいまで預かってくれるところが多いようです。

　働くシングルマザーも多く、産後2〜12週間で職場に復帰する母親も多いことから、一口にデイケアといってもいろいろな種類があります。仕事をしていなくても、フレキシブルなデイケアなら、1時間単位で預かってくれるので便利です。週末も営業し、金曜や土曜は深夜までというところもあるので、夫婦で出かけたい時に利用することもできます。

　デイケアセンターの多くは、プリスクールやキンダー、小学校が終わった後の子どもを預かる施設を併設しているところが多いです。キンダーや小学校にはたいていスクールバスが出ているので、キンダーからデイケアまで送ってくれる場合もあります。

自宅でのベビーシッター

　余裕があれば、住み込みか、通いのナニー（Nanny）を雇うことも考えられます。預ける子どもが何人かいる場合には、自宅に来てもらったほうが便利だし、デイケアより費用が安い場合があります。

「Nanny＋（住んでいる町の名）」を入力して検索すると、リストが出てきます。応募者の写真、国籍、学歴、身長、体重などの情報が出てきます。

　週に200〜600ドルくらいと条件により費用に違いがあります。

ホームデイケア［Family Child Careともいう］

　開業するには免許が必要ですが、無許可の人もなかにはいます。個人デイケアを営んでいる場合にはあたりはずれがあります。シッターが病気であるとか、休暇をとる場合は困る時があるようです。

しかし、きちんとしたところだと、アメリカの家庭生活が経験でき、しつけもきちんとしてもらえ、融通が利くという利点もあります。コミュニティペーパー、タウン誌などで情報が得られます。

必要な**書類**の例

出生証明書

ソーシャル・セキュリティ・カード

申込書［Registration Form］
子どもの情報（アレルギーや食べ物の好き嫌い、
健康状態、日常の生活で注意すべき点など）、
家族情報、小児科医の連絡先、緊急連絡先

健康診断書［Health Form］
かかりつけの小児科医に記入してもらう。
電話をすればFAXで送ってくれる場合もある。
健康診断結果と予防接種の記録

健康に関する同意［Health Policy］
健康診断を受けること。
リストにある病気にかかった時は通園できないことに同意する

免責同意書［Liability Waver Form］
園が責任を負わない場合のリストに同意する

緊急時の医療処置同意書［Emergency Medical Treatment］
事故や急な病気で医療処置が必要な時には、
園にまかせることに同意する

非営利団体によるデイケア

キリスト教会や、ユダヤ教会にデイケアがある場合があります。信者でなくても利用できる場合が多いようです。学校やＹＭＣＡにもある場合があります。これらは一般的に費用が安いです。時間割りで預かってくれるところもあり、便利な場合があります。

ランチ

スナックタイムは午前と午後にあります。ランチは持参してもよいし、ケータリングを別料金（週に15～20ドルくらい）で利用できるところが多いようです。

活動内容

施設や年齢によって活動内容は違いますが、一般的なのは、子どもの誕生パーティ、ハロウィン（顔にペイントしたり、変装する）、クリスマス（サンタクロースがやってくる）、イースター（卵探し）などです。

費用

施設の場所や内容によって、費用には大きな差が出て

きます。やはり都会であればあるほど、保育にかかる費用も高くなります。一般にアメリカのデイケアやプリスクールの費用は、日本の保育園や幼稚園に比べると大変高いです。1歳未満だと月に2,000ドル以上かかることもあります。

探し方

まず、場所を決めることも重要です。夫婦共に仕事を持っている場合は、自宅の近くにするのか、どちらか一方の職場の近くにするのかをまず決める必要があります。

仕事を持っている人は、職場の人に聞くのがよいでしょう。職場から近いと、昼休みにみにいったり、何かあった時はすぐに迎えにいけて便利です。しかし、自宅に近い場合は、夫婦どちらが送り迎えしても便利だという利点もあります。

候補を絞ったら、なるべく出産前にデイケア探しをします。乳幼児が入園できるかどうかをまず確認し、空きがあったら見学にいきます。

チェックポイント

デイケアの施設によっては、自らオンラインでチェックポイントの表を出しているところがあります。見学の際には、そこをチェックして、ほかの施設と比べてみることができます。

チェックポイントの目安としては、1部屋の子どもの数と先生の数です。1歳までは先生1人に対して子ども5人、3歳くらいまでは7人くらいが目安でしょう。

やはり、部屋の雰囲気などの印象は大切です。自分の子どもの年齢の部屋は必ず確認して、管理している先生からも話を聞きます。できれば、過去にどんなトラブルがあったか聞き、その時にどうしたかを尋ねます。

ある**デイケア**の**乳幼児**の到達目標

- 手足、目、体を動かすことにより身体的発達をめざす
- 頭を使うゲームをすることにより、五感や記憶力、物事の因果関係などを理解させ、脳の発達をうながす
- 会話を通して、言語機能の発達をめざす
- 友達との関係から、自信、プライド、信頼、友情といった社会生活に必要なコミュニケーション能力をみがく

2 幼稚園に入る前に行っておきたいプリスクール

プリスクール［Preschool］

プリスクールまたはナーサリー（Nursery School）に公立は少なく、私立がほとんどです。プリスクールは、日本の幼稚園に近いですが、0歳～5歳児を対象としていて、保育時間は日本より短いところが多いです。午前中か午後の2～3時間のプログラムが多いですが、デイケアを併設して、保育時間が長いところもあります。内容は施設によっていろいろで、キンダー［215頁参照］に入るための勉強をするところから、自由遊びがほとんどで、何もしないところもあります。

プリスクール入園時には、オムツをしている子もまだたくさんいます。施設によっては、オムツをはずしていないと入園できないところもありますが、トイレット・トレーニングをしてくれるところもあります。

キンダーでは、トイレット・トレーニングがきちんと終わっている、衣服を脱いで着られる、先生の話を理解できる、きちんと座って人の話を聞くことができる、はさみを使うことができるなどの基準を設けているところもあります。キンダーに入る準備のために、社交性や集団のなかでのルールを学ぶためにプリスクールに通わせる家庭が多いようです。

プリスクールにも有名校があり、入園するのに競争率が高いところもありますが、そういうところは、費用も高くなります。受け入れは、先着順、抽選、兄弟優先などになりますが、人気のあるところは、書類選考や面接、知能試験をするところもあります。

教会系

教会付属のプリスクールは、クリスチャンではなくても入園することができます。プログラムのなかにはスナックや食事前にお祈りの時間があったり、聖書の勉強もあります。宗教関係の行事が多いところもありますが、宗教色がないところもあって、いろいろです。一般に教会系のプリスクールの費用は安いとされていますが、高いところもあるようです。

モンテッソーリ教育［Montessori Method］

もともとはイタリアの医師であったモンテッソーリが考案した教育法ですが、アメリカでは2度にわたるブームが起きて、非常に人気の高い教育法となっています。

モンテッソーリ教育法では、感覚教育法に基づく木製玩具を中心とした教具を使い、子どもの五感をうまく発達させることをめざしています。この独特の教具を通して、幼い子どもは数の概念や言語能力を得ることができるとされています。

また、子どもの自発性を重んじて、子どもに自由な環境を与えるようにしています。環境整備が大切なことから、教室は安全で清潔に保つことに重点を置いています。

独特の教育をおこなうために、教師はモンテッソーリ教育のためのコースを受けていなくてはいけません。家庭での教育も重要だと考えられているので、親向けの勉強会があるところもあります。

モンテッソーリ教育法は私立だけではなく公立でも数百のプログラムが使われ、３，０００ヵ所以上もの教育施設があるといわれています。教材や授業料はほかのプリスクールに比べると高く、年間平均1万ドル前後になります。

シュタイナー教育［Steiner Method］

オーストリアの哲学者であり、科学者、建築家、芸術家でもあったシュタイナーの独自の教育法です。すべての教育は芸術的におこなわれるべきだというのが教育理念です。たとえば数を理解させるのに、絵を取り入れたり、音楽の要素を取り入れたりします。

規則的でリズムのある生活を大切にして、曜日ごとに決められた活動をします。幼児であっても、料理や手芸をすることもカリキュラムに入っています。またパペットショーといわれる人形劇には昔話が多く、このなかから子どもに社会のいろいろなことを学ばせたり、よいことを模倣させたりすることをめざします。季節の行事もシュタイナー教育では意義があることとされ、子どもが楽しめ、そしてその歴史や意味を理解できることはカリキュラムの大事な要素とされています。

シュタイナー教育をしているところは、モンテッソーリ教育ほど多くありません。

プリスクールの生活

施設ごとにずいぶん違うので、一般的なことはいえません。誕生会は子どもたちの一番の楽しみで、サンクスギビング、クリスマス、イースターなどにもパーティをします。歌の時間、外遊び、スナックタイム、昼寝の時間など、日本の幼稚園によく似ているところもありますが、アカデミックな傾向が強いところでは、キンダーに入ってからの準備として、アルファベットや数字を教えるところもあります。傾向としては、アカデミックなプリスクールのほうが人気があるようです。

日本の幼稚園のように制服や手作りバックなどはなく、必要に応じて自由なバックやスーパーのビニール袋などを持たせます。ランチを持っていくかどうかも施設ごとに違います。

費用

アメリカでの平均家庭は、キンダーに入れる前に2年間プリスクールに子どもを入れるので、年間の平均授業料は7，000ドル以上です。都会ではこれが1万ドル

プリスクールでの様子

あるカトリック付属**プリスクール**の**授業料**の一例

[週に5日]	$4900[年]	●$122[週]	●$25[日]
[週に3日]	$3400[年]	●$85[週]	●$28[日]
[週に2日]	$3000[年]	●$75[週]	●$37[日]

を超えることもあり、1万5,000ドル以上のところもあるようです。1週間にたった3日で、それも半日保育でこの値段なので、日本の幼稚園と比べたら高いといえます。

しかし、それでもアメリカ人の親たちがプリスクールに入れる理由は、友だちを作ったり、楽しい経験をさせる、ということだけではなく、まずは義務教育がスタートするキンダーでうまくやっていけるように、そしてよい大学に入れるようにという遠い将来のことまで考えているということです。

州や町によっては、公立のプリスクールがあり、低所得者層は収入に応じた安い費用で入れるところもあります。兄弟割引があるところもありますし、教会系では奨学金を出すプリスクールもあります。

授業料が安いからといって、質が悪いというわけでもありません。共同経営といわれるところは、親が掃除を手伝ったり、スナック当番をしたりと積極的に関わることで人件費を減らしているので、授業料がほかに比べて低く抑えることができるのです。親が手伝うといっても強制ではなく、ボランティアで、自分でできる範囲のことをすればよいようです。

プリスクールの選び方

まずは施設を訪問してみます。教師は説明をしながらスクール内を案内してくれますが、できればしばらく子どもたちの様子や教師の指導の様子を観察します。同じモンテッソーリ教育をしているといっても、施設によって雰囲気がずいぶん違います。

プリスクールが新しいか古いかを判断基準にする人もいます。長く続いているということは、それだけコミュニティに受け入れられていると考えるからです。遠いプリスクールがよいといっても、週に何度か往復するのは大変です。ほかに兄弟がいたり、これから妊娠する可能性があるのでしたら、なるべく近くにしたほうがよいでしょう。一度だけで決めようとせずに、何度か見学することをおすすめします。

途中からの入園を受け付けてくれるところもありますが、人気のあるところは決まった時期にしか受け入れてくれません。家庭で将来も含めた子どもへの教育方針を決めて、なるべく早い時期からどこのプリスクールに入れるか検討し始めます。

3 落第もあるキンダー［幼稚園］の様子

キンダー［Kindergarten］

キンダーガーテンまたは一般的に通称キンダーといわれるのは、日本では幼稚園の年長さんにあたりますが、公立の学校内にあり、義務教育になっているところが多いです。学校と同様に週5日ありますが、午前か午後かどちらか半日の保育が一般的です。州や地域によって教育システムはちがいます。追加料金を払うと午前、午後両方保育してくれるところもあります。

幼稚園といっても、日本の幼稚園に比べ、1年生への準備段階として勉強もずいぶんします。そして宿題もあり成績がつくところが多いです。キンダーでも落第することもあります。

学区により決まる

公立のキンダーは、公立小学校に併設されていて、小学校の学区がそのままキンダーの学区になります。学区は道1本で隔てられたり、近いからといっても学区ではないこともあるので複雑です。必ず学校側に問い合わせて、自分の学区をはっきりさせます。

日本では小学校入学の時には、住民票をもとに各家庭に市役所からお知らせが来ますが、アメリカでは自分で調べて期日に間に合うように手続きをするのは親の責任です。これを怠ったために、学年が遅れる子どももいます。

キンダーの生活

遊びの時間より勉強の時間のほうが長いような毎日です。たとえば、自分で作文やお話を書くという課題などのように、遊び中心のプリスクールから来た子には難しいものもあります。宿題や課題は何種類かあり、選択性になっている場合は、子どものレベルに合わせたものを選びます。

宿題には、本を作ったり、自己紹介のポスター製作、工作や、サイエンスフェアへの参加など、子どもひとりではできないような内容のものもあります。キンダー側としては、親の手伝いを前提にしているようです。

　アメリカのキンダーは細かい規則が多く、たとえば、乱暴な態度も言葉もいけない、ゲームのルールは守る、何か手に持って遊具で遊んではいけないなどたくさんあります。このような細かいことまで担任の先生はいちいち監視できませんから、それを親のボランティアでおぎなう場合もあります。

親のボランティア

　日本の幼稚園では、運動会の時に親が手伝う程度ですが、アメリカではいろいろな種類の手伝いがあり、ボランティアとして親は日常的にキンダーで手伝っています。

　内容は、日本のＰＴＡにあたるようなクラスマザー、遠足や課外活動の付き添い（Chaperonage）ランチタイムの当番などがあります。授業中でもクラスに入って先生のアシスタントとして一緒に子どもに教えるものもあります。遠足の付き添いは人気があり、抽選になることもあります。

　こうして手伝っていると、自分の子どもの様子がよくわかり、先生やほかの親との交流もできるというたくさんのメリットがあります。母親だけではなく、積極的にボランティアに参加する父親もたくさんいます。親とキンダーや学校との関わりは密接なので、親は学校側に細かいクレームをつけたり、要求をすることがよくあります。

入学の時期

　義務教育が始まるのは、州によって年齢がちがいます。また学年の区切りの日（Cut Odd Date）は、日本のように全米で統一されているわけではなく、ミズーリ州の8月1日からコネチカット州の1月1日まで5ヵ月間も違います。

　しかし、子どもの成長の度合いや親の希望によって、学年を繰り下げたり、または早期入学できるという点で、アメリカのほうが柔軟性に富んでいます。ですから同じ学年といっても、2歳くらい年齢が違う場合が出てきます。

発達スクリーニング検査

　アメリカでは、公立学校で発達スクリーニング（Pre-school Screening または Developmental Screening）という検査があります。3歳児前後くらいからの簡単な検査で、希望すれば誰でも受けることができます。この検査によって、発達の遅れた子にアドバイスをします。キンダーに入る時に、この結果を参考にして学年を遅らせる場合もあります。

もし子どもの発達に心配がある時には、学区のスクリーニングの日程を聞いて申し込みます。

深刻な問題がある子どもの場合は、親の承諾を得たうえで、さらに正確な検査をします。この検査によっては、学区の発達促進プログラムを受けることができます。発達の遅れの分野によって特殊教育の資格を持っている教師、言語療法士、作業療法士などが遊びの要素を取り入れながら幼児に無理なく指導していきます。

キンダー入園の手続き

入園の手続きは、いつでも受け付けている場合がほとんどです。ですから入園時期の1年前くらいには、自分の学区の学校に登録をしておく必要があります。必要書類はデイケアやプリスクールと同様で、誕生日を証明できるもの（出生証明書、パスポートなど）、登録の住所に住んでいることを証明するもの（電気やガスなどの請求書で住所が載っているもの）、健康診断書（Health Form）と予防接種証明（Immunization Record）などです。

授業料

公立で義務教育になっているところは、スクールバスも含めて無料のところが多いです。しかし、私立のキンダーは授業料がかかります。キリスト教系のキンダーは平均年に4，000ドル前後ですが、その他一般のキンダーは高いところでは年に1万ドルを超えるところもあります。

コネチカット州のある**公立キンダー**の**年間予定**

8月末〜9月●**オープンハウス**［Open House］が開かれる。学校内を見回って、学校の様子を知る。実際に子どもの教室へいき、担任の先生と話すことができる。入学式はない。

9月●**朝食会**［Newcomers's Breakfast］
新しく入った生徒の親の交流を目的として、学校で簡単な朝食の会を持つ。

楽しい夕べ［Fun Night］
新しい親子が学校で楽しめるように、夕方、学校でゲームなどをして楽しむ。

10月●**写真撮影**［School Photo］

2月●**ファミリースポーツナイト**
夜7時くらいから体育館で親子でスポーツを楽しむ。

3月●**キンダーの登録開始**

4月●**アートショー**
子どもの作品の展示。

ビンゴ大会
親子でビンゴを楽しむ。

どこの学校でもスクールバスで送り迎えしてくれる

あるキンダーの成績見本

次の項目を以下の3つに分けて評価
3 目標に到達　2 努力する必要がある　1 特別な指導が必要

美術を通じての創造性の発達
1●色と形の見分け
2●遊ぶ時に何かをイメージしながら遊べる
3●音を使って遊べる
4●いろいろな媒体からまねをしたり、
創造的な動きをしたりすることができる

身体的な発達
1●前後左右上下に注意をしながら動き回れる
2●自分の動きをきちんと制御できる
3●安全に道具や物を扱える

社交性の発達
1●ほかの子どもと会話をしながら
共通のおもちゃで遊べる
2●おもちゃの貸し借りができる
3●ほかの子の動きを興味深くみて参加する
4●洋服の着脱ができる
5●会話やジェスチャーを通じて
ほかの子とコミュニケーションがとれる
6●グループの活動ができる
7●クラスのなかで
ほかの子とコミュニケーションがとれる
8●恥ずかしい気持ちを抑えて、
楽しく活発に目的が果たせるまで活動できる

感情の発達
1●保護者から独立できる
2●家族やほかの人について自由に話せる
3●必要なことを表せる
4●何が悪くていいのかわかる
5●自信を持ちそれを表現できる
6●いろいろな感情を出すことができる

言語［聞き取りと話す能力］
1●注意深く聞く
2●関連した事柄について意見をいったり、
質問したり、行動に移せる
3●はっきり自信を持って話せる
4●お話を聞いたり、音楽を聴いたり、歌を歌う
5●劇の中でちゃんと話せる
6●ほかの子どもたちと交流できる

言語［読解力］
1●本に興味を持つ
2●本の意味を理解する
3●本は左から右に読むものだと理解する
4●物語に関連したことをいえる
5●簡単な物語のあらすじがいえる

言語［書く能力］
1●マークをつけることができる
2●書くまねをすることを楽しむ
3●線と丸が書ける
4●書くことと絵を描くことが違うことを
理解する
5●文字には意味があることがわかる
6●文字はそれぞれ決まりがあることを理解する
7●自分の名前を書く

生活についての発達
1●自分の周りの世界を理解する
2●周りのものを観察したり選択できる
3●似たものと違ったものがわかる
4●おもちゃや物を使って
目的のあるものを作ることができる
5●まわりにあるもので
好きなものと嫌いなものがわかる
6●物事に関心を持ち、質問ができる

算数的能力［数］
1●会話のなかで数を使うことができる
2●物を10まで数えることができる
3●1〜9までの数を認識できる
4●簡単な足し算や引き算の考え方ができる
5●10から1まで逆に数えることができる
6●「もっと多く」や「もっと少なく」といえる
7●1〜10までの数については
「1つ多く」「1つ少なく」の意味がわかる
8●数の違ったグループの数を
どちらが多いか比べることができる
9●「もっと軽い」「もっと重い」「もっと小さい」
などの比較ができる

算数的能力［形と空間］
1●簡単な形を覚えていたり、作ったりできる
2●同じ形が理解できる
3●平面的なものと立体的なものの違いを理解する
4●形について表現できる
5●もののある位置を告げることができる

数学的能力［問題解決］
1●数字、形、空間に関連した問題を
数学的な考えを使って理解する

4 小学校入学を遅らせる利点

入学時期

アメリカは州により入学年齢が違いますが、一般的なのは、12月1日が区切り日（Cut Odd Date）となっています。しかし、これはあくまで目安であって、子どもをどの学年に入れるかは、親と学校側が相談して決めます。12月1日以前に生まれた子どもは、翌年の9月からキンダーに入ることになりますが。アメリカでは、秋に生まれた子どもは、学年をひとつ下げるケースがとても多いのです。特に男の子のほうが女の子に比べて発達が遅いので、男の子は遅らせる傾向があります。

入学を早める場合

学年を遅らせる子は多いですが、なかには少数ながら早める子もいます。これは学校によって条件が違います。遅くすることは簡単なのですが、早くに入学させたい場合は、言語、数学などにおいて能力的にすぐれているという証明を出さなくてはいません。そのための審査もあり、校長やキンダーの先生、親が話し合って決めます。

入学を遅らせる場合

日本では入学の時期がきちんと決まっていて、ほとんどこれが守られています。そして学年を遅らせるということは、とても大変なことだと受け止められます。

しかし、アメリカでは学年を遅らせている子はたくさんいるので、秋以降に生まれた子は、どうするか考えます。プリスクールの先生も遅らせたほうがよいとアドバイスをくれることもあります。

アメリカでは、キンダーでも小学校でも簡単に留年させられます。無理をして入ってから留年させられるより、余裕を持って入学したほうがよいと考える親が多いのです。また、学年には必ず遅らせている子が何人かいるので、まわりも誰も気にしません。

遅らせたほうがよい場合

子どもの成長はそれぞれです。キンダーでは言語能力や数についての能力だけではなくて、生活態度も重視されます。たとえば、きちんと受け答えができる、座って人の話を聞くことができる、列に並んで待つことができる、集団行動ができる、トイレにひとりでいける、友だちとマナーを守って遊ぶことができる、情緒が安定しているなどのことのほうが大切です。

こういった事柄がうまくできていない場合は、机で勉強する時間が多くなるキンダーで生活することが難しくなります。

遅らせる場合の利点

アメリカではリーダーシップを持つことがよいこととされています。一番幼いよりは、ほかの子より成長している場合のほうが有利なことが多いです。

なんにでも余裕を持ってできることは子ども自身がとても楽になります。スポーツでは体が大きく身体能力がまさっているほうが活躍もできます。このように心身ともに余裕のある状態で学校生活を送ったほうが、その後の人生も成功しやすいと考えている人が多いようです。

またもし、無理をして入れた場合、キンダーや小学校で留年してしまったら、幼いとはいえ、子どもも恥ずかしいという気持ちが残ってしまいます。

遅れは取り戻せる

アメリカではどの学年でも飛び級があります。ですから遅れて入っても、どこかの学年で飛び級してひとつ上の学年に入ることは可能なのです。無理して入れて、留年させるより、遅れて入れて後で様子をみて飛び級させるほうが子どもにとっては自信がついてよいのかもしれません。学年だけではなく、ミドルスクールくらいになると科目別の飛び級もよくあることです。

入学の時期を決定するのは親

自分の子どもの状況をみて、遅らせたほうがいいかどうか迷ったら、プリスクールの先生、小児科医、キンダーの校長と話し合います、決定するのは親です。

子どものなかには、遅らせてよかったという子もいますし、もちろん遅らせなくてよかったという子もいます。こればかりは先のことなのでわからないのです。

5 お友達と楽しむバースデーパーティの開き方

バースデーパーティ

幼い子の誕生日を祝うのは、子どもにとっても親にとっても楽しいものです。パーティ好きなアメリカ人は、たくさんの友だちを呼んで日本にはないようなバラエティーに富んだパーティを開きます。

また友だちが10人以上いれば、1ヵ月に1回くらいは招待されるという計算になりますが、クラス全員を招待する子もいますので、もっと頻繁にパーティに呼ばれることになります。

バースデーパーティに招待されたら

バースデーパーティの招待は、電話連絡などではなく、まず招待状が届きます。そこにはパーティの日時、場所が書かれています。招待状の最後に「R．S．V．P．」(フランス語でお返事くださいの意味）と書かれていたら、期日までに返事を電話などで早めにします。「Regards Only」と書かれている場合は、欠席する時にのみ連絡します。

次に相手の子どもへのプレゼントを用意します。だいたい0歳から小学校くらいまでは、10～30ドルが相場だといわれています。男の子は、車のおもちゃやレゴのブロック、キャラクターもの、女の子はアクセサリーやぬいぐるみなどが多くなります。ほとんどの人がおもちゃをプレゼントにするので、重なったり、似たようなものを持ってくる場合があります。そこで、ギフトレシートといって、ほかのものと交換できるレシートをつけることも考えられます。ギフトレシートともらった品物を持ってレシートに記されているお店にいけば、ほかのものと交換できるという便利なものです。レシート自体に金額は書かれていませんが、お店にいけばわかります。最初からギフトカードや少数ながら現金という人もなかにはいます。

さて、買った品物はお店ではラッピングしてくれませんので、誕生日にふさわしい包装紙できれいにラッピングします。あとは、バースデーカードを用意します。カードはスーパーや薬局、どこにでも売られていて、誕生日の年齢が入ったものや、男の子用、女の子用もありますので、ふさわしいカードを選びます。当日、カードとプレゼントを持参して、誕生日の子に渡します。

パーティパッケージを利用する

アメリカではパーティ産業が発達しています。昔ながらのように自宅でする場合もありますが、子どもたちが普段はできないような経験をさせたり、思い切り体を動かせてみんなではしゃげるようにと種類が多いパーティパッケージから選ぶ人が多いです。

自宅でたくさんの子を呼ぶためには、飾り付けや料理などの準備も大変だし、子どもたちの面倒をみるのは大変だということもあるでしょう。パーティパッケージを利用すると、招待状、飲み物、食べ物、子どもたちのアクティビティ、おみやげ、子どもたちの面倒をみてくれるパーティコーディネーターまで含まれています。至れり尽くせりのサービスなので、お金はかかりますが、利用する人が多いのです。

パーティの種類

一番手軽なのは、幼児用の遊び場のあるマクドナルドなど、子どもが好きなチェーン店を利用したものです。店員が子どもを遊ばせてくれ、区切られた場所で、パーティをしてくれます。スナックが出て、ゲームをして、歌をうたって、ケーキを食べ、おみやげ付きというもので、10人くらいで１００ドル以下です。

アクティビティのパッケージにはありとあらゆるものがあります。屋内のプレーグランド施設は数多くあるので、利用する人が多いです。場所によって、博物館、動物園などでも子ども向けのサービスをしているところもあります。

また空手教室、工作教室など、子どもが通う教室で主催してくれることもあり、とにかく子どもがいく場所ならたいていのところにパーティパッケージがあるといってもよいくらいです。

費用の相場としては、20人呼んで、２００〜３００ドルくらいがかかります。

そのほかには自宅やレストランなどで開いた場合、ピエロやマジシャンを呼ぶこともあります。また子ども用の遊具を借りることもできます。

自分の子どものパーティを開く

さて、自分の子どものパーティを企画しましょう。まず、日にちを決めます。働く親も多いので、ゆったりできる土曜や日曜の午後が一般的ですが、平日の夕方でもかまいません。主催者側の都合が一番優先されます。

場所は自宅にするか、パーティパッケージを利用するか決めます。プリスクールに通っている場合は、プリスクールで開ける場合もあります。

招待状は、手渡しよりは、なるべく2週間くらい前までに郵送します。その時に、返事をいつまでにしてもらうか書いておきます。パーティの招待状も、いろいろな種類のものが、カード売り場で売られています。

人数確認ができたら、パーティ会場に連絡したり、自宅での準備を始めます。

人数分の大きさのバースデーケーキを用意します。ケーキ屋さんではなくても、普通のスーパーでもケーキは扱っていて、バースデーケーキ用のカタログなどから選びます。長方形のケーキに、ディズニーなどのキャラクターの絵がはってあるようなものが人気です。

そして人数分のおみやげを用意します。この袋も売られていますから、かわいい絵のついた袋のなかに、2～5ドル分くらいの小さいお菓子やおもちゃを入れて帰りに渡します。

パーティのあとは、なるべく早くサンキューカードを送るようにします。サンキューカードにもらったプレゼントを書き、ありがとうと一言書けばいいのです。

パーティを開く時の注意点

プリスクールなどでパーティをする時は、クラス全員を招待するという学校のルールがある場合もあります。全員といっても、プリスクールの場合は人数が少ないので、呼ばれない子がいたらかわいそうだという配慮です。特にルールがなくても暗黙の了解として、クラスメート全員を招待するところもあるので、招待する時は注意します。最近は、アレルギーの子どもが多いので、出席者には必ずアレルギーがないか確認しておきます。

6 夏休みのキャンプに子どもを参加させよう

夏といえばサマーキャンプ

アメリカの夏休みは長いので、子どもの過ごし方のひとつとして、サマーキャンプがあります。キャンプといっても、山の中に泊まりこむキャンプではありません。アメリカのキャンプという言葉は、みなで集まって一緒に何かをするという広い意味でよく使われます。

親が働いていてもいなくても、アメリカでは長い休みにキャンプのいくつかに参加する子どもが多いです。キャンプでは新しい集団の新しい環境で、いつもとは違った経験ができます。

何か習いごとをさせようと思っていれば、夏休みはスタートのよい時期かもしれません。音楽でもスポーツでもあちこちで初心者コースを用意しているので、試しにやってみて、気に入れば秋から本格的に始めるということもできます。多くの習いごとは、アメリカでは秋からスタートするものが多いのです。

共稼ぎの家では夏の間中、数千ドルも出して泊まり込みキャンプに子どもを送るところがありますが、もちろん、親戚の家にいったり、家族旅行をするほかはのんびりしている子もたくさんいます。その家の事情や予算に応じて、夏休みを考えます。

デイキャンプ［Day Camps］と泊まりこみ型キャンプ［Overnight Camps］

幼い子どもから参加できて、一番手軽なのはデイキャンプと呼ばれているものでしょう。ゲームや工作、運動やフィールドトリップ（遠足のようなもの）を組み合わせたもので、夏休みの大学生が子どもの面倒をみる伝統的なキャンプです。ほかにもキャンプを主催する団体の種類も多く、選ぶのが大変なくらいです。

デイキャンプは、毎日家から通い、2～5時間程度ですが、送り迎えのバスなどは出ないので、親の送り迎えが必要です。ランチを持っていくタイプや、ランチが出るキャンプもあります。

泊まりこみの場合は、1週間から長いものでは1ヵ月を超すキャンプまであります。キャンプの開催場所までは親が送り迎えしなくてはいけない場合が多いです。泊まりこみ中は、緊急の時以外、親と連絡が取れないようにし、携帯電話の使用を禁止する場合があります。手紙はオーケーです。親から離れた状態で自立心を育てることも目的としているのです。

タウンのキャンプ

夏休みには、町の教育委員会で用意しているプログラムもあります。これは住民用に安く提供されています。ですから、小学校などの町の施設を使います。スポーツからアカデミック系、趣味のものまでプログラムの種類も多いです。近くて手軽で安いので人気があり、抽選になる場合があります。申し込み時期も早く、3月には申し込みをしなくてはいけない場合もあります。夏休みが近くなってから考えていたのでは間に合いません。図書館に情報があったり、コミュニティセンターのようなところに時期が来るとパンフレットがおいてあり、タウン誌にも広告が載ります。費用は1週間くらいで70ドルから２００ドルくらいです。

勉強補強キャンプ

これは日本の塾の夏の講習に似ています。日本の補講に似て、学校で勉強の遅れた子どもを集めた無料のコースもあれば、逆に成績がよくて先生の推薦をもらった子だけが参加できるコースもあります。

そこまで勉強色が濃くなくても、理科の実験をたくさんするものや、川や湖、森などにいって自然を観察するもの、遊びながらスペイン語などの語学を学習するものもあります。大学生の団体が主催で、英語などの勉強をみるというコースも大学で開かれています。また泊り込みで集中して語学や数学などの教科を勉強したり、高校生くらいになると大学の寮に2ヵ月間くらい入って、大学生と同じコースを勉強するものもあります。

いろいろなキャンプ

キャンプの種類はありとあらゆるものがあって、書ききれないほどです。サマーキャンプと自分の住んでいるジップコード（Zip Code　郵便番号）を入れて検索すれば、近くのキャンプの情報が出てきます。

スポーツキャンプでは定番の水泳、サッカー、野球、テニス、バスケットボールのほかに、乗馬、釣り、体操、チアリーディングなどもあります。またいくつかを組み合わせたキャンプもあります。

空手やダンス教室などが主催するキャンプ、ＮＡＳＡを始め、動物園や水族館のようなところまでがサマーキャンプを提供しています。聖書の勉強や賛美歌の練習をする教会主催のもの、ＹＭＣＡ主催のものなどもあります。

キャンプの値段は、公的機関が提供するものは安く、企業などが提供するものは内容によって高いものもあります。キャンプでは、男の子だけ、女の子だけというものや、男女一緒ももちろんあります。

サマーキャンプを毎年続けることによってリーダーシップを学べ、継続証明が出るキャンプに通っていると大学にいく時に有利なので、そういう目的を持って参加している子どももいます。

キャンプの人数ですが、内容や年齢によって違いがあるものの、だいたい5〜15人程度がひとつのグループになります。

プリスクールのキャンプ

プリスクールもキンダーや小学校と同様に長い夏休みがあります。デイケアを併設しているところは、サマープログラムを持っているので夏も継続して通える場合があります。いつもと同じ先生で似たようなスケジュールのこともありますが、夏だけ違うスケジュールになることもあります。

3歳くらいから受け入れているキャンプもほかにあるので、夏の間はほかの活動をすることも考えられます。

サマーキャンプの申し込み

年が明けるとまだ夏休みまでは半年もあるというのに、ちらほらとサマーキャンプの広告をみかけるようになります。評判がよく人気の高いキャンプはすぐにいっぱいになってしまうので、なるべく早く情報を集めて決める必要があります。キャンセルするのはたいてい簡単ですから、キャンセルの条件を調べたうえで、とりあえず申し込んでいる人が多いようです。キャンプによっては予防接種証明や健康診断が必要なものがあります。

留学から結婚、**ただいま家族4人**

K・E［41歳・ハワイ在住］

ミシガン州の大学を卒業して日本で就職。結婚、離婚を経て、1999年、再び34歳で大学院留学をはたす。留学中に現在の夫（アメリカ海軍所属・イリノイ州出身）と知り合い再婚。家族構成は夫（30）、長男（4）、次男（1）。

1980年代後半に最初の留学

＊＊最初の留学についてお聞かせください

1980年代後半にミシガン州の大学の3年次に編入して、卒業しました。専攻は文化人類学とグラフィック・コミュニケーションで、3年間勉強して、1990年5月に帰国しました。

＊＊就職活動はいかがでしたか

実は卒業前に就職が決まっていました。卒業前の最後の学期が始まる前（冬休み）に、シカゴとニュージャージーで開催された日本人留学生向けの日米企業の就職説明会にいき、1社から内定をもらいました。アメリカ企業で勤務地は東京でしたが、結局は辞退しました。ミシガンという土地柄、日米の自動車会社や関連会社が個別に大学にきて就職説明会をしており、20人ほどしかいない日本人学生を対象に説明会（勤務地は日本各地）があり、それにできる限り出席しました。そのうちの1社に就職（日本企業、日本勤務）が決まりました。今思えばかなりめぐまれた就職状況だったと思います。

＊＊帰国してからの逆カルチャーショックのようなものはありましたか

特になかったです。それよりも会社の中の男女の格差にとまどいました。

結婚から離婚、2度目の留学へ

＊＊なぜ大学院に再留学しようと思いましたか

会社に勤めている時、ちゃんと経済、経営、ファイナンスなどを勉強したい、そして新商品の企画書を書けるようになりたいと思っていました。でも当時は再び海外留学するふんぎりがなかなかつかず、当時交際していた人と結婚したため、留学が遠のいてしまいました。でもいろんな問題がもちあがり、人生の奈落に落とされたような状況になり、離婚の手続きを始めました。手続きは何年かかるかわからないような、先がみえない状況でした。

「もしあの人と結婚しなかったら、私は何をしていたか？　きっと一大決心で大学院留学していただろう」と思い、この先ひとりで強く生きていくためにビジネスで学位を取ろうと決心して、再留学しました。

＊＊再留学で何を専攻しましたか

ハワイ・パシフィック大学（HPU）でMBA（経営学修士）取得を目指していました。MBAでは6つの専攻があり、最初は経営を専攻していましたが、必須科目で取った会計学の先生に何度も「あなたの性格は会計に向いている」といわれ、その気になって、留学当初には思いもかけなかった会計学に変更しました。これが後にいくつかの奨学金をもらえるようになったり、ハワイ大学に編入することになったり、インターンとして就職（Series 7という証券トレーダーの資格試験のスポンサーや、卒業後の就労ビザのスポンサーもするという話になっていました）にもつながったり、道が一気に開けました。

＊＊2度目の留学前に日本ではどのような仕事をされていましたか

日米の会社の共同開発の新商品企画に関するすべての業務、ということで、早朝会議のアメリカ人出席者のためのドーナツ調達、空港への出迎え、といったものから、国際会議の調整と準備、企画書の日英翻訳など、本当に何でもかんでもやるのが仕事でした。子ども英会話学校で講師もしました。その時の経験は、息子たちに英語の読みやスペルを教えるのに役立っています。人生に無駄なことはないですね。

＊＊2度目の留学に向けて、どのような準備をされましたか

英語そのものの勉強より、ビジネススクール留学には不可欠のGMAT（Graduate Management Admission Test）が今回の留学前の最大の課題でした。問題集を何冊か解きまくりましたが、数学以外のセクションはどうやっても点数が伸びず、苦しみました。こうなったらほかのセクションは捨てて、数学セクションで点数を稼ぐしかないと思い、数学のセクションのみ集中的に勉強しました。GMATの点数不足をカバーすべく、願書に添付するエッセイに力をいれました。何パターンか作って、1度目の留学の時にお世話になった教授に添削してもらいました。英文10ページ近くの英作文は久しぶりのことだったので、苦労しました。

＊＊留学中に奨学金を得て、ハワイ大学へ転校されたとのことですが……

ハワイ大学には、当時、いろんな条件をクリアすれば、留学生でも州外レートと州内レートの差額を奨学金として免除される制度がありました。条件としては、適用国の出身であること（適用国は毎年微妙に変更あり）、一定の期間（秋学期、冬学期を2学期以上）をハワイで通学していること、成績、などなど。この時、また受験したGMATでも数学以外は惨敗で、必要な合計得点には届かない点数でした。でも数学セクションは9割がた正解の高得点だったようで、面接試験官はその数学の点数とHPUでの成績を重視するということで、転入が許可されました。ハワイ大学では、HPUのような

専攻がなかったため、ＭＢＡでなく会計学修士号を専攻することを勧められ、会計学に集中することにしました。

国際結婚を乗り切る秘訣

＊＊ご主人との出会いのいきさつは

主人と出会ったのは２０００年の１月頃で、当時、私はワイキキに住んでいました。時々、週末の夜に友人とワイキキを散歩、その途中、とあるホテルのカラオケバーに休憩がてら立ち寄りました。そこはマイタイというカクテルが99セントで、その１杯で12時の閉店までねばれる、貧乏な学生にとってはありがたい息抜きの場でした。ある日、そこで主人に声をかけられました。その時はお互いがお互いの年齢を誤解していました。

その後すぐ、主人は半年の航海に出ていき、その間、メール、電話、手紙などで連絡を取っていました。その中でお互いの実年齢が発覚しました。その間の文字でのやりとりが、お互いを深く知る上で結果的にはよかったと思います。生い立ちやこれまでの人生のこと、価値観、金銭感覚、人生観など、普段、面と向かってはあまり話さない深いことを話し合えたので、半年後、彼が航海から帰ってきた時には何年も知っているかのようでした。それから10ヵ月後には結婚したのですが、早すぎたという感じはありませんでした。

＊＊留学中にご主人と出会って、結婚か勉強続行かと迷いましたか

結婚も勉強も両立できると思っていました。主人も当時、大学のクラスを取っていて、２人で一緒に勉強していましたし、主人は妻に家事をまったく求めない人で、結婚後もそれまでと同じにクラスを取っていました。が、育児はそうはいきませんでした。長男を出産する１ヵ月前まで大学にいき、１年（最長）の休学届け（何のペナルティーもなく、手続きもなく、復学できる）を出して、１年後には大学に戻るぞと思っていましたが、甘かったです。育児の大変さがわかっていなかったです。長男が１歳になった時（休学があけて、復学予定の時）、子どもを常時面倒みてくれる実家などの協力がなければ、大学院の勉強は到底無理だとわかり、さらにマウイ島に引っ越しになったので、それからずっとこの５年間学校に戻れずにいます。

＊＊国際結婚にあたって、双方のご家族からの反対はありましたか

まったくありませんでした。私の両親はとても驚いていましたが、同時に、海外で私がひとりで生きていくよりも、「夫」という力強い味方ができて、親としては安心したといっていました。

＊＊国際結婚をうまく乗り切っていくために気をつけていること、工夫していることはありますか

夫婦で心がけていることは、たくさん話し合いをすること。私のほうでは感謝の気持ちを忘れず、ありがとうをたくさんいうこと。主人のほうでは、私が言葉の問題などで誤解していないかどうか何度か確認するようにしているようです。夫の心理や夫婦間のコミュニケーションに関する本を何冊か読みました。特に役に立っているのは「The Surrendered Wife」（Laura Doyle著）と「The Rules for Marriage」（Ellen Fein & Sherrie Schneider著）です。日本人が書いたものは、私たち夫婦にとっては的外れな感じで、あまり参考になりませんでした。

　国際結婚を乗り切っていくには、結婚後の努力よりも、アメリカに住む場合には、国際結婚に向いている性格があると思います。たとえば、めんどくさがりでない、てきぱき問題を処理できる、ペーパーワークなど苦にならないなどです。また、自分と金銭感覚が似ている人と結婚したかどうかに、大きく左右される気がします。あとは出会って結婚に至った場所から動かないほうが、結婚生活がうまくいく確率が上がると思います。というのは、その場所だから2人のバランスがとれているので、ほかの場所や国に移るとバランスが崩れてしまうことがあるからです。

出産は夫婦で

＊＊出産はどこでされましたか

　長男はオアフ島にある軍の病院で、次男はマウイ島にある民間の病院で出産しました。マウイ島で民間の病院にしたのは、マウイ島には軍の病院がなかったためです。

＊＊民間病院での妊娠中の検診はどのようなものでしたか

　検診は私が選んだ産婦人科医を含め、そのクリニックにいる産婦人科医5人すべてで対応するとのことで、順番にすべての医師に診てもらいました。出産はそのクリニックではなく、入院設備のある大病院（マウイの出産はほとんどここでおこなわれます）でしましたが、そのクリニックの産婦人科医のうちの1人が担当医として、その病院にきてくれました。朝4時でした。

＊＊どんな出産方法を選びましたか

　アメリカでは無痛分娩が主流で、私も当たり前のように、どちらの時も無痛分娩をお願いしました。何も問題がなくて、妊娠中の検診や出産にかかる費用については、軍の保険が１００％カバーしていたので詳しくは計算していませんが、たぶん2万ドルはかかっていたと思います。あとは新生児の誕生直後の検査と入院1泊分が5，０００～6，０００ドルくらいかかっていたと思います。特に問題がなければ、産後の入院は1泊か2泊です。私も1泊で、次の日のお昼に退院しました。

＊＊出産における夫の役割は

　こちらでは出産準備や出産、産後の夫の役割は大きいと思います。妊娠中の検診など、待合室では半分以上の妊婦さんにご主人が付き添っているように思いました。病院が主催する妊娠中のさまざまなクラスにはご主人が付き添っていない妊婦さんのほうが少ないくらいでした。私の主人も検診の3分の2くらいは仕事を抜けてきていましたし、クラスは全部出席しました。

　出産には夫が付き添うのが当たり前の

ような感じです。主人は、どちらの出産の時も、出産予定日の数ヵ月前から仕事を調整して出産予定日前2週間、出産予定日後3週間の休暇を取りました。友人（当時日本在住）のご主人は半年の航海中でしたが、彼女が産気づいたとのメールで、最寄の空港（中近東の某国）から飛行機を乗り継いで帰ってきて、出産に間に合ったそうです。それくらい妻の出産は夫にとって一大事として扱われているように思います。

　友人の日本人同士のご夫婦で、いざ出産という時、ご主人が「どうしても出産に立ち会わないといけないか」と1人の看護師さんに聞いたら、部屋のなかにいた数人の看護師さん、実習生、すべての人から非難轟々で、出産後、マリッジ・カウンセリングを勧められたとか。アメリカでは夫は出産に付き添うのはもちろんのこと、出産のサポートもします。力む時、看護師さんが妊婦の片方の足を持ち、もう片方は夫が持ち、力んでいる間、10数えるのは夫の役目。ハイライトは夫がへその緒を切ります。

　主人などは子どもが産まれる瞬間をみて、はさみからへその緒の感触が伝わってきた時、「自分の子なんだな、ぼくは父親になったんだな」と実感し、感動したそうです。私が気が抜けてぼーっとしている時、主人は感動して涙を流して泣いていました。

子どもとは日本語7割、英語3割

＊＊育児はいかがですか

　何といっても気候がいいので、育児はしやすいです。赤ちゃんは肌着1枚とおむつでOKですから。長男が生後3ヵ月の時マウイに引っ越したので、マウイが初めての子育ての場所でした。マウイでは子育てサポートプログラムをいくつか利用しました。なかでもとても助かったのは州がスポンサーをしている「プレイモーニング」というプログラムでした。数ヵ月の赤ちゃんから4～5歳の子どもが対象で、毎回、親子20組くらい集まりました。おもちゃやクラフトなどをバンに満載した担当者が、週1度、決められた場所にやってきて、1時間半くらい自由に遊びます。「今週のクラフト」を指導したり、スナックを配ったり、歌を歌ったり、お遊戯をします。

　州から子育てに関する情報がもらえたり、思いもかけない子どもの好みのおもちゃや行動について発見があったり、同じ年頃の子どもを持つママさんたちと知り合えたりと、初めての育児、それも実家などのサポートがない育児をしている私にとって、大きな助けになりました。

　いま長男はプリスクールに通っています。週5日、朝8時から夕方5時まで。月約650ドルで、これは安いほうだと思います。

＊＊子どもさんとは何語でお話をされますか

　日本語7割、英語3割で、長男に話しかけています。その3割の英語は、彼を叱る時、急な危険を知らせる時などです。叱る時、日本語だと、あまりこたえていないようです。

長男は私のいう日本語は9割がた理解しているようですが、彼が話すのはほぼ100％英語です。相手が日本語しかわからないと思えば、日本語（ちょっとあやしいですが）も話します。長男の日本語上達を考えた場合、長男は8月からキンダーガーテンにあがりますが、近くの公立小学校（日本語クラス無し）にいかせるか、遠いけれど日本語クラスがある公立小学校へ越境入学させるか、今いっているプリスクール（小学校2年生まである私立校、教育レベルが高いと定評あり）に、日本語クラスはないが、そのまままいかせるかと思案中です。公文教室や土曜日の日本語補修校という選択もあります。日本に住むという選択はないのだから、子どもの負担を考えて、日本語は成りゆきまかせで特に何もしないでいようか……。目下のところ迷っています。

ハワイでの暮らし

＊＊ハワイでの暮らしはいかがですか

オアフ島に3年弱、その後マウイ島で3年半暮らし、昨年2月にオアフ島に帰ってきました。オアフには日系のデパートやスーパーマーケット、本屋などたくさんあり、日本のものはたいてい揃います。マウイには日系のデパートやスーパーはありませんが、現地のスーパーのオリエンタルコーナーで味噌、醤油といった基本的なものは売られています。メインランドに比べハワイの物価はとても高いと思います。マウイはオアフよりさらに1割近く高いように思います。

＊＊困ったことはありましたか

私が唯一マウイで困ったのは美容院です。日本人の美容師さんがひとりもいません。私も含め、日本人ママ友達たちはオアフか日本で美容院にいくか、マウイの（評判のよい）美容院に思い切っていくか（そして悲惨な髪になる）、お互い髪を切り合うか、伸ばしっぱなしか……のいずれかです。でも、ハワイ（オアフ、マウイ）では自分が日本人、外国人だとほとんど意識しないで暮らせるので、私にとっては精神面で生活しやすいところです。これからも老後もオアフかマウイにずっと住みたいと思っています（主人を洗脳中です）。

＊＊将来、子どもさんの手が離れたら、何かしたいことはありますか

大学院に復学し、会計学修士号を取りたいと思っています。大学の将来取る予定のクラスのテキストや、CPA（公認会計士）試験の問題集、日本語の会計学関連の本など、意気込んで買い込んであり、5分か10分でも時間をみつけたら、それらを読んで予習しています。

『グローバル」通信』
2007年2・3月号より抜粋・加筆修正あり

＊＊2008年6月、市民権を取得してアメリカ市民となる【255頁参照】。10月現在、夫の仕事の関係でワシントンDCに引っ越し。

10章

アメリカの教育制度

小学校教育ですべきこと

飛び級はあたりまえ!?

バイリンガルに育てるのは難しい？

1 日本とこれだけ違うアメリカの教育制度

義務教育

アメリカは、地方自治重視の考え方から、教育も地域住民が選んだ教育委員会（Education Board）が教育行政を担当します。州により基本的な義務教育期間さえ違います。

キンダー1年（Kindergarten）、小学校5年（Elementary school）、中学3年（Middle School）、高校4年（High School）で、合計13年間を義務教育にしている州が多いです。このうち、キンダーは小学校に付属していることが多いですが、同じ州内でも町によって5・1・2・4制や6・6制、6・3・3制などがあり、名前も、たとえば中学ではJunior High School、Secondary School、などのほか、私立のような名前をつけているところまであります。

学年の数え方は小学校1年から12年まで連続して数えます。教育課程にはキンダーも含めるのが普通で、義務教育はK－12と表記します。

公立の学校では、いろいろな義務があり、英語を母国語としない子どものためにELSプログラムや、障害のある子どもには特殊教育プログラムを用意しています。教科書は貸し出し方式ですが、無料で提供されます。スクールバス、心理カウンセラー、ソーシャルワーカーなどのソーシャルサービス関連も無料で利用できます。

公立学校の学区［District］による格差

学区は住んでいるところで決まってしまいます。それぞれの学区では、その教育委員会が教材の選択、教師の雇用、教育予算の管理、学校施設の管理などを担当しています。ですから隣町同士でも、同じ公立なのに設備、生徒のレベルから教師の質まで大きな差がつくことがあります。

公立ならば高校までは受験がなく、住んでいる町の高校に通うことになります。いくら近くても学区の違う学校には通えません。そこで子どもの教育のためによい学区を選ぶことが大切になってきます。一般にはよい学区の住宅は高いとされ、教育税も高いです。教育熱心な学区の一戸建て住宅が町に納める年間の教育税は、日本の私立学校の年間授業料よりも高いことがあります。

地価に響くので、子どもがいない家でも学区の学校のレベルにはみな関心があります。学校のレベルは不動産関係のサイトで簡単にみつけることができます。毎年おこなわれる州ごとの独自の州統一試験の結果は、学校ごとに点数が新聞に出ます。

町のみんなの税金で建てた学校の施設は、地域住民に開放されていて、テニスコートやプール施設などを使うことができます。

私立学校［Private School］

アメリカの私立校は、キンダーからハイスクールまでの一貫教育をおこなっているところも多いです。その種類としては、宗教関連の学校（Parochial School）、いわゆる進学校のプレップスクール（Preparatory School）、全寮制の学校（Boarding School）などがあります。また私立学校のなかには、男子校、女子校もあります。

教会系と一口にいっても、カトリック系、ユダヤ系、ロシア正教系などがありますが、教会の援助があるので、授業料が安く、教育環境がよい場合があります。当然のことながら、多かれ少なかれカリキュラムには宗教関連の時間が含まれています。信者ではない生徒を受け入れているところも多くあります。

プレップスクールはよい大学への進学を目的とした学校です。お金持ちの家庭が、学生時代は質素に過ごさせるという目的で子どもを入れる場合もあるそうです。クラスの人数は少ないところが多く、学校独自の教育理念のもとに、行き届いた教育をしていますが、年間授業料は寮費を含めると4万ドルを超える学校も多くあります。

マグネットスクール［Magnet School］

マグネットスクールも公立学校の一種です。特別な教育の魅力で周辺の子どもたちをマグネット（磁石）のようにひきつけるという意味からこの名前があります。

芸術、技術、科学などに力を入れた特色あるカリキュラムがあったり、人種に偏りがないように配慮していたり、学年混合クラスなど様々な試みをしている学校があります。学区はなく、広い範囲から差別なく生徒を受け入れています。キンダーを含む小学校から高校まであるところもあります。希望者が多い場合は、抽選になります。

また、州によってはマグネットスクールが少ない州もありますが、カリフォルニア州やイリノイ州などは10％前後の生徒がマグネットスクールに通っています。

チャータースクール［Charter School］

１９９０年代から増えてきたアメリカの新しい学校のスタイルです。保護者や地域の住民たちが自分たちで学校を運営しようというものです。州による規定を一部免除されていますが、公立学校として運営されています。

マグネットスクールと同様に学区はありません。従来の公立学校が持っている問題を解決するために作られた学校ではありますが、設立当初の目標に向かって成果をあげないと閉校になってしまうこともあります。増えてきてはいますが、まだどこにでもあるというわけではありません。

ホームスクール［Home School］

広いアメリカでは、学校が遠くて通えない子がホームスクールという選択をする場合があります。しかし、都会であっても、宗教上の理由からまたは家庭の方針から通常の学校へ通わせない家庭も数多くあります。

教師の役割

多忙な日本の教師と違い、アメリカの教師は授業で子どもに教えるだけが仕事です。授業が終わった後の子どものことについては責任を持ちません。授業を妨害する生徒や、休み時間に問題を起こす生徒を指導するのは小学校では校長の役割です。授業以外のことで相談がある場合は、気軽に校長に相談できます。

留年と飛び級

アメリカの学校は簡単に留年させます。各学年には必ず留年者がいるといってもいいくらいです。キンダーでさえ、留年させられる場合があります。

留年はRepeatと呼ばれています。学年の勉強を十分理解していないと判断されると、もう一度同じ学年を繰り返すことになります。教師と保護者が相談し、生徒の習熟度を考慮して決めますが、学力基準は州や学校によって違います。

勉強面だけではなく、出席日数にも厳しいので、病気などで欠席が多い場合は、たとえ成績がよくても留年しなくてはいけません。欠席が重なると、後何日休んだら留年することになりますよという警告がくる場合があります。アメリカの初等教育、中等教育で留年する割合は平均13％前後にもなります。

留年がキンダーからあるように、飛び級もキンダーからあります。飛び級はSkipと呼ばれ、小学校の時は、学年の飛び級ですが、ミドルスクールになると、たとえば数学だけというように、ある学科だけの飛び級もあります。しかし、兄弟がいる場合は、兄弟と同じ学年にならないように配慮されるといわれています。

留年にしても飛び級にしても、年齢よりもその子にあった学力をもとに決められるということです。

ギフテッド・クラス

それぞれの能力に応じて必要となる教育をするのが、平等であると考えられています。ですから障害児には障害児用のプログラムを用意し、英語ができない子にはＥＳＬを用意しています。

逆に能力が高い子どもにはギフテッド・クラスといって、カリフォルニア州の公立学校のＧＡＴＥ（Gifted and Talented Education）プログラムのように、より高いレベルをめざし、チャンスを広げるような教育をします。

算数や科学といった学習面だけではなく、音楽、美術、リーダーシップなど多方面での能力を持った子が選ばれます。教師が推薦し、いろいろな種類のテストや面接をした後に認定されます。カリフォルニア州だけではなく、多くの州で似たようなプログラムを持っています。

親の役割

アメリカの保護者は、積極的に教育に関わります。小学校は当然のこと、教育熱心なあまり、高校生になっても親が宿題を手伝ってしまうことがよくあります。

また公立といえども、高い教育税を払っているので、それに見あった教育を受けるのは当然と考えています。教師に納得がいかない部分があれば、校長に訴えますし、授業や子どもの態度に心配があれば、授業参観をする親もいます。日本のように試験で大学に入学するのではなく、内申書がすべてなので、子どもの成績の付けかたにも細かくいう親がいます。

2 小学校での授業、成績のつけ方、食事習慣

アメリカの小学校と日本の小学校との違い

アメリカではキンダーから義務教育が始まっているので、その続きの小学校に入るのが一般的です。入学式もなく、小学1年生でも始まったその日からランチがあり、長い1日を過ごすことになります。

小学校教師ひとりに付き生徒数の平均は日本が19人に対して、アメリカは14人（2006年の調査）です。ですからアメリカでは1クラスの人数が20人以下のところが多く、それ以上になると補助の教師が入ります。年間の教育費としてひとりの子どもにかかるのは日本が5,400ドルに対してアメリカは8,400ドルという調査結果（2003年の調査）が出ています。アメリカでは平均というのは学区間による格差が大きいので意味がないかもしれませんが、それでもアメリカの教育のほうが豊かといえるでしょう。

教える内容は各学校区で決定しますが、クラスの生徒の状況によって、教科書や指導方法は各教師が決めることになっています。同じ学校でも教師によって教科書も教え方もずいぶん違うことがあるわけです。

毎朝、左胸に手を当てて、国家に忠誠の誓いを立てることが日課です。そのほか、日本との細かい違いといえば、体操服は着ない、クレヨン、はさみなどの文房具は学校のものを使用、チャイムが鳴らない、Play Dayと呼ばれている運動会は事前の練習などはなく、親が手伝って1日外でゲームをして過ごすことなどがあります。教室によっては机と椅子の配置がその日によって違います。

授業参観は特にありませんが、希望すれば親はいつでも授業をみることができます。

授業の特徴

アメリカで有名なのはShow and Tellの時間です。どこかにいったことや、自分で経験したことをみんなの前で話し、共有するのです。基本は褒めることで、これで

自信をつけさせます。中学年になると、プロジェクトとして2週間~1ヵ月くらいかけるテーマを与えられ、それについて個人やグループで調べます。グラフや絵、写真を貼った資料を作り、みんなの前で発表するということをします。アメリカではこのようにして、小学校からプレゼンテーションの訓練をしています。

主要科目

主要科目は国語（英語）、算数（コンピューター教育を含む）、理科、社会、体育、保健、音楽、図工です。日本のレベルとは単純に比べることができません。それは次にあるようにレベル別の授業になっている場合は、4年生でも能力がある子は、5年や6年の算数を勉強することがあるからです。

英語の教育に力を入れ、英語の時間数は、算数や理科の2倍以上になっています。通常の文法や作文のほかに手紙の書き方や招待状の書き方など生活に必要なものも教えます。

小学校4年くらいから、外国語を取り入れているところもあります。また高学年の音楽は、日本の音楽の授業とは違い、コーラスか、バンドか、オーケストラというように分かれ、自分で好きな楽器を選択します。

国家への忠誠の誓い

Pledge of Allegiance
I pledge allegiance to the flag
of the United States of America
and to the republic for which it stands,
one nation, under God,
indivisible with liberty and justice of all.

私は国民の自由と正義とともに、
神のもとに不可分なひとつの国家を象徴する
アメリカ合衆国の国旗と共和国への
忠誠を誓います。

知っておくと便利な学校用語

Semester, Term●学期
Language Arts●国語
Math, Mathematics●算数
Science●理科
Social Studies●社会科
PE[Physical Education]●体育
Health●保健
Music●音楽
Art●図画工作、美術
Gym●体育
Report Card●成績表
Attendance●出席
Absent●欠席
Class Mother●PTAのクラス委員
Early Dismissal●早く下校するまたは早退
Late Attendance●遅刻
Recess●休み時間
Field Trip●遠足
Detention●居残り
[罰として放課後に残されること]
School Nurse●保健の先生
Health Examination●健康診断
Lost and Found●落し物
News Letter●学校のお知らせ
Fund Raising●寄付集め
Substitute Teacher●代理の先生
Year Book●卒業アルバム
Open House●オープンハウス
[新学期の夜に学校に親がいって、
各科目の担当教師に会って、話を聞く]
Picture Day●写真撮影の日

レベル別授業

ミドルスクールになると算数、英語、科学、外国語といった主要科目はレベル別になりますが、小学校でも高学年にはレベル別にする場合もあります。個人に合った教育を受けるのが平等と考えているのですから、無理に難しいレベルの授業を受けたり、反対にやさしすぎる授業では子どものためにはよくないと考えられているのでしょう。早いところは、2年生くらいから能力別のクラスに分ける場合もあります。また学年の途中からでも飛び級をすることがあります。担任だけでは決めず、必ず親とも話し合います。

学校へ親の参加

最初にどんな分野で親が子どもの補助をできるか聞く教師もいます。たとえば、理科で人間の体を勉強する時には、外科医の保護者が外科医の服装でクラスの子どもの前で体のことを話したり、社会で外国の勉強をする時は、別の文化を持った親が話すこともあります。そのほかに、ボランティアとして登録している親は、コンピュータークラスのように担任の目がいき届かないクラスの補助に入ったり、算数や英語で遅れている子どもがいる場合は、その子を補助する手伝いなどをします。親のボランティアはほかにも図書館の手伝い、手紙の分類、イベントの手伝いなどたくさんあります。

カンファレンス（Conference）と呼ばれる個人面談は小学校では年に2回ほどあります。15分ほどの長さで心配ごとや家庭、学校の様子などについて話すのは日本の学校と同じです。両親でいく場合も多く、昼間に都合が悪ければ、夜に時間を設定してくれる時もあります。子どもは連れていけません。

子どもの誕生日には、教師と相談した日に親がカップケーキなどを持っていき、授業中にクラス全員に誕生日を祝ってもらいます。誕生日のお菓子は生徒と親で校長先生にも持っていきます。

成績

成績の評価の仕方も方法も、学区や学校によって違います。アメリカは絶対評価法をとっていて、クラスの何%以上がAというような付けかたはしません。低学年では2段階評価、高学年では5段階評価になるなど、学年が進むほど評価の段階も多くなっていきます。テストなどの結果だけではなく、授業中の態度、発表をしているかどうかなどの授業への貢献度、宿題をちゃんとやっていたかということも評価されます。

電子メールの活用

プリント類は成績も含めて、子どもに持たせずに、自宅の保護者宛に郵送されることが多いです。しかし最近、お知らせ類は、登録した保護者の電子メールアドレスに送られることが多くなっています。教師たちも自分の電子メールを保護者に教え、教師と親は電子メールで連絡を取ることが増えています。

おやつの時間とランチ

学校におやつやスナックを持っていくことは日本では考えられませんが、アメリカの小学校ではスナックタイムがあります。朝食を食べてこないか、軽くしか食べない場合は、このスナックタイムが重要になりますが、持たずにいき、何も食べない子もたくさんいます。

日本の学校のように、一斉に昼休みになるわけではなく、学年ごとに時間をずらして、教室ではなくカフェテリアで昼食を食べます。ランチは持参する子が多いです。毎日ピーナッツバターのサンドイッチという子もたくさんいます。スーパーマーケットでは、ハムやパン、チーズ、クラッカーの入ったランチパックが売られていて、手軽にそれを利用する子もいます。

カフェテリアでもランチを買って食べることができます。メニューは日替わりですが、ハンバーガー、ピザ、パスタなど単純なメニューです。健康にも配慮しているとはいいますが、ランチで野菜や果物をまったく食べない場合もあります。低所得の家庭は、学校でのランチは無料になります。また朝を食べてこない子どもが多い学校では、朝食も提供されます。

欠席の場合の**学校**への**手紙**の**書き方**の例

April 24, 2009
Dear Ms. 先生の名前
My son/daughter, 子どもの名前
was absent form school
from 日付 to 日付 because
he had a fever.（またはその他の理由）
Sincerely,
（署名）
親の名前のタイプ

3 レベル別の授業が当たり前のミドルスクール

地域によってミドルスクールと呼ぶ学年はちがう

前述［9章1参照］したように、ミドルスクールの学年は地域によって違います。6～8年生、7・8年生、7～9年生とバラエティがあります。これはそれぞれの学区の教育委員会が、その教育方針から決めます。

ミドルスクールのシステム

小学校まではホームルームの教室があって、担任の先生がいましたが、ミドルスクールからは日本の大学のように、一人ひとりが違う時間割を持ちます。そして授業ごとに教室を移動しなくてはいけません。

クラス担任もいないので、学習上の相談は各教科の教師か、またはカウンセラーにします。カウンセラーは生徒一人ひとりに割り当てがあります。1，000人程度の規模のミドルスクールだとカウンセラーは、5人～10人いて、生徒の時間割、成績などを管理します。

ホームルームは出席を取ったり、伝達事項を知らせるために登校後または下校前10分ほどおこなう場合もありますが、ないところもあります。

ランチタイムはカフェテリアを使うので、時間が個人で違いますが、早い子は11時にランチタイムで、遅い子は1時半という場合もあります。ランチタイムは30～40分程度で、遊ぶ時間はありません。ミドルスクールになると、移動の時間とランチタイムだけで休み時間というものはなくなります。

必修科目と選択科目

ミドルスクールになると、選択科目が出てきます。自分で選択科目を記入してカウンセラーに提出すると、カウンセラーが確認をして時間割を決めます。

必修科目は英語、数学、理科、社会、体育、保健ですが、選択科目は学校により違います。音楽といっても合唱、オーケストラ、バンド、ミュージカルなどから選び、家庭科では料理、マナー一般、裁縫があります。外国語も学校によって、スペイン語、フランス語、ロシア語、中国語、日本語などいろいろです。必修科目は1年を通して学びますが、選択科目は学期ごとに変えることもできます。

レベル別の授業

多くのミドルスクールでは、英語、数学、理科などの主要科目でレベル別の授業を実施しています。教育水準が高いといわれる地域ほど、こうした傾向は強いようです。たとえば数学のレベルはミドルスクールでは2段階ですが、ハイスクールにいくと4段階になる場合もあります。ミドルスクールのレベルでは、低すぎる場合には、数学の時間だけ、ハイスクールの数学の授業を受けにいきます。外国語も小学校から始めた子と、ミドルスクールに入ってから始めた子がいるので、レベル別の授業になります。

宿題と成績

ミドルスクールになると驚くくらいの量の宿題を出す学校もあります。生徒によっては1日に4時間かけても終わらない日もあるということです。どんな小さな宿題でも成績にひびき、また学校を休んでも宿題は必ず提出しなくてはいけません。教師によって成績の評価の仕方は違いますが、たとえばテスト50%、授業への貢献度20%、宿題30%というような割合ですから宿題も重要な要素なのです。

成績は1学期間に2度出ます。成績に心配な点（テストが悪い、宿題が提出されていないなど）がある時は、リポートカードと呼ばれる途中経過を親あてに出す教師もいます。

クラブ活動

放課後に残ってする課外活動（After School Activities）が、ミドルスクールにはたくさんあります。野球、テニス、サッカーといった運動系のもの、バンドやオーケストラといった音楽系、数学クラブ、語学、新聞など文系のものがあります。たとえば野球は秋、バスケットボールは冬、バレーボールは春など、季節によってスポーツは変わるので、いろいろなスポーツを楽しむことができます。

4 ハイスクールは成績だけでなく課外活動も重視される

高等学校の種類

ミドルスクールを卒業すると、一般的には地域にある公立のハイスクールに入学します。入学試験はなく、授業料もありませんが、学区によってハイスクールでのレベルや学ぶ科目、内容に差があります。

公立のハイスクールのほかには州が運営している職業訓練校（Vocational - Technical School 略してVo - Tech）があります。ここは卒業してすぐに就職できることを目的とした学校ですが、実際に働きながら通うこともできます。料理、大工、車の修理、コンピューター、服飾など学校によってプログラムの内容は違いますが、高校卒業の資格が取れます。

プレップスクールというアイビー・リーグなどを始め、名門大学入学をめざす私立の進学校もあります。

ハイスクールのシステム

ミドルスクールと同様に必修科目と選択科目にわかれています。単位制で、卒業までにどの科目で何単位必要か決まっています。数学や外国語は3年間履修すれば卒業する条件を満たしますが、よい大学を希望する場合には、4年間分の単位を取っておいたほうがよいといわれています。ハイスクールになると選択科目の種類は増え、能力別のクラスも多くなります。また学校により、独自の科目を作ってそれを卒業までの必修科目としている場合もあります。めざしている大学の学科では、入学の条件としてどの科目の単位が必要かなるべく早く調べておく必要があります。時間割は各自のカウンセラーのアドバイスのもとに自分で作成します。なるべく最初の3年間に授業をつめて、最終学年は大学入学の書類をそろえることに集中し、アルバイトをする学生が多いです。

カウンセラーの役割

ホームルームがないのでハイスクールでもカウンセラーが、生徒の時間割管理と進路指導をします。入学から卒業まで4年間カウンセラーは同じです。生徒は時間割の相談や科目の変更など、すべてカウンセラーを通しておこないます。保護者はカウンセラーと大学進学相談などをしますが、学業面で心配なことがあったら、いつでもカウンセラーと会うことができます。推薦状や成績などの大学入学願書をそろえたり、奨学金の応募などすべてカウンセラーの仕事です。

AP［*Advanced Placement Course*］科目とSAT［*Scholastic Aptitude Test*］テスト

ハイスクールの科目のなかには、ＡＰ科目といって、大学レベルの授業があります。ＡＰ科目はどんな科目にでもありますが、レベルの高い学校ほど種類が多くなります。ＡＰ科目を取るには教師の許可が必要です。最後にＡＰ Ｅｘａｍといわれる試験があり、これに合格すると提携を結んでいる大学の正式な単位として認められます。単位認定の試験を受けない選択もできますが、落ちてもハイスクールの単位はもらえます。

ＳＡＴは「サット」ではなく「エス・エー・ティー」と呼ばれます。アメリカの大学委員会（College Board）が管理しているテストで、ほとんどの大学が入学希望者にＳＡＴⅠ（英語と数学のみ）の得点を要求します。ＳＡＴⅡは選択科目で、自分がいきたい分野の科目を受けます。ＳＡＴは、ハイスクールに入ったらどの学年でも受験可能で、年間を通じていろいろな会場で何度か試験があります。試験結果は入学希望する大学にすべての成績が送られます。大学入学のためには、ＳＡＴの結果のほかに、推薦状、生徒自身のエッセイとＧＰＡ（Grade Point Average）という成績の平均点、活動の履歴などが必要です。

ハイスクールの卒業

卒業までに必修科目と選択科目の決められた単位数を満たすほかに、卒業試験に合格しなければいけない州もあります。州で決められた試験は、たいていは英語と数学です。普通に勉強していればほとんどの生徒が受かるような試験ですが、レベルの低い学区では、合格率が低くなります。

5 私立学校に進学することを選択肢に入れた場合

私立の特徴

アメリカの私立学校は、Independent Schoolと呼ばれているように、それぞれが独立運営をしています。日本の私立に比べて制約が少ないために、特色のある学校が多くなっています。宗教系の学校、進学校、男子校、女子校、全日制日本人学校などのような外国人のための学校、全寮制の学校などに分けられます。一般的には授業料が高いですが、1クラスの人数が15人前後と少なく、学校自体も小規模な場合が多く、恵まれた環境といえます。アメリカ全体のキンダーからハイスクールまでの学生のうち、1割程度が私立学校に通っています。生徒は広範囲から集まってきて、学校によっては全世界から生徒がきています。

ボーディング・スクール（Boarding School）と呼ばれている全寮制の学校は、卒業生同士のつながりが強く、優秀な大学を卒業した後は、そのつながりを利用して社会で成功しやすいといわれています。

そのほかには障害のために、特殊教育を必要とする生徒や、問題児を集めた私立学校もあります。

学費

私立学校は、公的な補助がなく、すべて生徒の学費、施設費、寄付金で運営されているので、授業料は高くなります。２０００年あたりから、アメリカ全体の教育費の上昇率は、物価上昇率を上回るほどの高さです。

プレップ・スクール（Prep School）といわれている進学校は、寮費、諸経費を含めると年間4万ドル以上かかるところが多いです。しかし、これらの学校は卒業生からの寄付金など、資金が豊かなために、優秀な生徒には奨学金が出ます。

私立校のなかでも宗教系の学校は比較的、授業料が安く、たとえばカトリックの私立小学校の年間授業費平均は３，０００ドル前後、ミドルスクール、ハイスクールでは７，０００ドル前後です。キリスト教系の学校にも10%前後は信者ではない生徒がいます。

私立学校を選ぶ

まず、私立学校は特徴があるところが多いので、学校の種類、共学かどうかなどを決めます。学校の規模やクラス編成の方法、入学条件、授業料など大雑把な部分で学校選びをします。何校かにしぼったら、必ず学校訪問をして、細かいところをチェックします。

私立学校は秋ごろにオープンハウスをして、スクールツアーをおこない、説明をしてくれるので、その時に学校の雰囲気、施設、カリキュラムの内容、職員のようすなどをみます。音楽やスポーツなど自分のしたい活動がさかんであるか、また卒業生がどのような大学にいっているかなどで進学の傾向がわかるので、チェックします。たとえ1校だけしか入学希望していない場合でも、何校か訪問すると比較でき、その学校の特徴などがみえるので、もう一度考え直すよい機会になります。

私立学校では夏にサマーキャンプをおこなっているところもあるので、参加してみることも考えられます。

入学の手続き

まず、学校を絞ったら、オープンハウスに参加します。学校により開催時期は違いますが、秋におこなうところが多いです。予約が必要で、小グループで実際の授業をみることができる場合もあります。

6月頃にカタログ、願書などを取り寄せます。入学願書ではどんな書類やテストが必要か確認します。面接は夏から1月末まで受け付けているので早めに予約をとります。キンダーへの入学は面接のみですが、小学校からはテストを要求される場合が多いです。ミドルスクールとハイスクールの場合は、ＳＳＡＴと呼ばれるテストを受けることが必要です。11月のテストを受け、結果が出ればどの程度の学校を受ければよいかわかります。

出願は前年の秋から1月くらいまで受け付けているところが多いですが、なるべく早く提出するようにします。

3月10日前後に合否の発表があります。何校か受かった場合には、もう一度、学校訪問をして考えます。決まったら4月10日くらいまでに入学の手付金（のちに授業料に組み込まれる）を払います。その後、必要書類が送られて入学の手続きを開始します。

6 大学の種類と進学方法

アメリカの大学の特徴

アメリカでは、ハイスクール卒業者の約60%の生徒が何らかのかたちで高等教育に進みます。コミュニティカレッジのような短期大学で2年間学んだ後に、4年生の大学に入る人も多くいます。4年制の大学は1,800校以上あり、卒業すると学士号（Bachelor's Degree）を取得します。日本の国立大学にあたるものはなく、州立大学が公立の大学になります。州立大学は、その州に1年以上住んでいる州内住民はIn Stateと呼ばれ、授業料が2分の1から3分の1になります。州外の生徒にとっては、私立大学とあまり変わらない授業料です。各州に最低ひとつは州立大学があります。

大学は、最初の2年に一般教養課程（Liberal Arts Course）を履修して、その後に専門課程（Professional Course）に入ることが多いですが、大学によりまた学部によりシステムは違います。最初から専門課程に入る場合もあります。

同じ学部で2つ専攻（Double Major）することも可能です。1年くらい余分にかかりますが、2つの学部で2つの学位（Double Degree）を取得することもできます。単位制のために取得した単位で学年が決まります。フルタイムの学生は1年間に最低12単位取得しなければいけません。

Universityと呼ばれる大学は一般に総合大学といわれ、規模が大きく、学部や専攻分野が多くなっています。これに対して工科大学や美術、音楽などの専門大学、2年生の大学はCollegeと呼ばれます。

コミュニティカレッジ

公立の2年制短期大学のことです。コミュニティカレッジで取得できる学位は準学士号（Associate's Degree）と呼ばれます。コミュニティカレッジは地域住民のために運営され、自宅から通う生徒がほとんどで、夜間学生

学位の名称

[学位の名称はたくさんあるので一般的なものをあげる]

学士号[Bachelor Degree]

BA●Bachelor of Arts
BArch●Bachelor of Architecture
BAAS●Bachelor of Applied Arts and Science
BBA●Bachelor of Business Administration
BE●Bachelor of Education
BFA●Bachelor of Fine Arts
BM●Bachelor of Music
BS●Bachelor of Science
BSBC●Bachelor of Science Biochemistry
BSBIO●Bachelor of Science Biology
BSCHM●Bachelor of Science Chemistry
BSN●Bachelor of Science in Nursing
BSW●Bachelor of Social Work

修士号[Master's Degree]

MA●Master of Arts
MAAT●Master of Arts in Arts Therapy
MAT●Master of Arts in Teaching
MBA●Master of Business Administration
ME●Master of Education
MFA●Master of Fine Arts
MJ●Master of Journalism
MM●Master of Music
MPA●Master of Public Administration
MPH●Master of Public Health
MS●Master of Science
MSW●Master of Social Work

博士号[Doctorate]

DDS●Doctor of Dental Surgery
DMA●Doctor of Musical Arts
JD●Doctor of Jurisprudence
MD●Doctor of Medicine
PharmD●Doctor of Pharmacy
PhD●Doctor of Philosophy

その他

CPA●Certified Public Accountant
RN●Registered Nurse
VS●Veterinary Surgeon

医科大学院[Medical School]
薬学科大学院[Pharmacy School]
歯科大学院[Dental School]
獣医科大学院[Veterinary School]
法律科大学院[Law School]
経営学大学院[Business School]

学年の呼び方

1年生●Freshman[32単位以下の取得]
2年生●Sophomore[64単位以下の取得]
3年生●Junior[96単位以下の取得]
4年生●Senior[128単位以下の取得]

大学の成績

Explanation	Final Grade	Grade Points
Excellent	A	4.0
	A-	3.7
Very Good	B+	3.3
Good	B	3.0
	B-	2.7
	C+	2.3
Average	C	2.0
Fair	C-	1.7
Poor	D+	1.3
	D	1.0
Merely Passing	D-	0.7
Failure	F	0.0
Pass/Fail	P@	
Pass/Fail Failure	F@	
Unsatisfactory	U	
Audit	AU	
Withdrawal	W	
Continuing Registration	R	

アイビーリーグ

ブラウン大学●Brown University
コロンビア大学●Columbia University
コーネル大学●Cornell University
ダートマス大学●Dartmouth College
ハーバード大学●Harvard University
プリンストン大学●Princeton University
ペンシルバニア大学●University of Pennsylvania
イエール大学●Yale University

も多くいます。多種多様な職業訓練プログラムから趣味的なコースまでありますが、大学編入コースも準備されています。

授業内容は比較的やさしく、無試験で入れるのでハイスクールの成績が悪く、4年制大学に通えなかった生徒や、授業料が安いので、経済的に苦しい学生が通う傾向があります。

大学院

4年生の大学を卒業してからすぐに大学院進学をしない学生も多いです。就職して経験を積みながらパートで通う人と、一時休職してフルタイムで通う人がいます。就職してから大学院で学ぶ場合は、企業が援助して学費を出してくれる場合が多いので、それを目的としてまず就職する人もいるのです。そのため大学院の平均年齢は30代を超えているところもあります。またアメリカの大学院は世界各地からの留学生がとても多くなっています。

大学院は奨学金が豊富です。そのほかにも授業を受け持ち、月謝が免除されるティーチング・アシスタント（ＴＡ）や給料がもらえるリサーチ・アシスタント（ＲＡ）をしながら大学院を卒業する人もいます。特に自然科学や工学系には、ＴＡやＲＡのポストが多くなっています。

修士号には人文系のＭＡと自然科学系のＭＳがありますが、ほかにもＭＢＡなどプロフェッショナルスクールの修士号もあります。

博士課程

大学院で修士を取った後は博士課程があります。修士課程と博士課程が一貫した課程もあり、修士課程がなく、博士課程だけの場合もあります。これは大学や専門分野によります。

博士課程は、必修科目を履修した後に、適正試験（Qualifying Examination）を受け、合格すると博士号候補生（Ph.D Candidate）になり、博士課程に残ることができます。適正試験は専門科目の試験と外国語の試験があります。

適正試験合格後は研究を始め、学術雑誌に論文を掲載して研究成果が出れば学位論文をまとめることが許されます。そして最終試験（Final Defense Examination）の口答試験を受けます。4年制の大学を出てから博士号取得までは平均7．3年かかります。

7　教育費＊＊＊高騰する**学費と奨学金**の取得

高い学費

ハイスクールまでは公立で無料、大学は州内学生として州立大学に4年間通うとしても、授業料、寮費、食費、諸経費込みで1年間に1万2，000ドル、4年間では5万ドルほどの学費がかかることになります。

これが私立大学で奨学金なしで払うとしたら、毎年4万ドル程度、卒業するまでに16万ドルもかかることになります。さらに授業料が高い大学院に進学する場合はもっと大変です。

学資を貯める

そこで少しでも子どもに学資を貯めようとする親は少なくありません。アメリカには529プランといわれている学資用の貯蓄方法があり、利息分の連邦税が安くなるというメリットがあります。80種類以上の529プランがあるので自分にあったプランを選択しなければいけません。子どもが生まれてからすぐに始める親も多くいます。

奨学金

アメリカの奨学金（Scholarship）は、返済をしなくてよいものです。小学校からでも私立は奨学金が出ることがありますから、調べる価値はあります。

通常、大学に入る時は、FAFSA［Free Application for Federal Student Aid :http://www.fafsa.ed.gov/］というところに登録します。これが政府の一番大きな奨学金の組織です。保護者の前年分の収入証明などを出して毎年、情報をオンラインで更新します。成績と保護者の収入により、奨学金が支給されます。

そのほかにも地方自治体、企業、一般の団体が出している大小の奨学金はたくさんありますので、探せば条件に当てはまるものがあるかもしれません。

8 バイリンガル、バイカルチュアルに育てる

バイリンガルの定義

一口にバイリンガルに育てるといっても、どのレベルをめざすかということがあります。大学レベルの言語を英語と日本語同じように読み書きすることや、バイリンガルとして将来働けるようにするという非常に高度なバイリンガルをめざす人もいます。簡単な漢字くらいは書ける、書くことはできなくても読むことだけはできる、読み書きはできなくても会話ができる、祖父母とくらいは会話できるようになってほしいなどのレベルをめざす場合もあります。またはアメリカで育てていても、母国語は日本語にしたいという人も少数ながらいます。

バイリンガルに育てるのは、長い年月がかかり、子どもが持っている言語能力、両親共に日本語が話せるか、片親だけ話すのか、まわりに日本人がいて日本語を話す機会が多いのかなどの環境も大きく左右します。

日本語を学びたいと思う子はあまり多くないようです。しかし子どもに日本語を習得させたいならば、言語習得能力が高いといわれる小さいうちから、親が何らかの努力をして、自然に日本語教育を始めるのが理想です。

日本語習得の努力

日本人が少ない地域では、家庭での教育が一番大切なものになります。夫婦どちらかが英語しか話さない場合は、家庭で日本語を使うのは難しくなりますが、そこをきちんと話し合って、家庭では徹底的に日本語を話す努力をします。外に出たら英語だけなのでこれを守らないと、英語のほうが楽になってしまいます。

日本人が多いところでは、小さいころから日本人同士のプレイグループに連れていくと効果が高いといわれています。小さいうちから、本を読み聞かせ、自分で読めるようになったらできるだけ日本の本を読む機会を作ります。

だんだん大きくなると、当然、英語のほうが楽になり、

日本語で話しかけても英語を返すようになるかもしれませんが、それを徹底して日本語にするようにしないと、日本語は忘れられてしまいます。またよその家庭でうまくいく方法が、必ずしも自分の家庭でうまくいくとは限りませんから、それぞれにあった方法で語学教育をしていかなくてはいけません。

近くに補習校があったら通わせることも考えられます。日本語習得が大きな目的でも、日本人の友達ができることは大きなメリットです。そしてやはり、日本の学校に短期間でも通わせると効果が高いといわれています。そのために毎年夏休みになると、体験入学のために帰国させている家庭もあります。

母国語について

バイリンガルに育てたいという人も多いですが、母国語をまずしっかりさせるのが先決だという考えの人もいます。英語が母国語となるのですから、英語で論理的な考え方や自分の感情をきちんと表現できないと、中途半端なバイリンガルになってしまうという考え方です。

日本語とはまったく無縁のアメリカ人でも、高校に入ってから学んだ日本語で、流暢に日本語を話すことができるようになる人もいます。言語教育は早ければ早いほうが、発音など有利な点もありますが、いつスタートしても遅いということはないのです。ですから子どもが大きくなって日本語を学びたいというしっかりした意思を持ってからでもよいと思っている人もいます。子どもの言語習得能力によっては、小さいうちは、英語だけにしたほうがよい子もいるので、子どもの状態をみて判断をするとよいでしょう。

バイカルチュアルにする

親が忙しくて環境的にも恵まれず、子ども自身も語学を学ぶことに興味がないような場合でも、少なくともバイカルチュアルに育てることはできます。それは日本文化を知り、親しむということです。お正月におせち料理を作る、節分に豆まきをする、ひな祭りに散らし寿司を作る、七夕やお月見の行事をするなど季節ごとに日本文化を取り入れた生活をすることにより、日本の文化は楽しくてすばらしいということを教える努力をします。また日本のアニメなどから学ぶことも多いようです。

9 日本の学校へ体験入学をさせる

体験入学を考える

アメリカの夏休みは、6月中旬に始まり、日本の学校の夏休みまで1ヵ月余りあります。そこでこの時期に学齢期の子どもを帰国させ、日本の学校に通わせる家庭があります。義務教育期間の小学校や中学は簡単に編入できるようですが、幼稚園でも受け入れてくれるところがあります。ふだん、補習校に通えない子どもや、まわりに日本人がいないような環境の子どもには、日本語習得と日本文化に触れるよい機会となります。

手続き

体験入学の手続きは、受け入れる機関によって違います。入学期間が1ヵ月以上だと、住民票が必要になり、転学手続をしますが、体験入学は4週間しか受け入れない学校もあります。公立学校の場合は、教育委員会で手続きをしますが、体験入学を許すかどうかの決定権は各学校の校長にあるので、手続きの仕方や受け入れ態勢は、学校によって違います。

5月のゴールデンウィークが終わったあたりに、体験入学を希望する学校に手紙や電話で連絡を取ることから始めます。また親族に代理で手続きをできるところまでしてもらうと、帰国後スムーズに転入できます。学校によっては保険に入ることを義務付けているところもあります。

体験入学以外の活動

もし受け入れ機関がみつからなくても、日本にもアメリカのサマーキャンプのように青少年が活動できる場があります。公民館や児童館の催し、ボーイスカウトやＹＭＣＡの活動などのほか、夏休みだけ、塾の講習に通わせることもできます。日本にこだわらなければ、世界各地で日本語を学ぶことを目的としたサマーキャンプがあります。

国際結婚の先輩に聞く！ 5

ついに市民権を取得

K・E［43歳・ハワイ在住］

ミシガン州の大学を卒業して日本で就職。結婚、離婚を経て、1999年、再び34歳で大学院留学をはたす。留学中に現在の夫（アメリカ海軍所属・イリノイ州出身）と知り合い再婚。家族構成は夫（32）、長男（6）、次男（3）。［227頁「留学から結婚、ただいま家族4人」参照］

市民権取得に向けた準備

＊＊市民権取得のために、どのような準備をしましたか

市販の市民権テストの問題集を数冊買って、数カ月勉強をしました。口頭練習用のサンプル問題は、指紋採取と写真撮影の手続きの時に、移民局でもらいました。冊子には問題と回答が吹き込まれたCDもついていました（この冊子については、配布しない移民局もあり、対応は移民局によってまちまちのようです）。CDをもらってからは、それを毎日時間があればずっと聞いていました。6歳の長男が試験官役で問題を読んでくれ、とてもいいリハーサルになりました。

宣誓式の前にはOath of AllegianceとPledge of Allegianceを声に出して読みあげる練習をしました。

＊＊1月に申請書を提出して、3月にインタビューとはものすごくスピーディーですね。ほかの人の場合も、こんなに早いのでしょうか

私と同じ日にインタビューにきていた人たちを宣誓式でもみかけたので、少なくともこの時期ハワイではこのスピードでプロセスされているのではないかと推測します。同時期にメインランドで市民権を申請した友人は、昨年11月に申請、宣誓式は今年6月でした。同じハワイでも5～6年前に市民権を取ったという知り合いは、1年かかったといっていました。早いといえば、アメリカのパスポートを申請したのですが、これもまた不安にさせられるくらい早かったです。通常4～6週間かかるといわれているのに、申請書を出してから10日できました。何かの手違いで早いプロセスで処理されて、あとで追加料金を払えと請求がこないか心配になるくらいでした。

市民権を申請した理由

＊＊なぜ市民権を申請しようと思いましたか

ずっと一生アメリカに住むだろうし、どんな状況を想定しても日本へ帰って住むという選択はしないだろう、と思っていたので、いずれは市民権を取ろうとは思っていました。一度くらい永住権の更新をしてから申請しようか、子どもたちが成人してから申請しようか……と時期的には漠然としたものでした。ですが、昨年（2007年）始めに、次（2009年始め）の主人の任務のために、主人がTop Secret Clearance を取るプロセスを始めることになりました。

＊＊Top Secret Clearance とはどのようなものですか

日本語でなんと訳すのかわかりませんが、「国家最高機密などの扱いやアクセスにあたって、信頼できる人物であることの証明、許可、資格」のようなものだと理解しています。これまで主人が数年ごとに更新してきた普通の Secret Clearance ではさして問題なかったようですが、今回は配偶者の私が外国籍ということで、さらに余分な書類、調査、時間がかかるらしいことがわかりました。次の任務が始まってもクリアランスが間に合わないかもしれない微妙なタイミングになりそうだということでした。

その時私が市民権を取ったほうがいいか、と主人に相談すると、主人は、「日本はアメリカとは友好国ということで、時間はかかっても、クリアランスはちゃんと取れるから、これだけが理由で君のアイデンティティーにかかわること（国籍変更）はしなくていい」といっていました。そうはいっても、外国籍配偶者用の数十ページにもわたる申請書（市民権の申請書の何倍もやっかいでした）の中に、「市民権をとる予定はあるか」「それはいつか」「取らないなら、その理由は何か」など畳み掛けるように質問が並んでいて、これは暗に「取れ」といっているようなものだと感じていました。そんな時、市民権取得を決心しろとばかりに2007年6月に立て続けにいろんなことがありました。

＊＊具体的に教えていただけますか

まず始めに、有村朋美著『プリズンガール』（アメリカで服役した日本人女性の体験記）を読んでショックを受けました。彼女は恋人（麻薬売人）が送った荷物の郵送費を、彼女のクレジットカードでたてかえて払ったということで逮捕されました。彼女は郵送費を払った荷物の中味を知らなかったことを証明できず、その軽率のつけが3年間の刑務所暮らしと、その後の永久アメリカ入国禁止となるわけです。実際に麻薬売人ではなく、麻薬をやったわけでもないのに、何もしていない、何も知らないという無罪の証明のほうが難しいと知ってショックでした。

その翌日、クルマの運転中、ラジオをつけると、日本語ラジオ局のビザや移民法の無料相談のコーナーをやっていて、ちょうど市民権申請についてリスナーから質問があり、移民法弁護士の先生が答えていらっしゃるところでした。途中からだったので、話の前後はわからないのですが、「もちろん自分が違法なことをしないこと。でもそれだけでは十分でない。たとえば、自分は気をつけていても、交通事故に巻き込まれ、どちらが加害者か被害者か微妙な時、相手側に先に訴えられたら、自分は被告、裁判に負けたら、結果によっては永住権剥奪ということもありえるし、市民権申請にもさしつかえる……」といったことをおっしゃっていました。

そして、その数日後、決定的なことが起こりました。近所の大手ストアで買い物をして、カードで支払った時のことです。レジの人が私にレシートをくれようとしたところ、レシートが1～2センチ印刷されて出てきたところで用紙が切れてしまいました。レジの人が用紙のスペア探しと入れ替えに手間取っている時、2歳の次男がじっとしていられなくなり、大声で泣き始めてしまいました。私は早く帰りたいばかりに、受け取ったレシートをよく確認しませんでした。出口に立っている店員にレシートをみせたのですが、そのレシートは上の部分のお店のヘッダー、最初にスキャンした2～3品目が切れて白紙になっていて、最初にスキャンされたおむつのダンボール箱（30ドル、大きいのでお店のレジ袋にもはいっていない）が載っていなかったのです。

その店員はあたかも私が万引きでもしたかのように、ショッピングカートからおむつのダンボール箱を取り出して、「こっちにきて」とショッピングカート（大泣きの息子も座っている）を引っ張って歩き始めました。私がレシートの用紙が切れた経緯を説明しようとすると、店員は「Shut up!」と一喝。その場にいたほかの買い物客たちの視線がとても痛かったです。

レジのエリアの脇にあるカスタマーサービスのコンピューターでレジの記録を確認すればわかるということでしたが、そこにいたのはどうも新米で、もたもたして埒が明かない状況でした。そこで、レシートの一番下の部分には合計金額、カードで払ったことが載っていて、おむつの30ドルがないとそのレシートに載っている2ドル、3ドルのもので、ちょっと暗算をすれば、その合計金額にはなりえないから、少なくとも30ドルは払っている、と私が説明を始めたところ、その店員は「暗算」の部分でかちんときたのか、「Shut up! You can explain at the police!」と叫びました。

もし私が今警察につれていかれたら、2歳の次男はどうなる？　長男のお迎えにいけない、主人は航海でいない、ここに親類縁者はいないから子どもたちは施設送り……といろんなことが頭を駆け巡りました。その時フロアマネージャーが通りかかり、彼女はレシート用紙が切れたところをちょうどみていたので、彼女の一言「She（私）paid! What are you doing to her?」で解放されました。帰りのクルマのなかで震えて涙が出ました。これまでの人生、清廉潔白、まじめに、人様の迷惑にならないよう生きてきたのに、自分が気をつけるだけではどうしようもなく、いつどこでどんな災難に巻き込まれ、無実なのに、悪事を働いたと責められることもあるのか、と読んだばかりの本やラジオの話が急に現実味を帯びてしまいました。

前もって少しチェックしていた市民権

の申請書の「問題になる」項目に「起訴される、されないにかかわらず、逮捕されたことがあるか」「５００ドル以上の交通法にかかわる違反を犯したしたことがあるか」などを思い出しました。その時、今なら主人の役にも立つし、申請に何の問題も抱えてないし、どうせいつかは取る市民権なら今申請しようと決めました。

国籍と家族

＊＊日本国籍を放棄することに、迷いはありましたか

　もし日本へ旅行するのにビザを取らないといけない国籍に変更するのなら、その国の市民権を取り、日本国籍を捨てるというのは考えなかったかもしれませんが、その点、アメリカ国籍なら問題ないので、日本国籍を捨てることに迷いはありませんでした。なかにはアメリカ市民権を取った後も、そのまま日本国籍もキープしている人もたくさんおられるようですが、私はアメリカの市民権を取ったら、日本国籍は「きちんと」放棄しようと前々から思っていました。二重国籍でいるほうが、違法とはいえ、都合がよく、グレーの部分も利用してうまく世渡りしたほうが賢いのかもしれませんが、私は違法状態でいるという罪悪感に耐えられません。潔癖すぎるのかもしれませんが……。

　アメリカ永住のプロセスのなかで、これまではビザやグリーンカード、ハワイでの生活、友人、大学、仕事、（予定外の）夫に子どもなど、得るものばかりでしたが、日本領事館で国籍離脱の手続きをした時、初めて何かを失った、と思いました。宣誓式で市民権証書をもらった時より、アメリカの市民権を取った、国籍を変えたんだという実感が大きかったです。

＊＊ご主人の意見はいかがでしたか

　ほかのことに対してもそうですが、私がしたいことであれば全面的に協力するという姿勢でした。昨年6月にこのタイミングで市民権を申請しようと決めましたが、7月下旬、市民権の申請料が２７０ドル近く大幅に値上されるということで、値上げされる前に大急ぎで申請しようか、と主人に相談したところ、当時主人は長期航海中だったので、帰るまで申請は待ってくれ、そうしたら何かあった時にすぐ助けてあげられるから、ということで、申請は主人が帰ってきてからということにしました。

＊＊ご両親には相談しましたか

　父は数年前に亡くなっていて、ひとり暮らしの母（弟夫婦が近所に住んでいます）が日本におりますが、私がアメリカ市民権をとったことも、日本の国籍を離脱手続きしたことも話していません。現在の母の日々の生活には私の国籍の変更はなんら影響がないだろうし、余計な心配や気苦労をかけてもいけないと思うからです。

『グローバルJ通信』
2008年8・9月号より抜粋・加筆修正あり

11章

アメリカで働く

どんな仕事がある？
どうやって働ける？

子育てしながら
働ける資格

子どもを預けて
働く環境が
整っている国

1 渡航してすぐ働くための手続き

雇用主による就労資格の確認

アメリカに渡航してすぐ働けるかどうかは、どのようなビザで渡航するかによります。

アメリカでは雇用主が従業員を雇う時、就労資格があるかどうかを確認することが義務づけられています。

通常はソーシャル・セキュリティ・カード（SSカード）を提示することが多いようです。このカードはアメリカ市民と就労資格のある外国人にしか発行されないため、このカードを持っていれば、就労資格のある外国人であることを証明していることになります。

雇用主によっては、ほかにもグリーンカードやビザの提示を求めることがあります。

移民ビザ渡航者の場合

結婚を通して移民ビザ（永住権）を取得した人の場合、渡航後は働ける状態にあるので、すぐにでも仕事探しを開始できます。

グリーンカードとSSカードは、アメリカ入国後約1ヵ月で郵送されてきます。入国係官はパスポートに1年間有効のスタンプを押し、Aナンバー（グリーンカードナンバー）を記載してくれますので、これが実際のグリーンカードが手元に届くまで、仮グリーンカードとなります。

もし面接の時に、SSナンバーやグリーンカードを求められたら、パスポートを提示して、その旨を話せばいいでしょう。

Kビザ［婚約者ビザ］渡航者の場合

渡航後90日以内に結婚して、永住権へと滞在資格を変更する申請書類を移民局へ提出します。その時一緒にI-765「就労許可（Application for Employment Arthorization）」とI-131「事前出入国許可証（Advance Parole）」を申請すると、約3ヵ月で認可されます。就労が許可されると、働くことができるようになります。申請を出す時点で、雇用主が決まっていなくてもかまいません。

就労ビザ渡航者の場合

就労ビザやJビザの渡航者は、すぐにでも働けます。駐在員ビザ（E、L）保持者の配偶者、Jビザ保持者の配偶者と21歳未満の未婚の子どもは、移民局に「就労許可」を申請して許可されれば就労できます。Jビザの場合は、家計を助けるために就労することはできず、あくまでレジャーのために働くという名目で許可されるので、その旨を書いた手紙を添付して申請します。

申請を出す時点で、雇用主が決まっていなくてもかまいません。

学生ビザ渡航者の場合

学生は原則として就労が認められていませんが、次の場合には働くことができます。**234**は、移民局に「就労許可」を申請しなければなりません。

1●学内（オンキャンパス）で働く場合

通っている学校から許可証を発行してもらえば、学内での就労が許可されます（学期中は週20時間、休暇中は週40時間）。語学学校、専門学校の学生は働けません。

2●経済的に困っている学生の場合

1年以上のコースを履修した学生で、かつ親の破産や減給などで経済的に困っている学生の場合、その旨を書いた手紙を添付して申請します。

3●プラクティカル・トレーニング（PT）で働く場合

在学中と卒業後にPTとして働けます。通常は1年間働けます。専門学校生は卒業後にのみ最高6ヵ月まで働けます。語学学校の学生は働けません。留学生アドバイザーの許可を得て申請します。

4●国際機関で働く場合

国際機関が発行する書類を添付して申請します。

日系電話帳を活用

日系企業で仕事をしたい場合、仕事探しに役立つのが日系電話帳です。全国バージョンと都市別バージョンがあり、職種別に大小の企業がリストアップされています。これはと思う企業にレジュメ（履歴書）を送り、自分を売り込むといいでしょう。

日系電話帳については、86頁を参照してください。

2 アメリカで働く場合、どんな仕事があるのか

みつけやすい仕事

日本人の多い都市（ニューヨーク、ロサンゼルス、サンフランシスコ、ホノルルなど）には、日系コミュニティが存在するので、就労資格を持っていて職種を選ばなければ、仕事をみつけるのは難しくないでしょう。

みつけやすいのは日本食レストランでのウエイター、ウエイトレス、皿洗いや、日本の商品を売る店の販売員、みやげ物店の店員などです。

日系企業での仕事

大企業からスモールビジネスの経営者まで数多くの日系企業が、日本語のできる事務員、秘書、会計士、営業スタッフなどの人材を求めています。

宅急便会社や引越会社はスタッフを募集していることが多いため、これらの会社の従業員となってアメリカでの第一歩を築く人も少なくありません。

レストランや旅行関連の仕事

和食ブームのなかで、日本食レストランのシェフ、なかでも寿司を握れるシェフは引っ張りだことという状況です。経験のあるマネージャーも需要が高い職種です。

旅行関連の仕事も需要が高い分野のひとつで、旅行会社での窓口業務、発券業務、プランナー、観光ガイドなどの仕事があります。ハワイでは日本からの新婚カップルが結婚式を挙げることが多いため、ブライダル産業も盛んです。

日系ＮＰＯ関連機関での仕事

数は多くありませんが、日系ＮＰＯ関連機関でも、スタッフ、ソーシャルワーカー、カウンセラーなどを募集していることがあります。

アメリカで社会貢献をしながらキャリアを築きたい場合は、大学院でソーシャルワーク（Master of Social

Work）の学位を取得すれば、日系ＮＰＯ関連機関でソーシャルワーカーやカウンセラーなど福祉専門職の仕事に就くことができます。

資格を必要とする仕事

専門学校、カレッジ、大学、大学院などでコースを修了したり、勉強して資格に挑戦し、弁護士事務所のパラリーガル、不動産の売買をするセールスパーソン、公認会計士（ＣＰＡ）などの仕事に就く人もいます。

鍼灸師、美容師、歯科技工士として働きたければ、その州が定める免許を取得します。

日本語メディアに関連する仕事

日本人の多い都市では、日本語の新聞、情報誌、出版物などが発行されており、近年では無料情報誌が続々と発刊されています。それらに関連して、広告制作、日本語メディア、ラジオ・テレビ番組制作などの分野で人材の需要が増しています。

日本語メディアの部門では、記者、ライター、編集者、ＤＴＰ（Desk Top Publishing）オペレーター、グラフィックデザイナーなどが求められています。広告は大事な収入源なので、広告を取る営業マンも求められています。日本語メディアに関する仕事は、アメリカ人にはできない分野の仕事なので、雇う側と雇われる側の条件が一致すれば、ビザをサポートしてくれることもあります。

日本語や日本語文化に関連する仕事

日本語に関連する仕事としては、まず教師の仕事があります。アメリカの大学や公立学校で日本語を教えたり、在米日本人子弟を対象とした日本語補習校、幼稚園、塾で教えたりする仕事です。茶道、華道、書道、武道などの特技を活かして教える仕事もあります。英語が堪能な人は、通訳や翻訳の仕事もあります。

これらは探してみつかるというよりも、口コミでみつかることが多いので、普段から人とつきあって顔を広くしておくのが望ましいでしょう。顔を広くしておけば、ちょっとしたことを頼まれて、報酬を受ける機会が多いものです。たとえばパーティのケータリングとして日本食を作る仕事、日本人家庭でのベビーシッターや日本人子弟の学校・塾への送り迎え、日本人子弟の家庭教師、アメリカ人に個人的に日本語を教える仕事などです。

3 どうやって**職を見つけ**、どうやって**入社する**のか

アメリカで働くことについて

アメリカに引っ越して、ソーシャル・セキュリティ・ナンバーが出れば、働く資格ができます。結婚して、女性が働くかどうかという選択は、夫婦それぞれの年齢や状況によって違います。

しかし、日本よりも妻も働いたほうがよいと考えているアメリカ人が多いことは事実です。それは、自分の母親であるとか、まわりに専業主婦の女性が少ない場合には、当然だと思う人もあることでしょう。そして少なくはありますが、仕事をしていないのはレージー（Lazyなまけもの）と決めつける人さえいます。

現実問題としては、物価が高いところに住んでいたり、夫の学生ローンの返済があったり、またはもう一度、夫が学位をとるために、大学に戻ったりという状況だと働かざるを得ない場合もあります。これはどこでも同じことですが、夫婦でよく話し合ってから決めていきます。

レジュメを書く

まず、就職の時には必ずレジュメが必要になってくるので、レジュメを用意します。レジュメの書き方は、インターネットで調べればいくらでもお手本のようなものが出てきます。日本の履歴書のような雛形のようなものはなく、名前、住所、電話番号、職歴、学歴、必要であれば照会先（Reference）、どうしてこの仕事がしたいかといようなことが最低限書かれていればよいのです。

大切なことはレジュメを１ページ以内に収めることです。それはレジュメの１ページ目でほとんどの判断をする面接担当者が多いからです。Ｅメールで送るレジュメも同様です。１ページにすっきりまとめるためには、シンプルで相手に印象付ける表現を用います。

職歴は、すべてを書く必要はありません。自分が希望している職種に関係のあるものを中心に一貫性があるように書ければよいでしょう。

カバーレターも用意します。カバーレターはレジュメに目を通してもらうことを目的として、簡単に書きます。書く内容は、応募するポジションのタイトル、応募する動機、名前と連絡を取る方法くらいです。

フルタイムとパートタイム

一般的にフルタイムは週40時間以上の勤務、パートタイムは40時間未満の勤務です。フルタイムには、有給休暇、健康保険への加入などのベネフィット（Benefit 福利厚生）がありますが、パートタイムにはつきません。ただし、会社によっては正社員（フルタイム）でも、健康保険がないところもあります。

また仕事の内容は、フルタイムのほうが責任が重いかというとそういうわけではなく、ポジションによって決まります。正社員でも給与は時給ベースで提示されることもあります。この場合は、時間数をかけて年間の給与を出します。時給ベースの場合には残業代が出ますが、年俸制の場合には固定給で残業代は出ないこともあります。

パートタイム、フルタイムのほかにコントラクターという種類の働き方もあります。派遣会社を通して契約するので、日本の派遣によく似ていますが、エンジニアなど専門的な仕事をする人が多いのが特徴です。管理職にはなれませんが、かなり高度な仕事をする人もいます。フルタイムの人と同じ業務をしている場合、給料はフルタイムの人より高くなりますが、そのかわり健康保険は自分で入らなくてはいけないなど、福利厚生の面でフルタイムほど恵まれていません。コントラクターから正社員になれる人もいますが、数は少ないようです。契約期間はなく、会社で必要となればいつまでも働くことができます。しかし、仕事がなくなると一番最初にレイオフ（一時解雇）されるなど、正社員と比べると身分的には安定はしていません。

職をどうやってみつけるか

どうやって職をみつけたかというアメリカの統計では、オンラインの求人サイトで申し込んだ場合や人材紹介会社（Employment Agency, Staffing Agency）に登録して職を得る場合が多いようです。しかし、コネ社会といわれているアメリカでは、家族や知人を通しての紹介もけっこうあります。身近に職を紹介してくれる人がいるかどうか探してみることもよいでしょう。

紹介会社は、医療系や法律系に強いところ、ＩＴ系やクリエイティブ系などと特色があるので、自分の希望する分野に強いところを探します。

新聞広告やオンラインでみつけた会社に履歴書を送るよりは、人材紹介会社のほうが効果的に仕事をみつけることができるという人もいます。直接、会社に履歴書を送っても返事がこなかったのに、同じ会社に人材紹介会社から紹介してもらったら、採用してもらったという例もあります。

日本人がたくさん住む大都市では、日系の人材派遣会社も多く存在し、比較的職がみつけやすいですが、アメリカ中西部などの田舎では職をみつけるのが難しいようです。

面接

履歴書をみて、相手側の会社が興味を持ったら、面接に呼ばれます。面接は1回だけとは限りません。面接での服装は、常識的であればよいと思いますが、ダーク系のスーツや襟のついたシャツにジャケットという感じがよいでしょう。

面接までに、聞かれそうな質問に対する答えを用意して、練習をしていきます。できれば誰かに聞いてもらうとよいでしょう。面接でよく聞かれる質問もインターネットで探すことができます。就職を希望する会社のウェブ・サイトでその会社についてよく調べておくことも大切です。

面接で注意することは、まず、ゆっくり話すことです。よくアメリカの会社では自分の長所や短所を聞かれるので、それをまとめておきます。また、自分が今までしてきたことを手短に話せるようにしておきます。面接の時に給与交渉することもありますから、だいたい希望する給与の額も決めておきます。自分の住んでいる地域の相場をきちんと調べて、適正な金額をいえるようにしておきます。しかし、こちらから自分のようなポジションだとどれくらいもらっているのか聞いてみてもよいでしょう。そのほかにも質問をしてもかまいません。会社としてどのような目標があるのか、評価はどうするのか、福利厚生はどのようなものがあるのかなど会社に興味を持っている姿勢をみせます。

面接では、採用されるとしたらいつごろか、連絡を取る場合にはどうしたらよいかなどはっきりさせておきます。

面接後のフォローアップ

最後に面接をしてくれたことに感謝するために、サンキュー・カードを送ります。これはアメリカ人の多くがしていることです。翌日中には郵送するようにします。お礼とともに、簡単にもう一度、そのポジションになぜつきたいかを伝えるような内容にします。

職歴がない場合

アメリカでは経験重視で、即戦力になるような人を探しているところが多いです。新入社員に教育をするということはあまりありません。日本での職歴が役に立てばよいですが、職歴がない人はまず、ボランティアをすることも考えられます。ボランティアでも職歴として認めてくれるところも多く、上司が推薦状を出してくれます。ボランティア先としては、市役所、図書館、学校、非営利団体などがあります。ボランティアによって、広げた人脈から就職の情報を得られるかもしれません。

フルタイムを希望していても、まずは就職しやすいパートタイムやテンプ（Temp to Hire）のポジションは多いので、そこで仕事をしっかりしていき、フルタイムをめざす人もいます。

なかにはファースト・フード店やスーパーなどで働きながら、ストアー・マネージャーになり、転職をしてさらによい職業につく人もいます。またレストランのウェイトレスをしていて、お客さんから仕事の話をもらうこともあるようです。まず、できることから始めるという選択もあります。

市民権が必要な職

政府関係の職は安定しているため人気が高く、市民権を持っていないと応募できないもの、または市民権を持っている人を優先に採用するものなどがあります。

政府関係ではなく、軍事に関する民間の会社でも、プロジェクトによっては市民権がないとそのプロジェクトに参加できないものもあります。

アメリカ市民権を取ったにも拘わらず、二重国籍のままの人がいますが、アメリカで公務員として働く場合はそういうわけにもいかなくなります。市民権を取り、自分の活躍の場を広げるか、自分の将来を考えて決断しなくてはなりませんが、将来、日本国籍を復活させることもできないわけではありません。

4 職探しに有利になる、アメリカでの資格取得

資格を取る

アメリカで資格を持っていれば、多少の語学のハンデがあっても職探しに有利になるでしょう。日本で学歴がない場合など、コミュニティスクールや大学で資格を取ることも考えられます。また大学を出ているのであれば、大学院やスクールにいって高いレベルのスキルをつけることも可能です。アメリカの大学院は、違う学部の専門分野も学べます。ですから、今までの経歴と違う分野でスタートすることもそれほど難しいことではありません。

資格を取る教育機関がどこでどういうふうに認められているか事前に調べることも重要です。たとえばアメリカでは、大学教育機関では6個あるRegional Accreditation Associationに参加しているかどうかが重要です。ＭＢＡにも認定機関があるのでよく調べます。

取得するのが難しく、年月もかかり、お金もかかるほうが、一般的に高い見返りが期待できます。簡単に取れる資格もありますが、需要が少なかったり、時間給が低かったりするのは当然です。自分でやりたいことを考え、経済的余裕、時間的余裕をみて決めていきます。

職種についての最新情報は、アメリカ労働省のホームページ[www.bls.gov]に詳しく出ています。資格の取り方、職場での仕事の内容、就職の状況を調べることができますから事前に調べておくとよいでしょう。

公認会計士[CPA=Certified Public Accountant]

アメリカで確実に就職することを期待できるのが、公認会計士（ＣＰＡ）だといえるでしょう。また言葉によるハンデが最も少ない専門職のひとつと言えます。しかし、ＣＰＡを受験するための条件は、州によってずいぶん違います。たとえば州によってはアメリカ市民権がないと受験できないところもあります。

まずたいていの州では大卒以上で会計学やビジネスに

関係する科目を決められた単位数取っていないといけませんが、学士号を持っていなくても受験できる州もあります。だんだん受験資格は厳しくなっていますが、専門的で高度な資格のなかでは比較的挑戦しやすいものだといわれています。試験も４つの部門に一度に合格しなくてもよく、落ちた試験を次に受けることも可能ですから、計画的に資格取得を目指すことができます。

試験対策は本屋にいけば参考書や問題集がありますが、会計の勉強をしたことがない人は、ＣＰＡ受験のための教育機関にいって勉強する人が多いようです。

MBA［Master of Business Administration］

ＭＢＡとは経営学修士号で、ビジネススクールで普通2年間で取得します。ＭＢＡのスクールは９００を超え、卒業生も増えています。

大学の学部を卒業後すぐにビジネススクールに入る人は少なく、社会で実戦経験を積んだ人が多いです。働いているうちに必要性に迫られたり、キャリアアップをするために取ろうと思う人もいます。フルタイムで仕事をしながら学ぶ人もいますが、仕事をしながらでも学びやすいように、昼間のほかに夜間授業や週末に授業をおこなうところが多くなっています。

ＭＢＡはたいてい2年間のプログラムで、1年目はビジネス全体の基礎学問を広く浅く学び、2年目は専攻について学びます。1年が終わった後の夏休みのサマー・インターンシップの就職活動が、卒業後の就職につながります。

特別な専門もない場合は、ＭＢＡが一番よい学位だという人も多いですが、ＭＢＡさえ持っていれば、就職に非常に有利というわけでもありません。卒業するスクールのレベルや、大学の出身校、ＭＢＡ取得前の職歴なども関係してきます。ただし、投資銀行、投資顧問会社、経営コンサルティング会社、管理職などの高収入のポジションを目指すことが可能な学位です。

弁護士とパラリーガル

弁護士の資格を持っていれば、法律事務所だけでなく、いろいろな分野で就職できます。一般企業の法律部門や、保険会社などもあります。また定年もないので、遅いスタートをきる人も多いようです。

まず、弁護士になるためには学士を持った人がロースクール（Law School）に入り、多くの学生がＪＤ（Juris

Doctor）と呼ばれる3年コースで学びます。これが法律学で取得できる最初の学位で、その上にＬＬＭ（Master of Law）やＪＳＤ（Juris Scientiae Doctor）などがあります。

ロースクールでは専門分野がなく、法律全般にわたる広い知識と法律家としての基礎を習得します。仕事を始めてから経験を積んでいくことになっています。弁護士資格を得るためには州の司法試験（Bar Examination）を受けます。合格率は州によって違い、40～80％です。

法律関係の仕事にはパラリーガル（Paralegal）があります。これは資格と思われがちですが、公的な資格はありません。パラリーガルは、一般的には法律事務所で弁護士がおこなう専門的な仕事以外のことをする人のことを指します。ですから大学を出ていなくてもパラリーガルとして法律事務所で働いている人もいます。カレッジや専門学校で、全米の弁護士協会の認定の養成講座を受けるとパラリーガルとしての就職に有利になります。

看護師

医療系の仕事は、不況にも強く、常に人材不足だといわれますが、そのなかでもまず、看護師があげられます。一般的に看護師はＲＮ（Registered Nurse）といわれますが、看護師と一口にいっても、18ヵ月から2年間の訓練で資格がとれるＬＰＮｓ（Licensed Practical Nurse）大学院を出て簡単な診察ができるＡＰＮｓ（Advanced Practice Nurse）やその上のＤＮＮｓ（Doctorate of Nursing Practice）などがあり、プログラムの長さ、必要な学位が違います。

看護師として働くには、それぞれの州のNCLEX-RN（正看護師）かＮＣＬＥＸ－ＰＮ（準看護師）の試験に合格すれば、ＲＮ（登録ナース）として働くことができます。もし、日本での看護師の資格を持っている場合にはＣＧＦＮＳ（Commission on Graduates of Foreign Nursing Schools）の試験に合格すると、受験資格を得ることができます。

アメリカでは、日本より看護師の労働時間、給与の面や立場など働く環境はよいようです。

大学院を出たＡＰＮという資格を持つ看護師とよく似た資格に、フィジシャン・アシスタント（ＰＡ＝Physician Assistant）があります。これは、医師不足からできた資格で、簡単な病気の診断をして、薬を処方することもできる資格です。大学院で専門的に学ぶ必要があります。

混同されやすい資格にメディカル・アシスタント（Medical Assistants）があります。メディカル・アシスタントは、資格があるものとないものがあり、州によっても違います。病院などの医療機関で、医者や看護師の仕事がうまくいくように補助する仕事です。いろいろな機関が認定を出しており、コミュニティカレッジや専門学校、職業訓練所（Vocational School）などで半年〜1年間学びます。

その他の医療関係の資格

医療関係の資格はいろいろあります。理学療法士（Physical Therapist）は、大学を出て、大学院で2年間学んだあと州の試験を受けます。そのほか歯科衛生士、保健婦、検眼士、カイロプラクター、はり師、放射線関連技師、作業療法士、臨床検査技師、臨床工学技師などは州によって、受験資格が違い、また免許が必要かどうかも違ってきます。

不動産関係の資格

不動産の売買に関する資格は2つあります。州により多少ちがいますが、45時間程度のカレッジレベルの不動産概論コースを修了して、18歳以上が受験資格のある不動産セールスパーソン（Real Estate Salesperson）、4年制大学を卒業しているか、セールスパーソンの実務を2年経験して、不動産原理コースを含む8科目のコースを修了して受験資格が得られる不動産ブローカー（Real Estate Broker）があります。ブローカーの資格があると、事務所を開くことができます。

アメリカの不動産セールスの80％は女性だといわれていますから、女性向きの仕事かもしれませんが、固定給はなく、仲介手数料だけが収入となるので、厳しい世界です。

美容師［Hairdressers, hairstylists］、その他

美容師やネイリストなど美容関連の職業は、働く州の免許が必要です。免許を取るためには、多くの州で、州が公認した学校でのコースをとらなくてはいけません。フルタイムでこれらのコースを受けると美容師は9ヵ月〜2年くらいで免許が取れます。その他の美容関連のコースは、もう少し短い期間で修了しますが、州によってはコスメトロジー資格は美容系すべてをカバーする資格になっているところもあります。

5 子どもを預けて**ワーキングマザー**になる方法

妊娠中に働く

妊娠中は初期につわりなどで、体調がよくない人もいます。また後期になれば体に負担がかかるような仕事は避けたいものです。タイミングを考え、なるべく早く妊娠していることを職場に報告します。妊娠中は検診のために、仕事を抜けたり休んだりすることは法律的にも認められていますから、きちんと受けるようにします。

つわりもなく体調がよいと思っていても、出血やおなかがはるなど、体の不調が出てくる可能性もあります。妊娠中に無理をしてしまうと切迫流産、早産などの障害が出てくることもあります。ですから職種によっては、妊娠中は職場を軽い作業のところに変えてもらうなど配慮してもらうことも必要になります

産休を取る

アメリカには日本のような産休・育児休暇という制度がありません。ですからアメリカの女性は出産の当日まで働いていたという人もいるのです。そして10日くらいで仕事に戻ってしまう人もいます。１９９３年にできた家族医療休暇（The Family and Medical Leave Act）という連邦法では、働いている当人や家族が病気になった場合に無給ではありますが、12週間までは休暇を取ることを認め、もとの職場に戻ることを保障しています。これを利用して産後の休暇を取る人が多いのですが、この法律にもいろいろな条件があり、すべての人が当てはまるわけではありません。

勤務先によっては、休んでいる間に給料が出るところもあれば、出ないところもあり、ずいぶん待遇は違います。州によっても産前・産後の休暇については規定が違うので、州の規定を調べ会社の方針も聞いて、どのくらい休むのか予定を決めます。

託児施設を探す

最近は、企業のなかにデイケアを設けるところも増えつつあり、働きながら子育てをする女性の環境がよくなってきています。産後すぐに復帰する女性もいることから、そういう実情に対応して生後2～3日からでも赤ちゃんを預けられる施設もあります。生後間もない子どもを預ける時は、デイケアよりファミリーケアまたはホームケアといって、個人の保育ママさんに預けて働き出す人が多いようです。

一般のデイケアはチェーン化しているところもあり、経営形態はいろいろです。きちんと認可されているデイケアだと、州の社会事業部の検査があったり、飲食物を出すので、3ヵ月に1度、農務省の検査もあり、消防署も避難経路など消防関係の確認します。またCPR（心肺機能蘇生）の資格を持っている保母が必ずいます。

デイケアの時間もそれぞれで朝6時から夕方6時半くらいまでのところが多いようですが、間に合わない場合は、遅延料金を取るところもあります。デイケアによっては朝食も用意してくれるところもあります。普通は昼ごはん、午前中と午後の2回のおやつと飲み物を出してくれます。

生まれてから探すのでは遅いので、妊娠中から託児施設を探し、気に入ったところに登録しておく必要があります。人気があるところは半年～1年くらい待たないと入れない場合があります。登録していても、必ず入れるという保証もないので、何ヵ所かに登録しておくことも必要です。

産後復帰と母乳育児

産後の復帰後に母乳育児を希望している人もたくさんいます。搾乳した母乳を冷蔵庫に入れて、勤務中にデイケアなどで飲ませてもらっている人もいます。最近は母乳育児が奨励されているので、勤務中も自動搾乳機などで母乳を保存する人もみられます。

州によっては職場内に搾乳できる部屋と、母乳を保存する専用冷蔵庫を用意することが法律で定められているところもあります。

まわりの協力

働いている母親は多いので、たいていの職場はお互いにとても協力的です。アメリカでは、一般的に家族をとても大切にしますから、子どもがいるのに、子どもがいないように振舞う人は少数です。男性でも子どもが病気だからといって、急に早退したり、休んだりする人もいます。または、しかたがなかったといって、子どもを職場に連れていく人がいるというのもよく聞く話です。

父親は仕事から帰ってきて、子どもをサッカーや野球などのスポーツに連れていくなど、積極的に子育てに関わります。子どもの活動や残業のことも含めて、夫婦できちんと子育てについて話し合うことがとても大切です。夫婦だけでは対処できない場合、たとえば急な残業や緊急事態の場合にどうするか、知人や近所の人に前もって、料金を決めて頼んでおくという人もいます。

子どもが生まれる前に、できるだけのことをしておくことは大事です。しかしすべてのことを予測して決めておくことは、難しいでしょう。実際に、生まれてから働いてみて、いろいろ修正してそれぞれの家族にあった方法を見つけていくようにすればよいでしょう。

デイケアから預ける施設を変える

子どもが大きくなってくるとプリスクールに入れますが、プリスクールとデイケアを兼ねている施設もあります。キンダーや小学校に入るとスクールバスで通います。デイケアより始まる時間は遅く、終わる時間は早いので、前後の送り迎えも必要になりますが、送り迎えをしてくれる施設や送り迎えだけ誰かに頼むことも可能です。

子どもが高学年になると、放課後に学校からスクールバスでいろいろな子どもの活動施設にいき、そこで親が迎えに来るまで過ごす場合もあります。長い夏休みのことも考えておかなくてはいけませんが、夏休みの子ども用のキャンプは充実しているので、前もって探せば、よいキャンプもみつかるでしょう。

働くことを選択

日本の保育園にあたる施設がないアメリカでは、デイケアの費用は決して安くありません。生まれて間もない赤ちゃんから2歳半くらいまでは、場所や施設の内容によりますが、月平均７００～１，５００ドルくらいかかります。納得のいく有料施設をやっと探し当てたら、保育料が月に２，０００ドルを超えているということもあります。働いても保育料が高いために手元に少ししか残らなくても、長い目でみた時にプラスになることもあるでしょう。自分のキャリアを考えて働き続けるかどうか選択します。

6 子育て中の充電

***

社会復帰をスムーズにするために

子育て中はたくさんのハンデがありますが、できるところから少しずつ始めていけばよいのです。

子育て中の困難

アメリカで結婚して、慣れない環境で親戚や友だちと離れて妊娠・出産した人は、それだけで大変な思いをしていることでしょう。またそれまで働いてきても、産前・産後になんらかのトラブルがあったり、子どもが病気がちだと働き続けることは困難です。しかし、子どもに手がかからなくなったら働きたい、または職場復帰したいと考えている人も多いと思います。

できるところから始める

子どもをデイケアに預けて働くのだったら、自分自身がデイケアで働くことも考えられます。自分の子をデイケアに安く預けられるという利点もあります。

夫が帰ってきて、子どもをみてもらえる夜間や週末に働いている人もいます。数年間にこうして職歴を作り、その後は少し有利な昼間の職にしてもらいます。

学生になる

子育てをしている時は、充電中だと考えて、大学に通うことも考えられます。子育てと大学の勉強とは、たいへんですが、両立できないこともありません。大学にはデイケアがついているところもあり、費用も一般のデイケアより安いところが多いです。妊娠中や子育てしながら通っている学生もいます。授業も週末や夜間のものを選択することもできますし、またフルタイムの学生にならなくても、パートタイムで自分にできる範囲で勉強していくことも可能です。

学生になるには高い授業料も必要です。夫を含め、まわりの協力が欠かせません。目的を持って専攻を決め、しっかり無駄がないように勉強することが大切なようです。

在デンバー総領事館
1225 17th Street, #3000
Denver, Colorado 80202
TEL:1-303-534-1151
Fax:1-303-534-3393
[管轄州]
コロラド州、ユタ州、
ワイオミング州、
ニューメキシコ州

在ナッシュビル総領事館
1801 West End Avenue, #900
Nashville, TN 37203
TEL:1-615-340-4300
Fax:1-615-340-4311
[管轄州]
アーカンソー州、
ケンタッキー州、ルイジアナ州、
ミシシッピ州、テネシー州

在ポートランド総領事館
2700 Wells Fargo Center,
1300 S.W. 5th Avenue,
Portland, Oregon 97201
TEL:1-503-221-1811
Fax:1-503-224-8936
[管轄州]
オレゴン州、
アイダホ州のシアトル総領事館
管轄地域以外

在ヒューストン総領事館
2 Houston Center,
909 Fannin, Street,
Suite 3000
Houston, Texas 77010
TEL:1-713-652-2977
Fax:1-713-651-7822
[管轄州]
テキサス州、オクラホマ州

在ハガッニャ総領事館
GITC Building, #604,
590 South Marine
Corps Drive
Tamuning, Guam, 96913
TEL:1-671-646-1290,
646-5220
Fax:1-671-649-2620
[管轄州]
グアム、北マリアナ諸島

在ボストン総領事館
Federal Reserve Plaza,
14th Floor
600 Atlantic Avenue
Boston, Massachusetts
02210
TEL:1-617-973-9772〜4
Fax:1-617-542-1329
[管轄州]
メイン州、
マサチューセッツ州、
バーモント州
ニューハンプシャー州、
ロードアイランド州、
コネチカット州の
ニューヨーク総領事館
管轄地域以外

在ニューヨーク総領事館
299 Park Avenue, 18th Floor,
New York, NY 10171
TEL:1-212-371-8222
Fax:1-212-319-6357
[管轄州]ニューヨーク州、
ニュージャージー州、
ペンシルベニア州、
デラウエア州、メリーランド州、
ウエストバージニア州、
コネティカット州の
フェアフィールド郡のみ、
プエルトリコ、バージン諸島

在サイパン出張駐在官事務所
2nd floor, Bank of Hawaii Bldg,
Marina Heights
Business Park, Puerto Rico,
Saipan, MP96950-0407
[P.O.Box 500407
Main Post Office, Saipan,
MP 96950-0407, U.S.A.]
TEL:1-670-323-7201,
323-7202
Fax:1-670-323-8764
[管轄州]サイパン

在ロサンゼルス総領事館
350 South Grand Avenue,
#1700
Los Angeles,
California 90071
TEL:1-213-617-6700
Fax:1-213-617-6727
[管轄州]
アリゾナ州、
カリフォルニア州
ロサンゼルスオレンジ、
サンディエゴ、イムペリアル、
リヴァーサイド、
サンバーナディノ、
ヴェン チュラ、
サンタバーバラ、
サンルイオビスポの各郡

在ホノルル総領事館
1742 Nuuanu Avenue
Honolulu, Hawaii 96817-3201
TEL:1-808-543-3111
Fax:1-808-543-3170
[管轄州]
ハワイ州、米国の領土中、
他の総領事館の管轄地域以外

在マイアミ総領事館
80 S.W. 8th Street,
Suite 3200
Miami, Florida 33130
TEL:1-305-530-9090
Fax:1-305-530-0950
[管轄州]
フロリダ州

役立つ**情報**コラム 5

在米の**日本大使館・総領事館**

大使館［Embassy of Japan］
総領事館［Consulate General of Japan］
出張駐在官事務所［Consular Office of Japan］

日本国大使館

2520 Massachusetts
Avenue N.W.
Washington D.C.,
20008-2869
TEL:1-202-238-6700
Fax:1-202-328-2187
［管轄州］
ワシントンDC

在サンフランシスコ総領事館

50 Fremont Street, #2300
San Francisco,
California 94105
TEL:1-415-777-3533
Fax:1-415-974-3660
［管轄州］
ネバダ州、カリフォルニア州のロサンゼルス総領事館の管轄地域以外

在シアトル総領事館

601 Union Street, #500
Seattle, Washington 98101
TEL:1-206-682-9107〜10
Fax:1-206-624-9097
［管轄州］
ワシントン州、アラスカ州、モンタナ州、アイダホ州のアイダホ郡以北

在シカゴ総領事館

Olympia Centre, #1100
737 North Michigan Avenue
Chicago, Illinois 60611
TEL:1-312-280-0400
Fax:1-312-280-9568
［管轄州］
イリノイ州、インディアナ州、ミネソタ州、ウィスコンシン州、アイオワ州、カンザス州、ミズーリ州、ネブラスカ州、ノースダコタ州、サウスダコタ州

在アトランタ総領事館

One Alliance Center,
3500 Lenox Road, #1600
Atlanta, GA 30326
TEL:1-404-240-4300
Fax:1-404-240-4311
［管轄州］
アラバマ州、ジョージア州、ノースカロライナ州、サウスカロライナ州、バージニア州

在アンカレジ出張駐在官事務所

3601 C Street, #1300
Anchorage, Alaska 99503
TEL:1-907-562-8424
Fax:1-907-562-8434
［管轄州］
アラスカ州内

在デトロイト総領事館

400 Renaissance Center,
#1600
Detroit, Michigan 48243
TEL:1-313-567-0120, 0179
Fax:1-313-567-0274
［管轄州］
ミシガン州、オハイオ州

ぱたのうち井戸端会議▶http://www.patanouchi.com/
国際結婚をしてアメリカに住む日本人女性が管理するサイト「ぱたのうち」にある井戸端会議には、
数多くの国際結婚をした女性が書き込みをしている。料理&レシピ集も人気が高い。
アメリカ生活で疑問点ができると、この掲示板でのやりとりが参考になる[26頁参照]。

世界子育てネット▶http://www.sweetnet.com/
「Peacefulママ掲示板」「Q&A専用掲示板」「結婚生活なんでも掲示板」「シングルマザー@海外掲示板」
「育児&マタニティー掲示板」「奨学生以上の子育て掲示板」「Teenagerの親のための掲示板」
「バイリンガル情報掲示板」「レシピ交換掲示板」「譲る・売る・交換掲示板」などがある。メールマガジンあり。

海外リンク・コムが運営する伝言板▶http://www.kaigailink.com/
「海外に住む人の伝言板」「情報交換掲示板」「討論の掲示板」「海外パソコン情報交換掲示板」などがある。

北米海外生活@2ch掲示板▶http://gimpo.2ch.net/northa/
巨大掲示板群・2ちゃんねるの北米に在住する日本人のための生活情報の交換を主目的とする掲示板。

地域別サイト

ハワイ

ミックスハワイ▶http://www.mixhawaii.com/
レストラン、宿泊、アクティビティなどのクチコミ情報が満載。
生活情報もあるので、住んでいる人も重宝している。

アロハストリート・リビング▶http://living.aloha-street.com/
ハワイの暮らしを応援するサイト医療、不動産、学校、自動車、弁護士、生活サービスなどの情報が満載。

ロサンゼルス

LA便利帳▶http://www.mmsystems.com/laguide/seikatsu/la.html
アパート情報、天気予報、不動産情報、交通取締情報、地震情報、フリーウェイ状況などを調べられる。

ライトハウス▶http://www.us-lighthouse.com/
ロサンゼルス版とサンディエゴ版あり。

シアトル

シアトル生活ガイド▶http://www.junglecity.com/ssg/index.htm
留学や仕事などシアトルでの生活を快適・便利にするためのサバイバルガイド。
更新情報が掲載されるので使いやすい。

アメリカ中西部、南部

Weekly ジャングル▶http://www.anglepress.com/
イリノイ、ミシガン、ミネソタ州などアメリカ中西部、南部の生活情報を満載。

ニューヨーク

まるごとNY▶http://yousworld.com/ny/htm/seikatsu.htm
他のニューヨーク関連サイトも紹介されているので、使いやすくて役に立つ。
掲示板、イベント情報、生活情報が満載。マールマガジンあり。

NY *e*ジャピオン▶http://www.ejapion.com/
情報誌『NYジャピオン』のWeb版。過去の特集記事も読める。
ニューヨークで遊ぶ・暮らす・仕事を探す。ニューヨーク現地発信の総合情報サイト。

Rend Direct New York▶http://www.rent-direct.com/
ニューヨーク市と周辺地域のアパート情報サイト。
ニューヨーク120の地区ごとに、仲買手数料不要物件5000件以上の家賃と間取りを掲載。
ブローカーを通して契約すると、通常家賃1〜2ヵ月の仲買手数料がかかるが、
同サイトでは会費を払えば、2ヵ月間利用できる。

ぶりてんNuts▶http://www.nyct.net/~nuts/
ニューヨークの生活情報掲示板。
掲示板には「求人・休職」「アパート・不動産」「売ります・買います」などがある。

役立つ情報コラム 6

ネットを有効に活用しよう

総合情報

アメリカに暮らす ▶http://www.liveinusa.net/#member
アメリカで暮らす人、渡米したいと計画している人のためのサイト。
数多いサイトを紹介している必見のサイト。メーリングリストあり。

「世界総合 海外生活情報」 ▶http://www.faminet.co.jp/g-l/gl-us1.htm
「生活全般情報」では、説明文付きで他のサイトを紹介しているので、役に立つ。

Wahoo![海外に住む日本人のためのリンク集] ▶http://wahoo.maxux.com/
海外に住む日本人のためのお役立ちサイトを集めたリンク集。
留学、仕事、生活に関連する情報がアクセス可能。サイト内の検索機能あり。

生活情報

海外移住者のための便利帳 ▶http://www.interq.or.jp/world/naoto/benricho/
出発前の日本での手続き[保険、年金など]から、アメリカでの手続き、保険、銀行、医療など、
生活のあらゆる分野にわたる情報を入手できる。メールマガジンや掲示板あり。

コンパス＊コンパス ▶http://www.compasscompass.com/
電話帳＋米生活情報検索サイト。
アメリカで日系電話帳等を出版している Japan Publicity, Inc. が運営しているサイト。
日本のタウンページやハローページでおなじみのNTT-BJ社の『iタウンページ』[http://itp.ne.jp]と提携して、
アメリカの主要都市を中心に、会社や店の情報を掲載。
電話番号を始め、ユーザーからの会社に対するクチコミ情報、ビジネスオーナーからのワリコミ情報、
より詳しいサービス内容・写真を掲載した詳細広告等を検索できる。

アメリカ生活支援サイト「US万次郎」 ▶http://ustaijiro.com/
食品、家事、健康、車、お金、住まい、メディア、ショッピングなどの情報や
アメリカについて知る情報まで多岐にわたっている。
「アメリカに住む人なら誰でも知っている常識から、アメリカ人でさえ知らない裏技まで」をモットーに、
日刊でメールマガジンを発行中。このサイトから登録できる。

FamiNet **海外赴任、留学、出張が決まったら** ▶http://www.faminet.co.jp/
出発前の準備から、現地情報、帰国準備にいたるまで、海外生活全般についての情報が得られる。
「出発準備」「海外生活」「帰国」「海外留学」「海外出張」「企業・団体」の項目からクリックして情報を収集できる。

掲示板

アメリカ関連の Yahoo **掲示板**
アメリカ生活に関することでわからないことがある場合、相談をもちかけることのできる掲示板。
過去にほかの人がもちかけた相談事[投稿]をみることもできる。
http://messages.yahoo.co.jp/index.htmlにアクセスして「地域情報」の項にある「海外」をクリックし、
→「北アメリカ」→「アメリカ合衆国」とクリックしていくと、
「ハワイ」「全般」「旅行」「出会い」のいずれかを選べる。
「アメリカで子育てしてるママさん」「バツイチUSA」「USA人と結婚している日本女性友の会」
「USAパソコンなんでも情報室」などのトピックがある。

子どもの学校を検索

学齢児童を連れてアメリカに居住する場合、どの地域に住むかは大きな問題となる。
なぜならアメリカの公立学校は住民の税金によって運営されていて地域格差が大きいからだ。
そのため地域の学校情報を得てから住まい探しをするのが望ましい。

Search for Schools
町の名前をクリックすることにより、リストアップされた学校の生徒数、先生数、人種構成などの調査が可能。
1●以下のサイトにアクセス▶http://nces.ed.gov/nceskids/Allschool/index.asp
2●Public School Onlyをクリック
3●アメリカ地図から調べたい州をクリック
4●調べたい市のアルファベットをクリック
5●調べたい市をクリック
6●リストアップされた学校[住所とジップコード掲載]をクリックして情報を集める

Yahoo! Real Estate
町の名前をクリックすることにより、リストアップされた
学校の生徒数、先生数、使用される言語などの調査が可能。高校の場合は、卒業率と進学率の調査が可能。
1●以下のサイトにアクセス▶http://realestate.yahoo.com/re/schools/
2●調べたい町の名前とジップコードを入力するか、調べたい州名→市をクリックする
3●リストアップされた学校をクリックして情報を集める

Grading the Public Schools
ホノルルにある公立学校について調査が可能。
1●以下のサイトにアクセス▶http://www.honolulumagazine.com/pubschoolsintro.html
2●Schoolsをクリック
3●Grading the Public Schoolsをクリック
4●Grading the Public Schhols Chartをクリック
表から探すか、学校名を入力すれば、学校の評価を知ることができる。先生、父兄、生徒による評価あり。

仕事探しに役立つサイト

ネット版classified「usfl.com」▶http://www.usfl.com/Classified/Default.asp
就職/求人情報、不動産、買います/売りますなどの情報は新聞のclassifiedの欄で探すことが多いが、
アメリカで発行されている日本語雑誌『U.S.FrontLine』のclassifiedがインターネットでアップされている。
商用、個人利用あり。非商用目的の投稿は基本的に無料。

JOBBA▶http://www.jobba.net/
日本語を生かして世界で活躍したい人の求人サイト。
アメリカでの就職、転職、アルバイト、インターンを考えている人たちを支援する求人サイト。
希望に合った仕事をより早く探してくれる。

クレオコンサルティング▶http://www.creo-usa.com/
中西部・南部を中心に、東海岸・西海岸、日本の提携企業からも幅広い人材、求人案件の提供を受けており、
就職・転職支援サービス、就職コンサルティングが充実。

企業一覧

企業概況

『企業概況』を出版しているUJP社が提供しているサイト。全米の日系企業4500社が登録されている。
人材募集をしている企業はその旨を明記している。データは毎年更新される。
1●以下のサイトをクリック▶http://www.ujp.com/mags/gaikyo.html
2●「登録企業の情報」をクリック
3●「地域」と「業種」を選択して、「キーワード」を入力して、「Search」をクリック
4●登録されている企業の情報が読める

全地域

世界総合 海外生活情報▶http://www.faminet.co.jp/g-l/gl-us1.htm
アメリカの州ごとにクリックして利用する。

JINA Japanese in America▶http://www.jinaonline.org/
アメリカの都市ごとにクリックする。
扱っている都市は、ニューヨーク・ニュージャージー、ボストン、シアトル、ポートランド、
サンフランシスコ・サンノゼ、ロサンゼルス・サンディエゴ、ハワイなど。
非営利団体が運営。
掲示板、人材募集、求職、売ります/買います、イベント情報、不動産情報、恋人・友達募集など。

びびなび▶http://www.vivinavi.com/JA/
タウンガイド、イベント情報、掲示板、仕事探し、友達・仲間探し、不動産情報、ルームシェア、個人売買など。
扱っている都市は、ニューヨーク、ロサンゼルス、サンディエゴ、サンフランシスコ、ハワイなど。

世界の地図リンク集▶http://hp.vector.co.jp/authors/VA017536/world/map.htm
このサイトより世界、日本の地図にアクセスできる。

地図ソフトGoogle Earth▶http://earth.google.com/intl/ja/index.html
このサイトは、衛星航空写真、地図、地形や建物の3D表示などを組み合わせて、地理情報を提供している。
ダウンロード無料。

医療関連

海外で日本語が使える病院を探すためのサイト▶http://www.hospital.ne.jp/japanese/japanese.html
海外で日本語が使える病院が網羅されており、いざというとき大変便利。
「日本語可」の表示があっても、日本人や日本語のできる人が休暇などで不在の場合があるので、
事前の確認が必要だ。

アメリカの医療費について▶http://www.urban.ne.jp/home/haruki3/america.html
高額なアメリカの医療費についての実例体験が紹介されている。

子育て関連

Care the World▶http://www.angelfire.com/wi/caretheworld/japanese/us_child/usa.html
アメリカで子育てをする人のために、
おむつ、ベビーフード、幼稚園、サマーキャンプ、病院、予防接種などについて情報を掲載。
アメリカで出産した新米ママの日本人と、子育て関係の本の著作がある
ノーラ・コーリ[海外出産・育児コンサルタント]が共同で運営している。

デイケア in AMERICA**サバイバルガイド**▶http://www.geocities.co.jp/SweetHome-Ivory/7778/
アメリカでの育児を応援するサイト。
デイケア[託児所]探しのコツ、準備の仕方、教育内容や行事などの情報を掲載。
主催者のデイケア日誌、プリスクール日誌、お勧め絵本なども公開されている。

学校教育相談室▶http://www.angelfire.com/sc3/schoolil/
アメリカの現地校に通い始めた日本人の子どもの学習問題・学校生活問題を中心に情報を提供。

KOMET▶http://www.faminet.net/komet/index.htm
アメリカ現地校に適応する手助けとなる教材の販売などをおこない、
在住日本人の子どもの現地教育をサポートしている。

英語学習のサイト

英語タウン▶http://www.eigoTown.com
TOEIC対策からビジネス英語・英語教材・英語求人情報まで日本最大級の英語学習ポータルサイト。

無料で英語を学習できる教材▶http://www5e.biglobe.ne.jp/~eibunpou/rec2.htm
無料で英語学習できるサイトや、無料でサンプルをもらえたり、無料で体験ができるサイトを紹介している。

ジャパンタイムズ『週刊ST』オンライン版▶http://www.japantimes.co.jp/shukan-st/
英語の週刊新聞『週間 Student Times』のオンライン版。毎週火曜日更新。巻頭の英文[時事ニュース]には、
語句の注釈がつき、ニュースの全文を音で聴くことができてヒアリング力の確認ができる。
ヒアリングはNaturalとSlowのスピード選択が可能。ほかにも英語クロスワードやことわざなどがある。

NHK WORLD DAILY NEWS▶http://www.nhk.or.jp/daily/english/
世界の時事ニュースを、英語の文字と音声で配信しているNHKのサイト。
Daily Newsのページでは、右をクリックすると音声があらわれ、左には同じニュースが文字で記載される。
リスニングとリーディングの勉強にもなる。
ほかにもRadio Japan Online、Weekly Program、Japanese Lessonsのページがある。

英語表現データベース「英作くん」▶http://home.alc.co.jp/db/owa/mmcd?cd=S01-172&sec=wp&itm=06
収録表現数は約4万1000。調べたい言葉[キーワード]を入れると、使える表現をズラリと表示してくれる。
キーワードは英語、日本語どちらもOK。

やさしい英語でニュースを読むHeadline News▶http://www.alc.co.jp/eng/newsbiz/headline/index.html
難しい単語を使わないで書かれた短いニュースが読めるサイト。一部のニュースは音声も聞ける。

英語勉強のためのメールマガジン[無料]

2パラグラフで英字新聞を読もう!「ダイジェスト版」
▶http://archive.mag2.com/0000004677/index.html
英語記事を2パラグラフ取り上げて解説しているメールマガジン。
ステップ1では英文の紹介があり、音声[スロースピード]が聴ける。
ステップ2ではキーワードの解説と音声が聴ける。ステップ3では日本語訳を確認する。
ステップ4で再び英文が紹介され、音声[ノーマルスピード]が聴ける。
挑戦したい人は、ステップ4のノーマルスピード音声からスタートしてみるといい。
週4回、完全版で配信される有料サービスもあり。月420円。

毎日1分! 英字新聞[日刊]
1分間で学習できるように、実際の英字新聞からリード部分[最初の1~2センテンス]を作成して紹介。
英文、単語解説、訳文、訳出ポイントを掲載。携帯でも読める。発行数は10万部以上。有料サービスもあり。
登録は以下のサイト▶http://www.mag2.com/m/0000046293.html
携帯で読みたい人の登録は以下のサイト▶http://www.ka-net.com/magazine.html
前週1週間分の内容が音声になって配信される有料サービスもあり。1ヵ月1050円で、年間契約12,600円。

日本関連団体を探す

海外日本人会・日系人・団体一覧から探す▶http://www.faminet.co.jp/d-t/dt-top.htm
アメリカの州名をクリックすることによって、日本団体の情報を集めることができる。
ファミネットが提供。

在外公館リストから探す
1●以下の在外公館リストから管轄の総領事館を選ぶ。
http://www.mofa.go.jp/mofaj/annai/zaigai/list/n_ame/usa.html
2●リンクをクリックする。

日本語で読めるアメリカ・海外のニュース

海外発の日本語メディアを探す

現地で発行される日本語メディアは、現地の生の情報を得るには欠かせない。
現地の日常生活に役立つ情報、「売ります」「買います」などのクラシファイド広告、求人情報、
イベントスケジュール、日本のニュースなどが提供されている。
このメディアでアパートを探した、仕事を探したという人も少なくない。
各地域への日本語メディアのアクセスが可能。
http://www.alc.co.jp/crr/kaigai/media/index.html

U.S. FrontLine▶http://www.usfl.com/
日々のニュースがオンラインで読める。
http://www.usfl.com/ee/では、現地で無料で配布されている週刊情報誌
『Weekly U.S. FrontLine』がオンラインで読める。
求人情報も掲載されている。

ヤフーニュース▶http://dailynews.yahoo.co.jp/fc/world/
日本の国内ニュースや動画もあり。

Democracy Now!▶http://democracynow.jp/
動画[英語ニュースで日本語の字幕付き]もあり。

Hokubei.com▶http://www.hokubei.com/ja
サンフランシスコにある『北米毎日』のオンラインニュース。

羅府新報 ONLINE▶http://www.rafu.com/jp.html
ロサンゼルスにある『羅府新報』のオンラインニュース。

ハワイ報知ニュース▶http://www3.shizuokaonline.com/hawaii/hochi06.html
ハワイにある『ハワイ報知』のオンラインニュース。

ライトハウス▶http://www.us-lighthouse.com/news/c-41-1.html
カリフォルニア、全米、海外のニュースが読める。

海外在住者の体験談を読む

海外在住の日本人の生活・情報リンク集▶http://www84.sakura.ne.jp/~kioa/
世界各国に居住・旅行している日本人の体験談を集めたサイト。アメリカの体験談も多い。

バイリンガル子育てレポート▶http://www.alc.co.jp/kid/bilingual/report/index.html
2003年よりアメリカ在住の平戸りらさんによるレポート。
アメリカ人の夫との間に2人の子どもあり。
2006年夏、3年半住んだハワイを離れ、夫の都合によりジョージア州アトランタへ引っ越す。

その他

世界・時計カレンダー▶http://www.jal.co.jp/worldclock/
世界地図上の都市をクリックすると、現地の時間が掲載されるサイト。
電話をかけたい時に、相手の国の時間がわかって便利。

おりがみくらぶ▶http://www.origami-club.com/
海外で折り紙を折ってあげると喜ばれるが、折り方を忘れてしまったという人にぴったりなのがこのサイト。
折り方については絵の表示とともに、動くアニメ表示もある。難度表示、英語の解説もあり。

テレビの料理番組がみられるウェブサイト▶http://www.ntv.co.jp/3min/
平日の午前11時50分から日本テレビ系で放映される「キューピー3分キックング」の翌日の放送[映像]が
ウェブサイトでみられる。映像ではないが、レシピのバックナンバーもそろっている。

NPOおばあちゃんの知恵袋の会▶http://www.chiebukuro-net.com/index.html
昔ながらの健康の知恵、暮らしの知恵、懐かしい話など、
もう一度おばあちゃんに聞いてみたい生活の知恵を紹介。

世界主要地域の電気方式
電圧・周波数・プラグの形状が記載されたサイト
http://www.faminet.co.jp/d_guide/d_tk/hittukoshi/tkdenki.html
トランス[変圧器]に関するサイト
http://www.faminet.co.jp/tsuhan/denka/trans.html

アメリカのテレビの番組表[TV listing]
http://tv.yahoo.com/
http://www.zap2it.com/
http://www.tvguide.com/
いずれも居住地域のzip code やケーブルTVや衛星TVのプロバイダーなどの条件を設定すると、
日々の番組表が検索できる。

アメリカの雑誌3400誌を検索できるサイト
Gebbie Press：The All-In-One* Media Directory
http://www.gebbieinc.com/magurl.htm
雑誌名、分野別、キーワードで検索できる。

日系人の歴史を知るサイト▶http://www.densho.org
日系アメリカ人の歴史をたどり、その体験を生の声で後世に伝えることを目的にしている。

サイトは以下の4つで構成されている。

「強制収容所にいたる要因」日系人が収容所に入れられるまでのいきさつと背景をさぐる。

「人権と強制収容」移民、差別、排斥から近年の米政府の補償、謝罪までをとりあげる。

「アーカイブ」収容所体験を持つ人々を中心とした日系の足跡を語るビデオ・インタビューを集めている。

「リソーシス」日系の歴史を理解するための語彙集、他の資料入手のためのサイト紹介、リンク集など。


車の履歴調査をするサイト▶http://carfax.com/

車にはあたりハズレがあって、ハズレの車は新車の頃から故障が多く、売りに出されたりしてオーナーが替わる。

このようにして中古車市場に出回っているハズレの車は「レモンカー[Lemon car]」と呼ばれる。

車を購入する際、レモンカーを避けるのに役立つのがこのサイト。

車体番号[VIN: Vehicle Identification Number]を入れて調べられるのは、
モデル、エンジン形式、製造地などと共に、何らかの記録の有無。

詳細な記録を調べたい場合は有料検索もできる。

走行距離を示すメーターの違法操作を受けた記録、大きな修理を受けた記録などがわかる。

グローバルJネットワーク発行のマニュアル

婚約・結婚を通しての永住権申請マニュアル

婚約者ビザや永住権の申請方法、永住権申請に必要な外国人との結婚手続きについても解説。このマニュアルがあれば、自分で婚約者ビザや永住権の申請が可能。

［目次］Ⅰ●どの方法で申請するかを決めるために
Ⅱ●永住権やKビザを請願するには
Ⅲ●結婚の手続き
Ⅳ●提出する書類と面接審査
Ⅴ●アメリカ大使館・領事館・移民局について
Ⅵ●永住権についての注意点
［資料］●申請用紙のダウンロードと申請用紙の書き方
●婚姻要件宣誓書と翻訳フォーム
●婚姻届受理証明書の翻訳フォーム
●アメリカ大使館の周辺地図
●申請用紙の記入例
I-130［永住権請願用紙］
I-129F［Kビザ請願用紙］
G-325［Biographic Information］
I-864［扶養宣誓供述書］
DS-230 part 1［Biographic Data 経歴書］
DS-230 part 2［Sworn Statement宣誓供述書］
DS-156［Kビザ・オンライン申請用紙］
DS-156K［Kビザ申請用紙］
DS-157［Kビザ申請用紙］

学生ビザ申請マニュアル

申請用紙の入手方法と記入の仕方、申請に必要な書類と書き方の見本、エッセイ、日程表、推薦状の見本などを掲載。このマニュアルがあれば、自分でビザ申請が可能。

［目次］Ⅰ●学校に関する情報を集めるには
Ⅱ●学生ビザを申請するには
Ⅲ●アメリカ大使館・領事館について
Ⅳ●学生ビザ取得後の注意点
Ⅴ●学生ビザに関するQ&A
［資料］●申請書類の書き方
●学校の案内書と願書を取り寄せる手紙
●推薦状
●留学への同意と費用を保障する保護者の手紙
●英文の封筒の書き方
●学生ビザの申請者が書いた手紙
●勤務先が発行した休職を認める手紙
●会社から発行してもらう休職・休暇証明書
●会社から発行してもらう在職証明書
●給与明細書
●源泉徴収票の部分翻訳
●申請用紙の記入例 DS-156、DS-157、DS-158

就労・渡航ビザ申請マニュアル

弁護士を通しての申請が必要な就労ビザ（H-1B、L、E）について解説。弁護士に依頼する段階にいくまでの案内書として役立つマニュアル。また、自分で申請できる渡航ビザ（商用、観光、研修、ジャーナリストビザ）についても解説。申請に必要な書類の見本も掲載されているため、このマニュアルがあれば、自分でビザ申請が可能。

［目次］Ⅰ●アメリカで働くには
Ⅱ●弁護士なしで日本で申請できるビザ
Ⅲ●雇用主を探すには
Ⅳ●申請手続き
Ⅴ●申請のための機関
［資料］●仕事探しに役立つ日本語メディア
●申請用紙の書き方
●申請用紙の記入例 DS-156、DS-157、DS-158
●ビザ一覧表
●渡航の理由を綴った手紙［観光ビザ］
●ビザの申請理由をサポートする手紙
●渡航の理由を綴った手紙［商用ビザ］
●渡航の理由を綴った手紙［ジャーナリストビザ］
●渡航同意書、推薦状、在職証明書、会社概要
●源泉徴収票、給与明細書、日程表、履歴書

再入国許可証申請マニュアル

永住権保持者がアメリカを1年以上留守にする場合に必要な再入国許可証を申請するためのマニュアル。申請用紙I-131をダウンロードした用紙やその記入例サンプルが付いているため、このマニュアルがあれば、自分で申請が可能。

マニュアルの購入方法

各マニュアルとも送料込みで960円。海外への送付希望の場合は1200円（または12ドル）。
希望のマニュアル名、氏名、住所、メールアドレスを記載して、以下の方法でお支払いください。

日本でのお支払い方法

切手を郵送●100円以下の少額切手を組み合わせて、グローバルJネットワークまで郵送してください。
振り込み●郵便局か銀行を通してお振り込みください［住所と振込先は次ページ参照］。

海外からのお支払い方法

●上記の方法
●ドルのパーソナルチェックか、海外の郵便局で購入したドルのInternational Postal Money Orderを郵送してください。宛て先には「Michiko Yamamoto」と記入してください。

グローバルJネットワークの紹介

グローバルJネットワークとは

「グローバルJネットワーク(GJN)」は、日本から海外に渡航した人々と日本にいる渡航希望者のネットワークづくりを目的として、1994年に結成された情報サービス機関です。

「グローバルJネットワーク」のJはJapanに住む人々、住んでいた人々を意味します。日本人だけでなく、日本で生まれたり、生活した経験のある人々も含んでいます。

海外から帰ってきた人、これから海外に出かけていく人、現在海外に住んでいる人……の輪をつくって、地球上で生きるグローバルな人間のつながりを広げていくなかで、生まれ育った国から海外に出ていくことの意義や自分らしい生き方などについて、一緒に考えていきたいと思っています。

グローバルJネットワークの活動

●本の編集と小冊子の発行

アメリカ渡航やビザの申請に関する本の編集や小冊子を発行しています。

●機関誌『グローバルJ通信』[隔月刊]の発行

隔月刊で会報『グローバルJ通信』を発行しています。主にアメリカのビザや永住権についての最新情報を提供し、ビザの発給状況や入国審査状況などのレポートとともに、お役立ち情報を掲載しています。

●電話相談と翻訳

アメリカのビザ、永住権、イミグレーションでの出入国問題に関する相談などを電話で受けつけています。関連書類の翻訳、公証サイン付きの翻訳もおこなっています。

●ノービザ渡航&ビザ申請をサポート

ノービザ渡航やビザ申請の際に必要なオンライン登録、面接予約、ビザ申請書の作成をおこなっています。

●「メーリングリスト」を通しての会員交流

「グローバルJネットワーク・メーリングリスト」を通して、会員内外の交流を図っています。

●抽選永住権の応募希望者をサポート

抽選永住権に関する的確な情報を迅速にお伝えし、代行手続きもおこなっています。会員には募集のおしらせをダイレクトメールでおこないますので、応募の機会を逃すことがありません。

●抽選永住権の当選者をサポート

希望者には抽選永住権の申請代行手続きをおこないます。代行を依頼された当選者には翻訳費用を別途お支払いいただくだけで、永住権取得までフォローいたします。

会員への特典

日本からでも海外からでも入会できます。また、入会時は日本に在住していて、その後海外に移住した場合、会報は海外にも送付します[追加料金なし]。

1●会報『グローバルJ通信』[隔月刊]の無料配布
2●アメリカのビザ一般に関する電話相談と他機関への照会
3●「メーリングリスト」を通しての会員交流
4●抽選永住権の募集期間と代行手続き案内をダイレクトメールで通知
5●申し込んだ本や資料の送料が無料

会員になるには

5,000円(入会金2,000円、年会費3,000円)を以下のいずれかの方法で支払って、入会希望者のデータ(住所、氏名、電話番号、ファクス番号、携帯番号、Eメールアドレス、性別、生年月日、職業、既婚か未婚か)をおしらせください。氏名にはふりがなをふってください。夫婦の場合はどちらか1人が会員になってください。入会を確認次第、案内書、会報などをお送りします。

郵便局を利用する場合

郵便局にある郵便振替払込用紙を利用してお支払いください。

郵便振替●00100-7-573403

加入者名●グローバルJネットワーク

払込用紙の通信欄に入会希望者のデータを記入してください。入会手続きはこれで完了です。

銀行を利用する場合

三井住友銀行川崎支店にお振り込みください。

口座番号●普通7890611

口座名●グローバルJネットワーク

振り込みを終えたら、Eメール、ファクス、郵送のいずれかで入会希望者のデータをおしらせください。

海外で入会する場合

日本の家族に頼んで、日本の郵便局か銀行口座を利用して5,000円をお支払いください。振り込みを終えたら、Eメール、ファクス、郵送のいずれかで入会希望者のデータをおしらせください。

またはUS50ドルのパーソナルチェックか、アメリカの郵便局で作成したUS50ドルのInter-national Postal Money Order のチェック(宛先は代表者Michiko Yamamoto)を同封して、入会希望者のデータをおしらせください。

[連絡先]

グローバルJネットワーク
〒212-0005 神奈川県川崎市幸区戸手4-9-3-1307
TEL/FAX●044-511-8117
E-mail●gjn@fiberbit.net
http://www.fiberbit.net/user/gjn/

執筆者紹介

山本美知子

［やまもと・みちこ］

大阪府出身。

1973年、関西大学文学部を卒業してロンドンでメイドやウエイトレスをして働きながら英語を勉強。

77年、帰国して京都の語学学校に勤務。

81年、サンフランシスコで日系会社の事務員、日本人渡米者組織のスタッフとして働く。

83年、帰国して実務翻訳業に従事。

87年、中国旅行を機に旅行体験記を書きフリーライターとなる。

94年、「グローバル」ネットワーク」を設立して代表となる。

著書に『女ひとり中国を行く』（北斗出版）、『出ようかニッポン、女31歳』（講談社文庫）、『アメリカ渡航応援BOOK』（亜紀書房）ほか。

斉藤由美子

［さいとう・ゆみこ］

神奈川県出身。85年、横浜国立大学教育学部大学院修了。

83年、企業留学の夫に伴い、サンフランシスコ郊外に一年半滞在。その間に長女を出産。

97年、オーストラリアNSW州ニューカッスルのハイスクールでアシスタントティーチャーとして教え、98年、ニューカッスル大学に1年間留学。99年、渡米。

州立大学大学院パート学生、補習校講師、地元の中学や高校で日本語を教えることを経て、現在はニューヨークにある塾の講師。さまざまなメディアでアメリカの生活、教育について発信。

3人の子どもは地元の公立学校から州立大学に進む。コネチカット州ハートフォード在住。


アメリカで結婚・出産・子育ての安心ガイド

2009年2月24日 第1版第1刷発行

著者
山本美知子
斉藤由美子

発行所
株式会社亜紀書房
〒101-0051 東京都千代田区神田神保町1-32
TEL03-5280-0261 http://www.akishobo.com
振替 00100-9-144037

印刷
トライ
http://www.try-sky.com

装丁・本文デザイン
日下充典

カバー挿絵
小峯聡子

本文DTP
神保由香

Printed in Japan
ISBN978-4-7505-0905-1 C0036 \1900E
乱丁本、落丁本はお取替えいたします

亜紀書房の好評アメリカ実用シリーズ

新版

アメリカ暮らし すぐに使える常識集

山本美知子・斉藤由美子・結城仙丈●著

2008年改訂版発行●1995円

「耳かきは必ず日本から持参しよう」

「アパートは新聞で探すと見つけやすい」

「手数料のかからない日本からの送金方法」など、
初めてのアメリカ暮らしで困らないための“役立ち情報”を満載。

着いた当日から快適生活が送れる。

アメリカ暮らし 住んでみてわかる常識集

アントラム栢木利美●著

2008年改訂版発行●1890円

カリフォルニア在住15年。
いまだにうまく“ハグ(hug)”のできない著者が、
自らのつまずきや発見を通して綴る、とっておきのアメリカ常識集。
賢い引っ越し方法から近所づきあいまで、使える“常識”が満載。

充実新版

アメリカで働くためのQ&A100

辻由紀子・山本美知子・吉本秀子●著

2007年改訂版発行●1995円

自分の“夢”を実現するためにアメリカへ――
永住権・就労ビザの取得方法から、仕事の探し方、
職場のトラブル対処法、英文履歴書の書き方までを、
体験者でなければ知りえない情報を交えて解説。

アメリカ渡航 応援BOOK

山本美知子●著

2004年発行●1995円

「アメリカで暮らしたい!」というすべての人のために、
ビザ申請から永住権取得までをわかりやすく解説。
確実に入国する方法、不法滞在にならないための注意点から、
思い通りの就労・結婚のノウハウまでもれなく解説。

価格は全て税込です